La collection

THÉORIE ET LITTÉRATURE

est dirigée par

Simon Harel

Dans la même collection

Andrès, Bernard, *Écrire le Québec: de la contrainte à la contrariété. Essai sur la constitution des Lettres.*

Bal, Mieke, *Meurtre et différence. Méthodologie sémiotique de textes anciens.*

Bettinotti, Julia (dir.), *La corrida de l'amour. Le roman Harlequin.*

Castillo Durante, Daniel, *Du stéréotype à la littérature.*

Chassay, Jean-François, *L'ambiguïté américaine.*

Chitrit, Armelle, *Robert Desnos. Le poème entre temps.*

Cliche, Anne Élaine, *Le désir du roman (Hubert Aquin, Réjean Ducharme).*

Cliche, Anne Élaine, *Comédies. L'Autre Scène de l'écriture.*

Duchet, Claude et Stéphane Vachon (dir.), *La recherche littéraire. Objets et méthodes.*

Fisette, Jean, *Introduction à la sémiotique de C. S. Peirce.*

Gervais, Bertrand, *Lecture littéraire et explorations en littérature américaine.*

Harel, Simon, *L'écriture réparatrice. Le défaut autobiographique (Leiris, Crevel, Artaud).*

Harel, Simon, *Le récit de soi.*

Harel, Simon (dir.), *L'étranger dans tous ses états. Enjeux culturels et littéraires.*

Harel, Simon (dir.), *Antonin Artaud. Figures et portraits vertigineux.*

Le Grand, Eva, *Kundera ou La mémoire du désir.*

Melançon, Benoît et Pierre Popovic (dir.), *Montréal 1642-1992. Le grand passage.*

Purkhardt, Brigitte, *La chasse-galerie, de la légende au mythe. La symbolique du vol magique dans les récits québécois de chasse-galerie.*

Robin, Régine, *Le naufrage du siècle* suivi de *Le cheval blanc de Lénine ou l'Histoire autre.*

Robin, Régine, *Le Golem de l'écriture. De l'autofiction au Cybersoi.*

Simon, Sherry (dir.), *Fictions de l'identitaire au Québec.*

Vanasse, André, *Le père vaincu, la Méduse et les fils castrés.*

Wall, Anthony, *Superposer. Essais sur les métalangages littéraires.*

Dire le livre

De la même auteure

Le désir du roman (Hubert Aquin, Réjean Ducharme), essai, XYZ éditeur, 1992.

La pisseuse, roman, Triptyque, 1992.

La sainte famille, roman, Triptyque, 1994.

Comédies. L'Autre Scène de l'écriture, essai, XYZ éditeur, 1995.

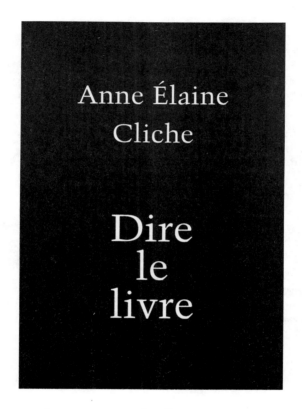

Anne Élaine
Cliche

Dire
le
livre

Portraits de l'écrivain
en prophète, talmudiste,
évangéliste et saint

THÉORIE ET LITTÉRATURE

XYZ
éditeur

La publication de ce livre a été rendue possible grâce à l'aide financière du ministère des Communications du Canada, du Conseil des Arts du Canada, du ministère de la Culture et des Communications du Québec, de la Société de développement des entreprises culturelles et du Comité d'aide aux publications de l'Université du Québec à Montréal.

© XYZ éditeur
1781, rue Saint-Hubert
Montréal (Québec)
H2L 3Z1
Téléphone : 514.525.21.70
Télécopieur : 514.525.75.37
Adresse électronique : xyzed@mlink.net

et

Anne Élaine Cliche

Dépôt légal : 3e trimestre 1998
Bibliothèque nationale du Canada
Bibliothèque nationale du Québec
ISBN 2-89261-193-8

Distribution en librairie :
Dimedia inc.
539, boulevard Lebeau
Ville Saint-Laurent (Québec)
H4N 1S2
Téléphone : 514.336.39.41
Télécopieur : 514.331.39.16

Conception typographique et montage : Édiscript enr.
Maquette de la couverture : Zirval Design

Table

Obstinément, à mes étudiants

Note liminaire

Il n'y a aucune règle officielle de transcription des mots hébreux en français. Dans le cas des citations, je m'en suis tenue au choix littéral de chacun des auteurs cités, ce qui explique qu'un même mot apparaisse à des endroits divers avec une orthographe différente (*Thora, Tora, Torah, Kabbale, Cabbale, cabale*). Pour ma part, j'ai suivi les usages du récent *Dictionnaire encyclopédique du judaïsme* (Cerf/Laffont, 1996). Quant aux mots translittérés ici directement de l'hébreu, j'ai opté pour une version simple, facilement lisible et « audible ». En hébreu, les voyelles sont représentées par des points sous la lettre-consonne. Ce qui explique que certains auteurs choisissent de reproduire fidèlement cette littéralité (*KaBaLaH, MeDaBeR, DeBaRIM*, etc.). Malgré mon désir de transmettre au lecteur francophone la matérialité spécifique de la lettre hébraïque, j'ai renoncé à ce type de transcription qui complique la lecture. Je l'ai toutefois utilisé là où l'intelligibilité du propos l'imposait. Enfin, les citations bibliques, sauf indication contraire, proviennent de la traduction d'André Chouraqui, *La Bible*, Paris, Desclée de Brouwer, 1989.

Pour introduire

Rêver le livre

Rabbi Simlaï a fait l'exposé suivant : À quoi ressemble l'embryon dans le ventre de sa mère ? À un document plié. Il a les mains sur les tempes, les coudes contre les jambes et les talons contre les fesses. Sa tête repose entre ses genoux, sa bouche est close, son nombril ouvert. [...] Une lampe brûle au-dessus de l'embryon, et il contemple le monde d'une extrémité à l'autre, ainsi qu'il est dit, *Quand sa lampe brillait sur ma tête, et que sa lumière me guidait dans les ténèbres* (Jb 29, 3). Ne t'en étonne pas : vois, une personne peut faire un rêve qui se déroule en Espagne alors qu'elle est ici même. Il n'est pas de séjour plus heureux pour l'homme, car il est dit *Oh ! que ne puis-je être comme aux mois du passé, comme au jour où Dieu me gardait* (Jb 29, 2). Quelle est en effet la période qui se compte en mois, mais non en années ? C'est bien la grossesse ! Toute la Torah est enseignée à l'embryon, car il est dit *Il m'instruisait alors, et il me disait : Que ton cœur retienne mes paroles ; observe mes commandements, et tu vivras* (Pr 4, 4). [...] Dès que l'enfant vient au monde, un ange s'approche et lui donne une tape sur la bouche, qui lui fait oublier la Torah tout entière, puisqu'il est dit *Le péché est tapi sur le seuil.* (Gn 4, 7)

Talmud de Babylone, traité « Nidda », 30 b)[1]

Ce livre de la Torah ne se retirera pas de ta bouche ; murmure-le jour et nuit, pour garder et faire tout ce qui est écrit. (Jos 1, 8)

---

1. *Aggadoth du Talmud de Babylone*, traduction d'Arlette Elkaïm-Sartre, Paris, Verdier, 1982, p. 1364. *Aggadoth* est le pluriel de *aggadah* qui signifie « légende » ou « récit ».

L'Autre livre

Un rêve :

La table de travail jonchée de livres empilés en colonnes instables. Au sommet de l'une d'elles se trouve un petit couteau, celui dont la mère autrefois se servait pour une cuisine dont il ne reste qu'un peu du goût et des odeurs. C'est un joli couteau, aujourd'hui disparu, égaré ou jeté, au manche d'ivoire jauni. Débris d'histoire remonté à la surface et flottant sur les livres.

Le couteau au manche rond ressemble dans le rêve à un stylo dont la pointe est visiblement coupante. Un couteau pour écrire ? Qu'est-ce que ce serait ? Abandonné là, comme à dessein, par la main de la mère, il attend sans doute qu'une association le délivre pour retourner au néant.

Il doit bien y avoir quelque chose à trancher, à couper pour dire, quelque chose à dire qui revient à ce titre précis. Signe d'une filiation ? D'une alliance, peut-être, « à trancher » — comme il est dit pour Abram — « entre les morceaux » ; morceaux d'histoire, de mémoire, de livres. « Yahvé lui dit : Prends-moi une génisse de trois ans, une chèvre de trois ans, un bélier de trois ans, une tourterelle et un pigeonneau. Abram se procura tous ces animaux et les fendit par le milieu. Il plaça chaque moitié en face de son autre moitié. Quand le soleil fut couché et qu'il fit très sombre, voici qu'un four fumant, une torche de feu passèrent entre ces coupures. Ce jour-là, Yahvé trancha une alliance avec Abram pour dire : À ta semence j'ai donné cette terre. » (Genèse, chapitre 15)

Au réveil : légère douleur entre les omoplates. Celle, incisive et connue, qui surgit toujours au terme d'une posture prolongée devant l'écran et le clavier d'ordinateur. La douleur d'écrire, tout de suite reconnaissable, hallucinée au réveil tel un couteau dans le dos, planté entre les omoplates. Comme dans la fable où un rêveur, au matin, se lève et trouve enfoncée entre sa nuque et ses reins l'épée du rêve [2].

Au commencement, il y aura donc ce rêve ; celui d'une promesse, d'une alliance et d'un livre à faire. Un rêve anodin, posé là en exergue pour évoquer l'impératif, la Loi ou la parole que le couteau du rêve signifie. Impératif voilé, entre sommeil et veille, entre cuir et chair comme l'épée du rêveur de Kafka restée énigmatique, et qui suggère-

---

2. Franz Kafka, « L'épée », *Œuvres complètes*, Paris, Gallimard, coll. « Bibliothèque de la Pléiade », 1980, p. 354.

rait sans la dire tout de suite la visée de ce qui s'élabore ici et s'annonce ; dans une petite douleur à peine, à peine : écrire.

De ce rêve vont venir les associations, les pensées, la suite : alliance, impératif, Loi, coupe et passage entre les livres ; et puis le corps, celui de la mère sur lequel on écrit, et celui qui trace la lettre, marque le cuir du rouleau de Torah, énigme et interprétation. Nous ouvrons le livre pour entrer dans un autre et un autre et encore un. Hyperlivre de la lecture, qui tisse des réseaux impossibles à défaire, à ranger, à classer : ces réseaux inextricables qui sont pourtant toujours repris, de nouveau et autrement. Ainsi sommes-nous à l'ouverture du livre, celui qui commence, qu'on va lire : déjà pris dans une chaîne dont on ne repère pas bien encore la direction ni l'enjeu.

Dire le livre. Comme s'il s'agissait non pas tant de traiter les mots du livre — ceux du roman, du poème, de l'histoire, du récit — que de poursuivre ce qui n'a pu s'y inscrire et n'en est pourtant ni exclu ni absent. Comme s'il s'agissait de revenir vers la voix, la parole qui porte, soutient, scande le livre et en cela l'interprète, c'est-à-dire le recoupe, le cisèle ou le plie. *Dire le livre* renvoie donc à un acte plutôt qu'à un propos ; à une forme — brisure ou tissage — plutôt qu'à un thème ; à une tradition, passage et destination, plutôt qu'à un message, un savoir, une intention. De là, peut-être, l'étrangeté apparente des rencontres ici proposées, puisqu'elles s'orchestrent à partir d'une pratique du livre et non d'un objet qui l'occupe, parfois le hante. Cet objet du livre, celui dont il parle, n'est jamais qu'un facteur, une voie pour dire le livre, pour mettre le livre en acte. C'est dire qu'il n'est pas négligeable ; seulement est-il « indifférent » comme l'objet de la pulsion dont Freud a montré qu'il vient toujours là pour border, inscrire ce qui justement manque à cette place et cause le désir[3]. Ainsi, la nourriture n'est pas l'objet de la pulsion orale, ni la cigarette, ni la fumée, mais ce qui, à manger, à fumer, restaure ce plaisir de bouche qui est l'en-creux, l'en deçà ou l'au-delà de l'objet avalé. *Dire le livre* serait donc ramener à la lecture ce « plaisir de bouche », cette jouissance recherchée dans une pratique de la lettre, de la matière littérale ou vocale comme ouverture, coupure, strie, creux d'irruption imprononçable mais précis, désiré.

C'est une certaine manière de lire et d'écrire qui déjà se profile ; un rapport au sens qui ne serait plus seulement de signification mais de direction et de destination ; un rapport rigoureux au sens dont la

---

3. « Pulsions et destins des pulsions », *Métapsychologie*, traduction revue et corrigée par Jean Laplanche et Jean-Bertrand Pontalis, Paris, Gallimard, coll. « Folio », 1991 [1968], p. 19 : « L'*objet* de la pulsion est ce en quoi ou par quoi la pulsion atteint son but [satisfaction]. Il est ce qu'il y a de plus variable dans la pulsion, il ne lui est pas originairement lié [...]. Il peut être remplacé à volonté tout au long des destins que connaît la pulsion. »

logique participe d'une tradition dans laquelle se rejoignent des textes, des auteurs, des sujets au premier abord disparates. Ce disparate ne l'est pourtant que si l'on considère une certaine réception souvent consensuelle qui repose sur des critères tout aussi rigoureux mais différents — l'intention de l'auteur, l'énoncé du texte, la date, le pays, le contexte de composition, les rivalités, contradictions, refus affirmés, revendiqués, bref tout ce qui s'attache au dit. Sarah Kofman lisant Freud décrivait l'objectif de son travail en des termes d'une simplicité remarquable : il s'agira, disait-elle, de « lire ce que Freud *fait* et non ce qu'il *dit* [4] ». C'est bien d'un faire dont il est question ici ; d'un livre à faire dont on voudrait repérer le principe — le commencement —, dont on voudrait surtout déployer la logique en son impératif ou, disons, en sa Loi. La majuscule indique la transcendance de cet impératif qui ne provient pas d'une décision mais d'un effet logique de la parole et de la lettre sur les corps qui en sont les sujets.

Car c'est la Loi, son enjeu, son intimation à dire, qui permet d'entamer des dialogues entre écrivains, talmudistes, évangélistes ; c'est un certain rapport à la Loi qui permet de rapprocher Genet, le catholique athée pro-palestinien, d'un talmudiste, par exemple, ou encore Beckett d'un évangéliste à rebours, Artaud le Mômo d'un penseur juif ou Freud, le Juif athée, d'un rabbin. Sans le déploiement de ce rapport, sans la prise en compte de cette mise à disposition du dire devant la Loi, on pourrait supposer qu'il s'agit de faire de Genet un défenseur du Talmud, de Beckett un croyant, d'Artaud un scribe, de Freud un cabaliste ou de Lacan un prophète. Il n'y aurait là, d'ailleurs, rien de scandaleux. Et sans doute, à bien y songer, rien de totalement faux dans ces rapides analogies. Ce n'est cependant pas de cela qu'il s'agit. Ce qui nous retiendra surtout, c'est le destin de l'écriture, l'énonciation du livre à faire dont l'œuvre expose toujours — ou impose — les tribulations ; ce « là » qu'elle indique sans pouvoir y atteindre, bref cette Loi, physique, très physique, qui pousse, selon une « force constante [5] » — voix, cruauté, crime — à devenir livre. *Dire le livre*, ce serait en quelque sorte poursuivre « l'accomplissement » d'une parole, comme nous l'enseignent les prophètes, avec le corps et la violence que cela suppose. Le travail des écrivains, interprètes, diseurs ou comédiens, que je choisis ici de montrer, se reconnaît dans cet acte, ce *faire* que la parole ordonne. Travail du livre qui

---

4. Sarah Kofman, *L'enfance de l'art. Une interprétation de l'esthétique freudienne*, Paris, Payot, 1970.
5. Ainsi Freud décrit-il l'insistance de la pulsion : « La pulsion [...] n'agit jamais comme une *force d'impact momentanée* mais toujours comme une force *constante*. Et comme elle n'attaque pas de l'extérieur mais de l'intérieur du corps, il n'y a pas de fuite qui puisse servir contre elle. » (*Op. cit.*, p. 14)

décolle la parole du monde et la lui redonne dans une distance obligée qui est séparation, retrait, arête, coupure et castration.

Écrire, un couteau dans le dos... pour éprouver la blessure : fissure que la lettre trace en même temps qu'elle la couvre.

Imaginons un site pour la rencontre : à l'image de cette « tente du rendez-vous » que les Hébreux transportent au désert ; sanctuaire itinérant qui contient les Tables et les débris, dit-on, des autres, les premières, cassées par la colère de Moïse et recueillies en morceaux dans l'arche. Imaginons la rencontre de ces écrivains modernes, contemporains — athées, oui, je ne l'oublie pas, « raisonnablement athées », pour reprendre l'expression de Freud — dans ce Saint des saints où il n'y a rien à voir que la parole innommable et appelée dans le défilé des noms : IHWH, Adonaï, Chékhinah, El.

Exode, fuite, sortie. C'est un rendez-vous bien étrange, direz-vous. Pourquoi là, précisément ? Parce que nous sommes au désert, les livres nous y ramènent toujours ; et parce que les écrivains eux-mêmes nous y convoquent, nous rappelant que la parole, la voix existe encore, insiste dans la lettre qui en est le corps inouï, insaisissable et constamment oublié. On demandera peut-être encore : quelle est cette Loi et que dit-elle ? C'est une porte ouverte : celle, bien sûr, de la célèbre nouvelle de Kafka ; un seuil, une ouverture à toi seul destinée et pourtant infranchissable, décuplée, sérialisée du fait même qu'elle suspend et diffère ton entrée.

> Devant la Loi se dresse le gardien de la porte. Un homme de la campagne se présente et demande à entrer dans la Loi. Mais le gardien dit que pour l'instant il ne peut pas lui accorder l'entrée. L'homme réfléchit et demande s'il lui sera permis d'entrer plus tard. « C'est possible, dit le gardien, mais pas maintenant. » Le gardien s'efface devant la porte, ouverte comme toujours [...] « je ne suis que le dernier des gardiens. Devant chaque salle il y a des gardiens de plus en plus puissants [...] [6]. »

La Loi, selon cette fable, serait une ouverture gardée, barrée et cependant promise au franchissement ; une invitation en même temps qu'un interdit. Attends ! dit la Loi, viens mais n'entre pas, retarde encore un peu le pas que tu dois faire.

Le livre, celui qu'on écrit ou celui qu'on lit, procède aussi de cette séparation radicale entre ici et là, entre ici où je suis et là où je ne peux entrer sans attendre — « pas maintenant » —, où je ne peux entrer sans

---

6. Franz Kafka, « Devant la Loi », petit récit raconté à la fin du *Procès* et publié par Kafka comme une nouvelle indépendante ; traduction d'Alexandre Vialatte et Marthe Robert, *Œuvres complètes*, vol. 1, Paris, Gallimard, coll. « Bibliothèque de la Pléiade », 1976.

entrer dans le temps de l'attente, sans suspendre mon pas, celui qui vient et dont il faut différer l'avancée qui me ferait *être là*, dans l'ouverture, en elle, dévoré par ses chambranles interminables dont le défilé n'est plus qu'un crescendo vers la disparition. La Loi est cette barre, ce trait que la lettre trace sur la page lisse et blanche et qui me sépare de moi, de ce que je voulais dire et dont le dire est déjà autre chose qu'il va falloir ne pas lâcher, dont le dire est désormais ce qui m'arrive en attendant d'être là où je ne suis pas pour mieux dire où je suis.

Parlant de la Loi et du livre, on ne peut faire l'économie de leur « archéologie ». L'Occident chrétien a ignoré pendant des siècles, pour ne pas dire rejeté et méprisé, cette bibliothèque inouïe du judaïsme d'où la chrétienté — ce n'est un secret pour personne — est pourtant issue. Après la *Shoah*, conséquence catastrophique imprévisible et incontrôlable de cette « ignorance », il devient urgent non pas tant de prêcher la réconciliation, dont les fruits sont souvent fades, que de reconnaître une dette. Si ce n'est pour la payer — car elle est, dans tous les sens du terme, impayable — on rappellera tout de même cette dette pour mesurer la rupture, l'écart où nous l'avons laissée en souffrance, pour en lire les ravinements et peut-être retrouver les insécables racines qui nous rattachent toujours à ce que nous « oublions ».

Il y a encore autre chose. À faire dialoguer quelques écrivains avec des talmudistes — dont Freud n'était pas sans connaître l'art, dénié certes, ce qui n'est pas rien [7] —, c'est une logique de pensée apparentée qui frappe. Une certaine tradition des études littéraires, tradition « moderne » de l'interprétation dans laquelle la littérature, la lecture du texte ou de l'Histoire se transmettent aujourd'hui, aurait tout à gagner de « retrouver » le judaïsme : pensée du Livre et de la lettre, tradition plusieurs fois millénaire dont la fraîcheur est d'une étonnante garantie. Les Mallarmé, Blanchot, Jabès nous l'ont plus d'une fois rappelé : l'art de l'écrivain ne relève pas tant du *logos*, du concept, de l'idée que de la lettre et de ses infinies combinatoires. Les talmudistes et les évangélistes ont pratiqué cet art de la lettre avant que l'Occident ne l'abandonne, en quelque sorte, à la littérature. Freud en réinventera le savoir sous un autre nom, pour en faire une thérapeutique, une éthique, une scène. Sa fascination pour le « savoir » des écrivains ne vient-elle pas justement du fait qu'il reconnaît dans cette pratique l'avènement d'une vérité *analytique* avant l'heure qui assume en toutes lettres sa « structure de fiction [8] » ? Admiration de Freud pour une vérité non plus de l'énoncé, encore moins du dogme, mais du dire.

---

7. Voir Gérard Haddad, *L'enfant illégitime. Sources talmudiques de la psychanalyse*, nouvelle édition revue et augmentée, Paris, Point Hors Ligne, 1990.

8. Jacques Lacan, *Écrits*, Paris, Seuil, 1966, p. 808 : « Ainsi c'est d'ailleurs que de la Réalité qu'elle concerne que la Vérité tire sa garantie : c'est de la Parole. Comme c'est d'elle qu'elle reçoit cette marque qui l'institue dans une structure de fiction. »

Pour le judaïsme, la Loi c'est le Livre, la Torah qui veut dire
« Loi [9] », c'est-à-dire commencement, noms, cri, désert et paroles [10] ;
c'est-à-dire encore, si l'on pense au Talmud qui en est le commentaire,
détours interminables, obscurs ou lumineux, parfois comiques, toujours savants, détours du commandement dans les dédales de son
interprétation, de sa mise en histoire et en contradiction entre la
bouche et l'écrit [11].

Kafka, Freud, Beckett, Artaud, Genet, Lacan... Évangiles, Torah
pour répondre d'un livre à faire, à dire. Une trame se tisse, déjà serrée,
dont les motifs et les couleurs se laissent peut-être deviner, se font
attendre encore. Il y a déjà pourtant, dans cette série de noms, une
équation dont les signes s'écriront au cours de ce livre.

L'art de la lettre, comme la psychanalyse, suppose qu'on ne pense
pas par thèmes mais par connexions, disjonctions, ruptures, sauts, broderies, petites coupures, coutures, associations. Il n'y a pas de prêt-
à-porter dans la boutique des souvenirs, la garde-robe de la mémoire
n'est jamais tout à fait à la page, je parle de celle qu'on lit et qu'on écrit :
elle vous renvoie toujours ailleurs, vers une page à venir ou déjà lue, vers
un autre livre, à faire, à lire. Méthode biblique. Déjà Chateaubriand,
dans *Le génie du christianisme*, nous prévient, émerveillé, que le Livre
— appelé en cette autre tradition et non sans souci polémique et idéolo-
gique « Ancien Testament » — c'est vingt livres : divers, inimitables,
entrechoqués. Ce que ne dit pas Chateaubriand, c'est que les Évangiles
constituent un récit supplémentaire, polémique, dissident mais tout
droit issu des manières et des enseignements talmudiques [12]. Allez-y
voir. D'où venons-nous, mon Dieu ! Il n'y a pas à en sortir, nous venons
du Livre, et ce Livre est une bibliothèque bourdonnante, intarissable et

---

9. En fait le mot « Torah » dérive de la racine hébraïque *YRH* qui veut dire « enseigner » et peut se traduire par « enseignement » ou « instruction ». Le terme Loi pour
désigner la Torah apparaît toutefois dans le Deutéronome pour indiquer l'ensemble
de la législation mosaïque. La Torah désigne d'abord le Pentateuque, c'est-à-dire les
cinq premiers livres de la Bible (Genèse, Exode, Nombres, Lévitique, Deutéronome) qui racontent comment les lois et commandements — les Dix Paroles —
ont été donnés au peuple d'Israël. Mais on verra l'extension que prend très tôt cette
désignation. Voir entre autres Guy Schoeller (dir.), *Dictionnaire encyclopédique du
judaïsme*, Paris, Cerf/Laffont, coll. « Bouquins », 1996.
10. Si l'on reprend les titres hébreux du Pentateuque formés toujours par le premier
mot du livre désigné, Genèse devient *Berechit* : « Au commencement » ou
« Entête » ; Exode devient *Chemot* : « Noms » ; Lévitique devient *Vayekra* : « Il
crie » ; Deutéronome devient *Debarim* : « Paroles ». Titres « nouveaux » que res-
pecte la traduction de Chouraqui.
11. En hébreu on dit *Torah chè-be-al peh*, « Loi de la bouche », pour désigner la Loi
orale, et *Torah chè-bi-khtav*, pour désigner la Loi écrite.
12. Voir à ce sujet, entre autres, Martin Buber, *Judaïsme*, Paris, Gallimard, coll. « Tel »,
1982 ; Bernard Dubourg, *L'invention de Jésus* I et II, Paris, Gallimard, coll. « L'infini », 1987, 1989 ; Marie Vidal, *Un Juif nommé Jésus. Une lecture de l'Évangile à
la lumière de la Torah*, Paris, Albin Michel, 1996.

tout à fait assourdie par les siècles : Torah, Talmud, midrachim, cabale, Évangiles, qui donc lit cela à part les pieux, les saints, les rabbins, les doctes et les désespérés ? Les écrivains qui sont un peu tout ça.

Le plus étonnant et le plus admirable, sans doute, est que le judaïsme, haï et censuré, c'est-à-dire méconnu par les siècles, ait tout de même survécu, adaptant — interprétant — les violences de l'Histoire dans son travail incessant du texte. Comment un écrivain ou un amant des livres ne serait-il pas saisi par cette histoire juive qui a résisté, et souvent à l'aide d'un seul impératif : Étudie ! Voilà encore ce qu'est la Loi : une attente active et industrieuse fondée sur cette hypothèse incroyable que le salut du monde — et tout simplement la vie — se trouve dans l'étude, ici, maintenant, tout de suite. Voilà. C'est tout. Non pas dans le savoir, la foi, la vérité, ou dans que sais-je encore, mais dans l'étude. Un tout petit impératif qui insiste à chaque tournant du Livre : « Étudie la Torah. » Non pas « impose-la aux autres » ou « connais-la et domine le monde ». Non. Rien d'autre que : « Étudie la Torah. »

Sait-on vraiment ce que veut dire « étudier » ? Étude, en hébreu, se dit *talmud*[13]. Il faut aller voir ce qui se passe là-dedans pour saisir l'ampleur de la chose. Rien à voir avec ce que l'on pourrait penser : leçons, devoirs, obéissance aveugle, choses à apprendre et à recracher, mauvaises notes, bonnet d'âne, etc. Voici au contraire des personnages qui semblent s'amuser de leurs désaccords, qui déplacent constamment la question, vous la retournent, comptent des lettres, jouent avec elles, assènent des citations en constellations infinies, ne semblent se préoccuper ni de la bonne réponse ni de la bonne question. Ici, tout est question, tout fait question : il n'y a pas d'accès direct au sens. Logique du rêve, principe du roman et de la parole toujours adressée à quelqu'un, un nommé, fils d'un tel, venu là demander ce que l'on doit entendre par cette phrase, ce mot, cette virgule, cette histoire, et qui, aussitôt la réponse donnée, ira voir ailleurs s'il n'y aurait pas autre chose, le contraire, par exemple[14]. Logique de l'humour et de l'« arpentage ». « Il ne faut pas que tu tiennes trop compte des opinions », dit le prêtre à Joseph K. dans l'église, à la fin du *Procès* — alors que les deux personnages discutent le récit « Devant la Loi » qu'ils viennent de lire. « Le texte est immuable et les opinions n'expriment souvent que le désespoir inspiré par cette immuabilité[15]. »

---

13. Le Talmud est en effet ce livre ouvert (au sens d'Eco), infini, livre du commentaire et de l'étude des lois et des prescriptions bibliques — de la Torah.
14. Au sujet des noms et des personnages du Talmud, voir entre autres Marie Vidal, *op. cit.*, p. 136 : « Les noms sont essentiels. Si l'expression « fils de... » semble au premier abord préciser l'identité du père, elle est aussi l'insistance spirituelle sur la vocation de chacun.
15. Franz Kafka, *Le procès*, traduction de Bernard Lortholary, Paris, Garnier-Flammarion, 1983, p. 260.

Désespoir certain, au sens où est pris en compte cet indépassable : il n'y a pas de vérité hors la parole, il n'y a pas d'au-delà du commentaire que je ne puisse entendre dans le commentaire, en le poursuivant, le reprenant, le renversant, le divisant, le partageant, le soumettant, pour voir, à d'autres ; pas d'espoir d'y arriver sans détour, sans médiation. Relativisme inconsidéré, a-t-on souvent jugé à distance. À y regarder de plus près, ce que l'on découvre est au contraire un principe d'interprétation rigoureux dont la tradition vous donne le cadre, les assises, les règles, la méthode. Association libre ? Certes, si l'on se souvient combien cette méthode n'est justement pas libre mais vous expose pour une fois à vos liens, à vos nœuds, à vos torsions et contorsions les plus secrètes, si l'on n'oublie pas quel type d'écoute elle exige : « flottante », c'est-à-dire flottant sur l'énoncé, préoccupée d'entendre les débris, cassures, brisures, et la lettre qui les constelle en signifiants dont votre corps — et pas un autre — répond. Les rabbins du Talmud, on s'en doute, ne font pas leur autoanalyse — quoique... — ; ils sont à l'écoute de la Parole pour l'ouvrir selon une logique de renvois d'un signifiant à l'autre, fonctionnant en partie selon l'occurrence retrouvée d'un mot dans une phrase considérablement éloignée et sans rapport direct avec le contexte de départ, à moins que ce mot ne soit reconstruit par assonance, jeu de mots ou anagramme, et cela dans les trois parties de la Bible juive qui comprend la Torah, les Prophètes et les Écrits [16].

N'est pas rabbin qui veut. Il faut voir, d'ailleurs, comment ce commentaire de la Torah qu'effectue le Talmud repose sur la certitude d'une Loi, dont même Dieu ne saurait avoir le dernier mot, donnée à l'homme et pour l'homme. En témoigne cette légende célèbre et remarquable, à transmettre d'urgence aux tenants d'une vérité dernière. C'est l'histoire d'une polémique — *mahloqèt* [17] —, entre Rabbi Éliezer et une assemblée de Sages, au sujet d'un four dont on se demande s'il faut le déclarer pur ou impur. Laissons de côté le détail de la question pour voir comment la pensée rabbinique va régler le problème. Après plusieurs consultations, il s'avère que Rabbi Éliezer est le seul à déclarer pur le four, alors que tous les Sages du Tribunal le déclarent impur. Voici ce que raconte le Talmud de Babylone :

---

16. Ces trois parties forment par leurs initiales un mot qui désignera tout le recueil : TaNaK formé à partir de *Torah*, *Neviim* (prophètes) et *Ketouvim* (Écrits, c'est-à-dire Psaumes, Proverbes, Job, Ecclésiaste, etc.). *TaNaK* est le nom donné à ce que les Chrétiens appellent l'Ancien Testament (à quelques ajouts près).

17. « La *mahloqèt*, premier principe de dialogue du Talmud, est liée fondamentalement à une conception de l'herméneutique et de la vérité. [...] Pour entrer véritablement dans la pensée du Talmud, il faut, chaque fois qu'est affirmée une certitude, chercher l'affirmation opposée avec laquelle cette certitude est en rapport. La pensée talmudique, ainsi, ne cesse de s'opposer, sans jamais se contenter d'elle-même, sans jamais, non plus, se satisfaire de cette opposition. » (Marc-Alain Ouaknin, *Le livre brûlé. Philosophie du Talmud*, Paris, Seuil, coll. « Points », 1993, p. 137-138)

Ce jour-là, Rabbi Éliezer fournit toutes les réponses du monde mais ses collègues les refusèrent [...]. Rabbi Éliezer leur dit : « Si la halakhah [loi] est selon mon avis, que ce caroubier le prouve ! » Le caroubier s'arracha de sa place et se déplaça de cent coudées. Les Sages lui répondirent : « On n'apporte pas de preuve d'un caroubier ! »

Il revint à la charge et leur déclara : « Si la halakhah est conforme à mon avis, que le canal le prouve ! » Les eaux du canal reculèrent.

« On ne fournit pas de preuve d'un canal » rétorquèrent les Sages.

Il revint à la charge et leur dit : « Si la halakhah est conforme à mon opinion, que les murs de la salle d'étude le prouvent ! » Les murs de la salle d'étude se penchèrent près de s'écrouler. Mais Rabbi Yehochoua les invectiva et leur dit : « Si les Sages sont en discussion pour se convaincre les uns les autres au sujet d'un point de droit, en quoi cette querelle vous intéresse-t-elle ? » Les murs ne s'écroulèrent pas par égard pour Rabbi Yehochoua mais ne se redressèrent pas par égard pour Rabbi Éliezer. Ils restèrent de guingois. Rabbi Éliezer revint à la charge et dit : « Si la halakhah est conforme à mon avis, c'est du ciel que viendra la preuve ! » Une voix céleste surgit et proclama : « Que voulez-vous à Rabbi Éliezer ? La halakhah est conforme à son opinion en tout domaine ! » [...] Rabbi Yehochoua se dressa sur ses pieds et cria : « Il est écrit dans la Torah qu'elle ne se trouve pas dans les cieux [18] ! » (Deut. 30, 12)

L'histoire se poursuit avec le commentaire final de Rabbi Yirmeyah qui affirme que, en effet, la Torah a été révélée au Sinaï et que nous n'avons plus à nous fier à une voix céleste pour régler nos polémiques et résoudre nos oppositions. L'interprétation est humaine et l'Absolu n'a rien à y faire. Voilà qui nous repose des églises de tout genre et de toute tendance. Ce qui importe, c'est l'étude qui reste impensable sans l'apprentissage de l'éthique et de la sagesse fondée sur l'Alliance : entre Dieu et Noé le juste, d'abord ; entre Dieu et Abraham, ensuite ; et entre Dieu et son peuple par l'intercession de Moïse, enfin. L'interprétation EST l'éthique dans la mesure où l'incomplétude de la Loi révélée est affirmée pour donner à l'homme la responsabilité d'un accomplissement et d'un achèvement... impossible [19]. D'où ce plaisir que l'on prend à rencontrer ces personnages pour qui la Loi orale *subordonne* la Loi écrite, la plie à ses exigences et à ses méthodes : un monde où la relance est continue, où l'on vous renvoie sereinement au livre sur le livre, au commentaire du commentaire [20]. On n'a jamais autant eu

---

18. *Talmud de Babylone*, traité « Baba Metsia » (Porte du milieu) p. 59 a)b).
19. Voir Alexandre Safran, « La Torah céleste et la Torah terrestre », *La cabale*, Paris, Payot, 1972, p. 131.
20. Lire entre autres David Banon, *La lecture infinie. Les voies de l'interprétation midrachique*, Paris, Seuil, 1987, p. 76 : « Si, comme dans les autres traditions, le canon écrit appelle inévitablement le commentaire, il convient de signaler, d'une part, que, dans la tradition rabbinique, le rapport qu'entretiennent la Loi Orale et

l'impression d'exister. Car logique il y a, et principe imparable de pensée il y a aussi: association, transfert, déplacement, condensation, méthode avérée contre la folie du monde... qui ne s'en soucie pas. « La Loi orale prétend parler de ce que dit la Loi écrite. Mais la Loi orale en sait davantage. Elle va plus loin que le sens obvie du passage étudié, mais dans l'esprit du sens global de l'Écriture [21]. »

Si la Loi orale est bien passée à l'écrit, elle n'en demeure pas moins fidèle à l'oralité et à la parole. Elle provient de l'école des Pharisiens, si décriée par les Évangiles. Tout le judaïsme moderne découle des Pharisiens, les Sadducéens et les Esséniens n'ayant pas survécu à la destruction du Temple [22]. Cette Loi est dite orale parce qu'elle se construit non comme une Histoire — celle que le canon a rassemblée et qui va de la Création du monde jusqu'à l'arrivée au seuil de la Terre promise (Torah écrite ou Pentateuque) —, mais comme un ensemble d'opinions et de discussions sur les lois explicites ou implicites prescrites par cette Torah. Les compilateurs et codificateurs de ces lois (au pluriel *halakhot*), dont Maïmonide au XIIe siècle est l'un des plus importants, ont construit l'ensemble de manière à garder vivantes et irrésolues les discussions entre rabbins, préservant ainsi dans le corps des lois cet esprit particulier qui est désir de penser, de dire le livre et de l'accomplir plutôt que de le savoir.

Ouvrant le Talmud (Loi orale), ce n'est pas un livre que vous ouvrez mais une bibliothèque tout entière: livres divers de prescriptions, de commentaires, récits, histoires, légendes, tous encastrés les uns dans les autres selon le principe du livre dans le livre. Il faut regarder une page du Talmud pour apercevoir à l'œil nu l'esprit qui là s'agite: un paragraphe central souvent en forme de « L » expose l'énoncé de la prescription proprement dite. Un paragraphe placé en bordure verticale présente le commentaire de Rachi [23]. Un autre commentaire du texte principal se trouve dans un paragraphe placé sur la colonne extérieure de la page, œuvre collective des disciples de Rachi et de leurs propres élèves. Toujours à la verticale, aux deux extrémités de la page, de petits paragraphes renvoient à d'autres prescriptions que l'on trouvera ailleurs dans le livre, alors qu'un autre paragraphe

la Loi Écrite n'est pas de simple *coordination*, il est bien plutôt de *subordination*: la Loi Écrite se pliant aux exigences et aux méthodes, aux découvertes et aux lectures de la Loi Orale. »

21. Emmanuel Levinas, *L'au-delà du verset*, Paris, Minuit, coll. « Critique », 1982, p. 95.
22. « Pharisiens » vient de l'hébreu *pérouchim* qui veut dire « Séparés ». Leur enseignement et leur adaptation à l'histoire sont longuement analysés dans le livre d'Armand Abécassis, *La pensée juive, 4. Messianités: éclipse politique et éclosions apocalyptiques*, Paris, Livre de poche, 1996.
23. Grand commentateur juif de la Bible et du Talmud au XIe siècle, Rachi est l'acronyme de Rabbi Chlomo Yitshaki, né à Troyes, en Champagne (1040-1105).

commente autrement la prescription initiale. Enfin, plusieurs notes occupent encore l'espace disponible, suivant un système complexe d'abréviations ; les références précises aux passages commentés de la Torah se trouvent aussi disposées dans cette série de colonnes inégales et enchâssées les unes dans les autres [24]. Ainsi circule-t-on sur la page selon un rythme et un parcours imposés : spiralés, stratifiés, zigzaguants. Étourdissant ? Cela dépend de l'enseignement reçu par les grands maîtres que sont Mallarmé, Joyce, Proust ou Freud, ce dernier dont la pensée n'est jamais sans nous essouffler par son sens du fragment repris, déplié, découpé, déroulé, voire « tordu ».

L'esprit talmudique ne nous est peut-être pas si étranger que nous voudrions le croire. S'agirait-il de se convertir ? Prenons la question précisément là où elle se pose : dans le Talmud, justement. L'histoire raconte qu'un païen vient voir Rabbi Chammaï, de la grande école de Chammaï, pour se convertir : « Je veux me convertir, à la condition que tu m'enseignes toute la Torah dans le temps que je peux tenir sur un seul pied. » Chammaï n'est pas content et chasse le mauvais élève. Le païen va donc voir le rabbin Hillel, de la grande école de Hillel, et demande de nouveau la conversion accélérée. On dit que Hillel le convertit : « Ne fais pas aux autres ce que tu ne veux pas qu'on te fasse, lui dit Hillel, voilà toute la Torah. Le reste n'est que commentaires. Maintenant pose ton pied par terre et va, étudie-les [25] ! »

Le livre-rêve [26]

L'Autre livre, c'est d'abord ce livre refoulé. Torah, disions-nous, dont le statut est pour le moins particulier d'être à la fois objet d'un don, livre d'avant le monde, monde lui-même, puis texte, écriture, objet d'étude, de transmission, et quoi encore ? ah oui : chose à dire, plaisir de bouche. Il ne s'agit pas là de croire ni d'avoir la foi, de devenir pieux et de s'agenouiller. La parole n'exige pas la foi mais l'écoute. Freud, on le sait, a dû souvent rappeler cette évidence à la défense de l'inconscient dont il n'existe pas d'autre « preuve » que la parole en

---

24. Voir la remarquable présentation de cette page talmudique dans le « Guide et lexiques » de l'édition Steinsaltz du *Talmud*, Paris, JC Lattès, 1994.
25. *Aggadoth du Talmud de Babylone, op. cit.*, traité « Chabbat », paragraphe 43, p. 165. Les deux personnages ici en scène ne sont pas anodins mais fort célèbres — on trouve dans les *aggadoth* du Talmud des histoires qui nous livrent les grands traits de leur caractère —, célèbres surtout d'avoir, par leurs positions respectives et très opposées, suscité de vifs débats dont le Talmud livre justement les détails argumentatifs. Voir Adin Steinsaltz, *Introduction au Talmud*, Paris, Albin Michel, 1987, p. 33-34 entre autres.
26. Ainsi Freud nommait-il son autoanalyse en passe de devenir le premier enfant-livre (*L'interprétation des rêves*) d'une œuvre alors encore à naître : *Traumbuch* ou *Traumkind* « enfant-rêve ».

son acte. Cette tendance à renvoyer Dieu et la psychanalyse du côté de la foi et de la croyance provient sans doute de ce que l'on pose mal le problème. En fait, la foi ne change rien à l'affaire, car il en va, avec ou sans la foi, d'une coupure qui place le sujet parlant dans un rapport constant à cette scission qui rend « impossible » son rapport à l'objet, au réel et à la jouissance, de ce fait même, inter-dite. La théorie du refoulement originaire ne tente après tout que de rendre compte de cet effet de prise du signifiant, qui exclut le sujet de l'énonciation du champ de l'énoncé. Autrement dit, le sujet de la parole est par définition déterminé par cet interdit de voir et d'entendre, par cette *bévue* qui est, comme le révèle Beckett, un mal vu/mal dit. L'*übersehen*, rappelle Jean-Michel Rey, a « partie liée avec ces innombrables tours dont le regard peut à la moindre occasion être affecté, sous le coup desquels il se produit, car chacun de ces tours peut annuler le voir, faire comme s'il n'avait pas eu lieu, le défaire, lui faire écran [27] ». Destin de la bévue — inconscient et énonciation — d'être méconnue, ignorée ou niée. « La bévue, où se trouve le mot vue, indique qu'on a mal vu. La méprise, où se trouve le mot prise, indique qu'on a mal pris. Mal prendre, mal choisir peut être aussi bien la faute des objets qui me sont soumis que la mienne ; par conséquent la méprise n'implique pas nécessairement que je sois coupable d'inattention et de légèreté. Mais mal voir implique que c'est moi qui n'ai pas vu comme il fallait : bévue suppose donc chez moi inadvertance, passion, aveuglement. » (Littré) Cette dimension à reconnaître n'exige donc pas la foi mais l'attention.

Quant à l'Écriture, à la Torah, contrairement à ce que soutiennent les fondamentalistes — et contrairement au christianisme qui, après Paul, va tout relire en substituant l'exigence de la foi à celle de la Loi —, elle s'intéresse précisément à cet effet d'exclusion d'où la Parole ne cesse de revenir. Ce n'est donc pas la foi qui est directement interpellée — son discours ne saurait rendre compte de cette exclusion constitutive de la parole —, mais le dispositif d'écriture qui raconte les effets du refoulement. Si saint Paul a critiqué vertement les obscurités de la « lettre » contre les lumières de l'esprit, le fondamentalisme, qui a découlé de cette formulation plus ou moins bien décryptée, n'a pas empêché une lecture qui obligeait à *croire* à l'énoncé. La crispation que cette lecture suscite a provoqué les drames de conscience que l'on sait : doute, hérésie, schize de la voix et de la lettre, du physique et du métaphysique. Mais l'Écriture affirme la primauté du signifiant et de la lettre — qui n'est pas l'énoncé — sur la foi.

> Quand la Parole saisit le sujet, elle le scinde en sujet de la foi exclu en quelque sorte du discours qu'il supporte, et en sujet des énoncés

---

27. Jean-Michel Rey, *Des mots à l'œuvre*, Paris, Aubier Montaigne, 1979, p. 135.

qui constituent ce discours religieux qui voile autant qu'il révèle. Bien plus, cette Parole même se donne comme scindée : Parole de Dieu, parole des prophètes et des patriarches. [...] En suivant cette perspective, les affirmations bibliques sur le nom imprononçable, sur le Dieu qui se donne comme un Dieu caché, sur la grâce qui échappe à toute prise, etc., apparaissent à ce point signifiantes que la nécessité de leur articulation s'impose[28].

On doit prendre au sérieux l'affirmation selon laquelle la Torah énonce la parole de Dieu puisque, hors de tout dogme, il s'agit de permettre la prise en compte de ce qu'il y a de redoutable dans la parole : une épreuve qui pourrait se résumer dans cette question que la parole pose à quiconque la reçoit et la « prend » : *En quoi es-tu justifié de parler ?* Épreuve de la dette à rembourser du fait même que je suis parlant[29]. Si c'est Dieu qui donne la Torah au sommet du Sinaï, il faut voir comment ce don passe par une langue de la fiction (et non du mythe), car la Parole de Dieu révélée est déjà question et exige de l'homme cet acte essentiel à son humanité : l'interprétation. « L'interprétation, ou Torah orale, permet à l'homme de parachever la Torah écrite. [...] C'est l'homme qui fait descendre sur terre la véritable Torah, céleste, non révélée. Il parachève en plus de l'œuvre divine la Révélation elle-même qui ne fut que fragmentaire[30]. »

Dans l'Écriture, comme dans la psychanalyse et la fiction littéraire, il n'y a pas tant à croire qu'à entendre. Si la tradition soutient que Dieu a bien donné (on dit même écrit) le Livre, ce sont les hommes qui l'ont reçu, à l'oreille, puis transcrit et transmis, c'est-à-dire cassé, perdu, oublié, retrouvé, puis récrit de mémoire. La médiation est déjà là, au commencement. Voilà pourquoi il est écrit en langue des hommes, des femmes et des enfants. Il n'y a pas d'Autre langue mais l'Autre est *dans* la langue ; il n'y a qu'à écouter, couper, scander, réciter, associer : c'est un rêve. « Dès les premiers essais de cette méthode, écrit Freud, on s'aperçoit qu'il faut diriger l'attention non pas sur le rêve considéré comme un tout, mais sur les différentes parties de son contenu. »

> Quand je demande à un malade non exercé : « À quoi vous fait penser ce rêve ? », il ne découvre en général rien d'autre dans le champ de sa conscience. Par contre, si je lui présente son rêve morceau par morceau, il me dit pour chaque fragment une série d'idées, que l'on pourrait appeler les « arrière-pensées » de cette partie du rêve. Cette première condition d'application montre que la méthode d'interpré-

---

28. Louis Beirnaert, *Aux frontières de l'acte analytique. La Bible, saint Ignace, Freud, Lacan*, Paris, Seuil, 1987, p. 139. Ce jésuite questionne précisément la place de la foi et son exclusion hors du discours qui fait d'elle non une fonction de la parole mais un effet.
29. Voir à ce sujet, Alain Didier-Weil, *Les trois temps de la Loi*, Paris, Seuil, 1995.
30. Alexandre Safran, *op. cit.*, p. 132.

tation que je pratique [...] se rapproche d'une méthode de déchiffrage. Elle est comme celle-ci une analyse « en détail » et non « en masse » ; comme celle-ci elle considère le rêve dès le début comme un composé, un « conglomérat » de faits psychiques [31].

Déchiffrage des conglomérats ; voilà bien à quoi nous sommes tenus dans ce qui s'appelle la lecture lorsqu'elle s'avance vers cette altérité impérative qui pousse à dire, à désirer, à répondre d'un « qui ? » où je me cherche et me trouve sans pouvoir m'en saisir. C'est à cela que, ici, j'ai voulu me mesurer ; à une méthode de déchiffrage où nous serait rendu non pas la vérité des objets textuels étudiés ni même celle des sujets qui les signent, mais davantage le sens de cet impératif d'écrire, de lire, seul ou avec d'autres, impératif de dire les textes à d'autres et d'en poursuivre plus loin l'interminable parcours : travail que m'accorde aussi cette pratique étrange que l'on appelle enseigner.

Je reprendrai donc l'équation posée au commencement, comme s'il s'agissait d'une énigme à résoudre, à dénouer ou à mettre au carré pour rejoindre la parole, le corps et la lettre, la voix du livre. Que lire ? À quel objet avoir affaire dès lors que se multiplient les instances, les références, les textes ? Si Dieu écrit la Bible, la Torah, le Livre, qui donc le signe, et à qui a-t-on affaire pour évoquer ainsi un sujet, un désir ? De l'inconscient, de la jouissance ? Est-ce là Dieu qui jouit ? Le désir que nous rencontrons, celui qui, là, dans le texte, opère, défile, vous vise et vous dessaisit n'est pas tant le désir inconscient de l'auteur, ni celui du lecteur, ni celui du texte, mais l'alliance de ces trois circuits : une intrication (personnages, pronoms, mots, noms : *matériau*, dit Freud) devenue parole, adresse, lecture et interprétation. La parole est ce qui, dans l'écrit, fait déjà retour et le coupe, le travaille, le met en écho de lui-même, le libère et le resserre. L'écriture est en quelque sorte un désir d'interprétation *en acte*, dont la lecture n'a qu'à prolonger la fuite, à rouvrir la scansion. C'est ce que disait Barthes, déjà, il y a plus de trente ans.

La critique n'est pas une traduction mais une périphrase. Elle ne peut prétendre retrouver le « fond » de l'œuvre, car ce fond est le sujet même, c'est-à-dire une absence : toute métaphore est un signe sans fond, et c'est ce lointain du signifié que le procès symbolique, dans sa profusion, désigne : le critique ne peut que continuer les métaphores de l'œuvre, non les réduire [...] [32].

Quant au désir de Dieu, il n'est somme toute question que de cela dans la Bible. Le Dieu de la Bible en est un de passion. Et très précisément, le désir de Dieu réside dans le respect de l'alliance « tranchée »

31. Sigmund Freud, *L'interprétation des rêves*, Paris, Presses universitaires de France, 1971 [1900], p. 96-97.
32. Roland Barthes, *Critique et vérité*, Paris, Seuil, 1966, p. 72.

avec les hommes — *likherot berit* se traduit par l'expression, étrange en français mais soutenue par l'histoire des Hébreux, « couper une alliance ». Traditionnellement, on considère l'alliance entre les parts du sacrifice ordonnée par Dieu à Abram (Gn. 15, 7-21) comme un engagement légalement contraignant par lequel Dieu accordera à la descendance d'Abraham la terre de Canaan — Terre promise. Le nom *Abram*, ne sera modifié en *Abraham* qu'au moment de l'annonce de la naissance d'Isaac, qui impose elle aussi une coupure : la circoncision comme signe, sur le corps propre, de cette alliance. Le changement de nom repose en hébreu sur l'ajout d'une seule lettre — le hé : H — pour dire, en coupant le nom en deux, la portée du pacte[33]. Ce respect ou non de l'alliance, que Dieu, dans la suite de l'histoire, nomme de manière significative fidélité ou prostitution, dit bien qu'il en va d'un désir et de son rapport à la Loi : jouissance de l'homme dans son rapport à l'Autre.

La jouissance du texte littéraire, pour reprendre encore une expression de Barthes, ne concerne-t-elle pas aussi l'Autre ? C'est du moins ce que je voudrais tenter d'entendre dans les pratiques d'écriture de quelques écrivains : une jouissance avérée dans le dispositif des signifiants propre au livre. Écrire, certes, ce n'est pas parler. Mais il en va tout de même d'un dire et d'un dire en interprétation. La lecture est toujours invitée à continuer dans le sens de ce procès déjà en cours. La littérature comme la Bible, véritable « conglomérat » de genres littéraires — romans familiaux, feuilletons, épopées historiques, lyriques, érotiques, etc. —, donne à lire, plutôt que l'effet d'un désir inconscient à entendre et à restituer à l'envoyeur, une « fabrique » de structures d'inconscient, montages d'écriture où s'exposent des permutations, des condensations, des déplacements, du transfert, des dispositifs de refoulement et de résistance, bref des trous, comme le dit Daniel Sibony, des trous qui sont « des morceaux d'inconscient cerclés d'écritures[34] ». La signature n'effectue en somme que le tracé reconnu et repris de ces cercles, si ce n'est le *principe* même de l'inconscient au sens où Freud emploie ce terme pour désigner une logique, un mode, une modalité du dire, dont on aurait, ici, une mise en scène et une interprétation. On ne saurait donc lire l'« être » de l'inconscient — qui n'a pas d'être et donc n'est pas — mais entendre ce qui ne se dépose *pas tout* dans le dit.

Le livre à la bouche

Les rencontres se sont effectuées sous le double éclairage de la Bible et de la psychanalyse, toutes deux entendues non pas tant

---

33. Le nom de Saraï deviendra Sarah à la même occasion.
34. Daniel Sibony, *L'autre incastrable*, Paris, Seuil, 1978, p. 20.

comme références ou trésors de figures et de concepts sur lesquels bâtir un savoir littéraire, mais comme énonciations, figures et concepts tissés au temps de la voix qui les pense, les invente ou les raconte. Ce qui a permis d'entendre un *ordre de la parole* dont les dispositifs et les rouages se révèlent en effet partagés. Cet ordre de la parole correspond à un certain usage de la lettre, usage qu'elle fait du corps qui s'y livre en son nom d'écrivain, de penseur, de théoricien, d'historien ou de lecteur. Aussi est-ce un « écrire avec », ou plutôt un « ne pas écrire sans » qu'il convenait de réaliser.

Il m'est apparu nécessaire de retrouver la mémoire. Celle de ces écrivains qui, dans la violence du siècle de notre Occident dit laïque, gardent obstinément le Livre en bouche, le mastiquant, l'avalant, l'incorporant, le ruminant, le récitant. Il me semble nécessaire aussi de revenir à cet ordre de la parole qui est celui de la lettre — quoi que l'on fasse ou dise pour imposer la division entre l'oral et l'écrit. Le livre dont il est question n'est pas cet objet réduit à son support matériel — rouleau de cuir, papyrus, papier, peau vivante, écran d'ordinateur, hypertexte — qui ne cesse de programmer une illusoire disparition. Comme on le dit de l'eau que nous fait saliver un plat désirable, je parle ici du livre qui nous vient à la bouche.

Puisque je puiserai abondamment aux sources talmudiques, et que le Talmud est assez peu connu des non-initiés, il importe sans doute de placer en ces premières pages un petit portrait de ce *livre de bouche* qu'on appelle la Loi orale, afin d'en exposer brièvement le fonctionnement et la découpe. Le Talmud, on va le voir, est un livre ouvert et déjà multiple, qui commente les aphorismes juridiques — la *halakhah* ou les *halakhot* — dégagés de la Torah.

Ces *halakhot*, extraites ou déduites de la Torah et d'abord transmises oralement de maître à élève, ont constitué la Loi orale en un enseignement parlé. Connaissance exigeant une mémoire extraordinaire tout autant que l'apprentissage d'une technique d'association aide-mémoire qui consiste à relier un verset biblique à une *halakhah* ou prescription. La compilation exhaustive de cette Loi orale extrêmement protéiforme et reflétant cinq siècles de tradition législative, qui vont à peu près de l'an 300 av. è.c. à l'an 200 è.c. forme le document religieux le plus important après la Bible. Il est désigné par le nom de *michnah*, elle-même divisée en six ordres[35]. Ces ordres sont classés en courts livres qui abordent des sujets précis (Bénédictions, Fêtes, Mariages, Préjudices, Sacrifices, Puretés-Impuretés).

---

35. « Le terme *michnah* est dérivé de l'hébreu *chanah* qui signifie « répéter » [...] pour indiquer sa méthode propre, la mémorisation et la récapitulation [...]. » (*Dictionnaire encyclopédique du judaïsme, op. cit.*) On retrouve ces six ordres dans la composition du Talmud qui est le commentaire de la *michnah*.

« Avec la codification de la *michnah* [dont on attribue l'achèvement à Rabbi Yéhouda] commence une ère nouvelle, celle des *amo-
raïm* (du verbe *amar* qui signifie parler, interpréter)[36]. » Ces parleurs
sont au départ des traducteurs et des vulgarisateurs occupés, lors de
lectures publiques de la Torah, à transmettre le sens des lois. Du
deuxième au cinquième siècle de notre ère, contemporains exacts de
l'invention du christianisme comme Église, le commentaire et l'exégèse de la *michnah* se transmettent donc à la fois oralement et en des
transcriptions accompagnées de récits divers, de polémiques nombreuses dans lesquelles on découvre la personnalité des sages toujours
nommés qui constituent les personnages multiples de cet ensemble.
C'est cet ensemble — et tous ses dérivés —, véritable expansion inter-
prétante de la *michnah*, qui porte le nom de Talmud et se désigne
aujourd'hui comme Loi orale bien qu'elle soit « transcrite ». On y
trouve donc les *halakhot* de la *michnah* entourées de la *guemarah* qui
regroupe les discussions polémiques, lesquelles se présentent sous
deux formes : celle du *midrach*, interprétation ayant recours à divers
genres littéraires ; et celle de la *aggadah*, constituée des récits et des
légendes qui concernent les personnages et les événements bibliques,
des histoires de rabbins, des conseils médicaux, et des débats philoso-
phiques. Toute cette structure gigogne compose le Talmud[37]. « Contrairement à ce qui s'est passé avec la *michnah*, on n'attribue à aucun
sage en particulier le mérite d'avoir terminer [au ve siècle] la rédaction
et la mise au point du Talmud ; d'où le dicton significatif : Le Talmud
n'a jamais été achevé[38]. »

Dire le livre sera une manière d'indiquer qu'il en va, pour nous
aussi, d'une parole et d'une interprétation dans l'écrit, d'un corps et
d'une jouissance dont il reste à montrer le registre, le statut et la destination. « Ne pas écrire sans » consistera à tenter de soutenir la
rigueur qu'impose l'entrée en scène de cette parole, devant le miroir
qu'elle nous tend dans l'épreuve d'une tradition et l'exigence d'une
pratique. Nous tous avons été cet embryon-livre plié et rêvant le
monde, qui en naissant a oublié la Torah, la Loi. Il faudra donc se souvenir. C'est de l'avenir que, ici, j'ai voulu me souvenir — comme le
proposait un rabbin du xviiie siècle[39] — parce que l'oublié n'a pas

---

36. Adin Steinsaltz, *op. cit.*, p. 50.
37. Il en existe deux versions : le Talmud de Jérusalem édité dans les académies rabbini-
    ques de Césarée, de Séphoris et de Tibériade (Palestine), et le Talmud de Babylone,
    très différent du premier bien que rédigé à la même époque. « Les discussions du Tal-
    mud babylonien sont [entre autres choses] plus étendues et l'on y trouve davantage
    de matériau non juridique. » (*Dictionnaire encyclopédique du judaïsme, op. cit.*)
38. Adin Steinsaltz, *op. cit.*, p. 58.
39. Rabbi Nahman de Bratslav dont l'une des célèbres sentences commande : « Sou-
    viens-toi de ton avenir. » Voir entre autres Laurent Cohen, *Le maître aux frontières
    incertaines. Rabbi Nahman de Bratslav*, Paris, Seuil, coll. « Points », 1994.

besoin d'être rappelé de force à la mémoire : ce qu'on oublie ne nous oublie jamais. Il n'y a qu'à écrire pour s'en apercevoir. L'écriture, le livre nous impose cette mémoire à venir, car il est produit par la lettre et ne la précède pas. Livre à venir et avenir de la lettre.

Cabinet des portraits

Les chapitres qui suivent se présentent comme des portraits de l'écrivain en talmudiste ou évangéliste si ce n'est en prophète ou en saint. Ces « masques » se composent dans le corps de la lettre, ils sont ce corps mouvant, incroyable ou grotesque que le livre offre au lecteur. Masque à déposer sur le visage qui lit pour entrer sur la scène fictive, cruelle que le « parleur » ou comédien vient de déserter.

On s'étonnera peut-être de ne pas rencontrer en ces pages, sauf de manière allusive, les noms de Mallarmé, de Blanchot, de Jabès. C'est que j'ai voulu attirer le regard sur une scène du livre moins éclairée, plus étonnante aussi, peut-être, pour dire un lien plus secret, plus inquiet parfois, caché ou angoissé, souvent outrageant, avec la tradition refoulée.

L'équation de départ trouvera ici ses permutations et substitutions nécessaires ; où l'on verra Kafka avec le Christ, Israël avec Genet, Lacan avec Rabbi Méïr, Rabbi Juda avec Beckett, Jérémie avec Artaud, interpellés dans leur pose, leur théâtre, leur tentation avouée, chacun selon sa voix, d'être un saint. Qu'est-ce qu'un saint ? Après relecture des écrivains ici convoqués, la sainteté semble se définir dans la violence assumée qu'impose à la vie l'invention d'une fiction. Fiction qui ne saurait se réduire au colmatage imaginaire du récit, quel qu'il soit, mais dont, au contraire, on saisit la teneur dans la nécessité qu'elle impose à celui qui n'a pas d'autre lieu pour se dire. Nécessité de traverser à rebours sa propre causalité. Dans un tel contexte, le saint est celui qui fait de sa névrose, de sa psychose, de sa phobie, de sa souffrance ou de son obsession le matériau d'un dire autre que le sien *propre*, pour s'y retrouver impérativement, corps et biens, en son nom. Être un saint veut dire, somme toute, *faire*, accomplir, devenir la parole. Noyau de la charité, dirons-nous.

Voilà du moins ce qui sera offert à lire : *un dire en passe d'accomplissement*. Kafka, Beckett, Freud, Artaud, Genet. Ces noms désignent à la fois une ascèse de la lettre et un débordement. Ils disent surtout un silence offert dans sa résonance, qui n'est jamais l'envers de la parole mais le lieu de son retournement sur le corps et le monde. Effet d'une causalité imparable selon laquelle la « vie », le corps, le sujet deviennent brutalement, et non sans prix à payer, effets du livre.

Chapitre premier

La figure du monde.
Paul avec Beckett

Je vous le dis, frères : le temps se fait court. Que désormais ceux qui ont femme vivent comme s'ils n'en avaient pas ; ceux qui pleurent, comme s'ils ne pleuraient pas ; ceux qui sont dans la joie, comme s'ils n'étaient pas dans la joie ; ceux qui achètent, comme s'ils ne possédaient pas ; ceux qui usent de ce monde, comme s'ils n'en usaient pas vraiment. Car elle passe, la figure de ce monde [1]. (1 Co 7, 29-31)

Cette fois-ci, puis encore une je pense, puis c'en sera fini je pense, de ce monde-là aussi. C'est le sens de l'avant-dernier. Tout s'estompe. Un peu plus et on sera aveugle. C'est dans la tête. Elle ne marche plus, elle dit, Je ne marche plus. On devient muet aussi et les bruits s'affaiblissent. À peine le seuil franchi c'est ainsi. C'est la tête qui doit en avoir assez. De sorte qu'on se dit, J'arrive bien cette fois-ci, puis encore une autre peut-être, puis ce sera tout. C'est avec peine qu'on formule cette pensée, car c'en est une, dans un sens. Alors on veut faire attention, considérer toutes ces choses obscures, en se disant péniblement que la faute en est à soi. La faute ? C'est le mot qu'on a employé. Mais quelle faute ? Ce n'est pas l'adieu, et quelle magie dans ces choses obscures auxquelles il sera temps, à leur prochain passage, de dire adieu. Car il faut dire adieu, ce serait bête de ne pas dire adieu, au moment voulu.

Molloy [2]

---

1. *La Bible de Jérusalem*, Paris, Cerf, 1988.
2. Samuel Beckett, *Molloy*, Paris, Minuit, 1951, p. 8-9. Dorénavant, les renvois à cet ouvrage seront identifiés dans le texte par le sigle *M*, suivi du folio.

Sam à rebours de Paul

Dans Beckett, cela s'entend tout de suite : la voix, celle qui annonce la fin, la dicte même parfois, souvent, toujours, « marmonnant [...] les vieilles choses de toujours [...], comme un ouistiti à la queue touffue assis sur mon épaule à me tenir compagnie[3] » ; la voix au cœur de la mémoire, rameutant les chimères comme autant de visions d'outre-monde, d'outre-temps, qui ne sont pas à regarder, à reconnaître mais à voir avec les yeux de derrière — « pas les bleus les autres[4] ». Une voix infatigable, impérative qui dit « je » et qui n'est « pas moi ». Une voix qui, oui, tient compagnie, insiste pour finir et semble revenir au corps autrement qu'en une incarnation ; une voix d'avant l'Incarnation, peut-être, et dont le corps se souviendrait en sa « passion » interminable : « un véritable calvaire sans limite de stations ni espoir de crucifixion... » (M, p. 120)

Dans Beckett, cela s'entend tout de suite : cette Incarnation suspendue, retardée, désamorcée dirait-on, renversant son procès pour revenir à la voix-verbe dans la chute des corps qui va de la reptation à l'étalement, à la mise en jarre. Le corps adamique — non pas le glorieux mais le boueux, le venant-d'être-créé, le « glébeux » comme l'appelle Chouraqui pour traduire le jeu de mots hébreu qui fait d'Adam un tiré d'*adamah*, la glèbe, le sol, la boue, la poussière[5] — ce corps-là, dans Beckett, semble partir à rebours de l'Histoire et de son incroyable assomption chrétienne : Incarnation, Passion, Consubstantialité. Un corps que l'on dirait retombé, recommencé pour finir sans fin. « Cette fois-ci, puis encore une je pense, puis c'en sera fini je pense, de ce monde-là aussi. »

Où est le corps ? « Où maintenant ? » demande *L'innommable* dès l'ouverture[6] ; où se tient-il, chute-t-il, tombe-t-il sinon dans cette imminence de la fin, dans cet avant-dernier temps dont Paul dit bien qu'il « cargue ses voiles[7] » et se fait court depuis l'avènement de la Croix. Dans Beckett, le lieu est d'abord un temps (« Où maintenant ? Quand maintenant ? ») et un sujet (« Qui maintenant ? »), le corps est tout dans cette voix qui retourne l'événement, n'importe quel événement le plus infime, sur sa question, l'abolissant du coup, sans l'effacer pourtant, le rendant plutôt indécidable, indifférent.

Il y a dans Beckett une parodie, disons une comédie de la Croix, un comique du Calvaire qui relève de cette prise en compte par le corps

3. Id., « D'un ouvrage abandonné », *Têtes mortes*, Paris, Minuit, 1967, p. 18.
4. Id., *Mal vu mal dit*, Paris, Minuit, 1981, p. 12 et suivantes. Dorénavant, les renvois à cet ouvrage seront identifiés dans le texte par le sigle *MVMD*, suivi du folio.
5. Voir *La Bible*, traduction d'André Chouraqui, Paris, Desclée de Brouwer, 1989.
6. Samuel Beckett, *L'innommable*, Paris, Minuit, 1953, p. 7. Dorénavant, les renvois à cet ouvrage seront identifiés dans le texte par le sigle *I*, suivi du folio.
7. Traduction littérale du grec de 1 Co 7, 29 : « Le temps a cargué ses voiles » (voir la traduction de Chouraqui).

d'une spéculation — calcul — sur la fin du Temps. Les personnages comptent, additionnent, cherchent l'équation juste, mais s'égarent vite, s'embrouillent jusqu'à ce que tout cela ne compte que « pour des prunes », pour rien, pour que *rien* advienne et qu'il ne reste que le temps perdu, à perdre encore, celui d'avant, de maintenant et d'après qui n'est jamais qu'un seul temps, ce « maintenant » qui dure et qui a assez duré. À moins que le calcul ne vise « toutes les combinaisons possibles ainsi épuisées[8] », ce qui revient au même, puisqu'il s'agit, d'une manière ou d'une autre, d'en finir, par expulsion ou système. Les « pierres à sucer » passent d'une poche à l'autre selon une algèbre méthodique dont la solution longuement recherchée finit par être de « foutre toutes mes pierres en l'air sauf une, que [...] naturellement, je ne tardai pas à perdre » (*M*, p. 100). Car il ne s'agit pas de résoudre, encore moins de savoir, mais de finir, « tout est là, finir, en finir » (*M*, p. 54).

Le corps ici n'éprouve pas, ne ressent pas, ne souffre pas, il est une lettre, un mot, une phrase, une bribe de pensée concernée non par l'Être (Dieu ou Moi) mais par un faire qui est un dire ; corps entièrement mu par la parole dont l'éthique et la rédemption ne sont pas sans produire la spirale d'un parcours incessamment repris ; corps messianique, somme toute, si l'on entend par ce terme non le divin incarné, encore moins la chose divinisée, mais le *mouvement vers*, l'*aller* dont on mesure ici, d'un texte à l'autre, l'extrême difficulté. Le Messie — celui des prophètes comme celui de Paul qui en fera un Dieu et constatera sa Venue — n'est rien d'autre qu'une pensée du temps, une spéculation sur l'avènement du temps, dans le temps ou hors du temps. À la différence du christianisme, toutefois, l'attente du Messie propre au judaïsme invente un temps dont le sujet — l'homme, le « fils d'homme », l'Adam — doit prendre en charge l'achèvement[9]. Beckett, cela s'entend, invente quant à lui un temps de l'attente structuré en refrains, retours, répétitions ; un temps cyclique dont les variables et les variations constituent la chance de l'événement : temps où la fraternité se dispose en tyrannie (Pozzo et Lucky, Pim et Bom), espoir ou carnaval ; temps messianique du seul fait qu'il « mesure » l'attente à la

---

8. Samuel Beckett, « Quad », *Quad et autres pièces pour la télévision*, Paris, Minuit, 1992, p. 11.
9. Le « fils d'homme » ou Messie est, selon la tradition juive, l'individu juste et fidèle au projet divin si ce n'est le peuple lui-même ; est considéré comme Messie l'esprit de justice, qu'il soit collectif ou singulier. Voir à ce sujet la différence importante entre judaïsme et christianisme commentée par Armand Abécassis dans *Messianisme et histoire juive*, Paris, Berg international, 1994, p. 40 : « C'est sur la scène de l'histoire que la rédemption doit se réaliser comme un phénomène cosmique et universel, et non seulement dans l'univers individuel et intime du croyant. Il est donc inévitable que le judaïsme considérât le christianisme comme un arrêt [...], comme une anticipation impatiente d'un idéal qui exige une longue maturation en vue de réaliser le Royaume de Dieu sur la terre. » Le « fils d'homme » deviendra « Fils de l'homme » dans le christianisme.

fois selon une hâte ET un retard. Éthique et rédemption, voilà bien ce qui motive tout le livre de Beckett [10].

Pourquoi rapprocher Beckett du messianisme et de Paul ? Parce que le temps est, dans Beckett, celui de l'attente éternisée, compulsée, et qu'il est constamment rappelé à son statut d'impossible et d'inhabitable, selon un dispositif dont le comique, la dérision, le calembour ou l'allégresse massacrante ne s'occupent pas moins de reprendre les plans de l'expiation et du salut. Cependant, nous ne sommes pas ici, comme avec Paul, dans les circuits de la prédestination. Beckett fait subir au messianisme chrétien — advenu et à revenir — un retournement si ce n'est une « saisie », sorte d'« arrêt sur image ». La faute, que la liturgie catholique va jusqu'à dire « heureuse » (felix culpa), puisqu'elle nous a valu un « tel Rédempteur » (liturgie du Samedi saint), nous plonge selon la logique paulinienne en pleine doctrine de la prédestination [11]. Or chez Beckett, c'est la destination elle-même qui est perdue et nous force à « parcourir à rebours le chemin du calvaire [12] ». De là, attendre (Godot, par exemple) constitue l'invention d'un retard dont la suspension n'est plus celle du corps à la croix mais celle de l'histoire et du temps qu'il faudrait pour la raconter.

Ce messianisme est ainsi le plus originaire qui soit, celui que la Genèse, déjà, inscrit dans son commencement et qui soutient que, une fois le commencement posé, il faut continuer, durer, poursuivre, aller : Qu'est-ce qui se passe ? « Quelque chose suit son cours, répète Clov dans Fin de partie, la fin est dans le commencement et cependant on continue [13]. » Ce messianisme premier annonce le devenir de ce qui vient à peine de s'enclencher ; « devenir » qui n'est ni succession ni progrès mais imminence, impératif d'achèvement, durée [14]. Ce corps

---

10. Voir entre autres à ce sujet l'article d'Eoin O'Brien, « Samuel Beckett et le poids de la compassion », *Critique*, nos 519-520, août-septembre 1990, p. 641 : « Si je compare les écrits de Samuel Beckett à la Bible, c'est seulement pour souligner que l'influence de Samuel Beckett appartient au domaine de l'éthique, non à celui de la religion » ; et Bruno Clément, *L'œuvre sans qualité. Rhétorique de Samuel Beckett*, Paris, Seuil, 1994, p. 368 et suivantes, où est analysé l'intertexte de Dante qui insiste, chez Beckett, dans l'exploration des champs de la damnation et du salut.

11. « Dieu ayant, conformément aux termes de l'apôtre Paul, *enfermé les hommes dans la désobéissance, pour mieux manifester sa miséricorde.* » (Rm 11, 32) Jean Vassal, *Les Églises, diaspora d'Israël ?*, Paris, Albin Michel, 1993, p. 112.

12. Rosette C. Lamont, « Krapp, un anti-Proust », *Cahier de l'Herne. Samuel Beckett*, Paris, Livre de poche, 1976, p. 343.

13. Samuel Beckett, *Fin de partie*, Paris, Minuit, 1957, p. 91.

14. Armand Abécassis, *op. cit.*, p. 10-11 : « L'objet principal du récit de la Genèse semble bien être, pour la pensée juive, de mettre en relief le dessein du plan de Dieu. Dieu créa « BeReCHiT » au commencement, ou en suivant de plus près le texte biblique, par le commencement, en vue d'un commencement. Créer, pour Dieu, ce n'est pas réaliser la totalité du possible, c'est au contraire limiter la puissance infinie de son extension, poser un commencement, inaugurer une

« messianique », ce futur du corps qui repart à zéro, occupe dans Beckett toute la page, tel ce « glébeux », ce boueux de *Comment c'est* qui soutient sans figure ni métaphore le mystère. La phrase est prise elle-même dans cette masse qui ne la dissout jamais mais la remue, la malaxe autrement qu'en la ponctuant, par souffles, soupirs, quand cesse le halètement de la syntaxe. La page expose ce rythme pulsé entre l'écoute et le silence : blocs des paragraphes dont seule la vocalisation, l'oreille, révèle le phrasé par bribes. Comment c'était avant Pim, avec Pim, après Pim, avant, avec, après Bom, ou moi, ou Tim, ou Jim, peu importe le nom puisqu'il était-est-et-vient, puisque je me souviens que je l'accompagne et que je l'attends. Voilà ce qu'il faut dire, écrire sous la dictée, « témoin et scribe [15] ». Il n'y a pas, en effet, à chercher le sens sous les mots ni à prendre l'ensemble pour symbole : ce corps est bien celui du temps lorsqu'on cherche à le dire, et le témoin n'est pas celui qui voit ou qui a vu mais tout juste ce corps-pour-la-voix.

> comment c'était je cite avant Pim avec Pim après Pim comment c'est trois parties je le dis comme je l'entends
>
> voix d'abord dehors quaqua de toutes parts puis en moi quand ça cesse de haleter raconte-moi encore finis de me raconter invocation
>
> instants passés vieux songes qui reviennent ou frais comme ceux qui passent ou chose chose toujours et souvenirs je les dis comme je les entends les murmure dans la boue
>
> en moi qui furent dehors quand ça cesse de haleter bribes d'une voix ancienne en moi pas la mienne (*CC*, p. 9)

Ce « messie » est un homme et non un dieu ; et si ce n'est pas pensable, il n'y a qu'à inverser les termes des *Épîtres* : « Moi seul suis homme, lance *L'innommable*, et tout le reste divin. » (*I*, p. 22) La mémoire ici se souvient d'oublier, d'avoir oublié, c'est là son témoignage dans la forme de l'invocation. Le témoin scribe est d'abord le martyr d'un mal-voir et d'un mal-dire, martyr de cette fin du monde tellement imminente qu'elle sera toujours déjà venue quand elle arrivera. « Tu crois à la vie future ? » demande Clov à Hamm qui répond : « La mienne l'a toujours été. » (*FP*, p. 69)

Le futur est ainsi ce maintenant où tout continue à « la même heure que d'habitude », dit encore Clov, dans le même temps que d'habitude, « pendant que l'événement pâlit. Quel qu'il fut » (*MVMD*, p. 70). « Je suis Mathieu, dit L'Innommable, et je suis l'ange, moi venu avant la croix, avant la faute, venu au monde, venu ici. » (*I*, p. 24)

---

puissance infinie de son extension, poser un commencement, inaugurer une histoire. [...] La Création inaugure une histoire à laquelle l'homme est appelé à participer. »

15. Samuel Beckett, *Comment c'est*, Paris, Minuit, 1961, p. 125. Dorénavant, les renvois à cet ouvrage seront identifiés dans le texte par le sigle *CC*, suivi du folio.

L'évangile selon Sam est un évangile athée, dont nulle théologie ne vient recouvrir la proféeration. Nous sommes ici dans l'explicite d'une expectative devenue phénomène, nous sommes dans une hypothèse devenue bras, jambes, tronc, œil, bouche, tête, crâne, os. Il s'agit bien de « faire passer pour expérience intérieure ce qui est en réalité pure hypothèse spéculative, appliquée à l'objectivité du phénomène [16] ». Véritable évangile où l'on retrouve la logique de Paul — qui reprend le Livre pour y produire le Corps [17] — mais inversée. Là où l'action de Paul, à des fins politiques et religieuses, veut assurer l'Événement dans le réel de l'Histoire et propose l'accomplissement et la fin de la Figure du monde comme Sens clair, définitif et dernier, Beckett propose la fin en tant qu'*adieu à la figure* (de style comme de sens), retour à la lettre, rétroversion de l'inachèvement dans l'achevé, futur éternel [18]. Mais cet adieu est lui-même indéfiniment différé, lui-même mis au futur. Il n'y a donc pas, naïvement, une prétention à sortir du sens, encore moins une sortie réelle du sens, comme certains ont pu le déclarer, mais, pourrait-on affirmer une fois encore, une suspension de la figure [19]. Il ne s'agit donc pas tant de renoncer aux symboles, aux images et à la figuration inhérente au langage et de ce fait inéluctable, que de produire la figure comme disparition, effacement, effondrement et déperdition par l'invention de cette voix innommable qui « sort de moi et n'est pas la mienne » (*I*, p. 15). Comme s'il ne s'agissait plus de faire sens — ni même d'en soutenir le cours inextinguible — mais de laisser le sens à son avènement pour en faire entendre le creux, l'*obscure chose*, les riens qui restent encore à dire, à reprendre « comme je les entends…, quelque chose là qui ne va pas » (*MVMD*, p. 9, 13).

Mémoire du futur

Figure du monde et *choses obscures*, voilà ce qui pourrait permettre de penser ce passage, cet effacement, ce futur éternel de la disparition dont j'aimerais ici ressaisir le temps, la durée, si ce n'est, pré-

16. Anne Henry, « Beckett et les bonnets carrés », *Critique*, nos 519-520, août-septembre 1990, p. 697. Voir aussi Alain Badiou, *Beckett. L'increvable désir*, Paris, Hachette, 1995.
17. Sur Paul et la « fabrication du Nouveau Testament », voir Bernard Dubourg, *op. cit.*, vol. 2.
18. J'emprunte ce terme, « rétroversion », au principe de traduction qui consiste à faire rentrer dans sa langue d'origine perdue un texte dont on ne possède que la version traduite mot à mot. Voir entre autres Bernard Dubourg, *op. cit.*, vol. I, p. 20-28.
19. Voir Bruno Clément, *op. cit.*, p. 157 : « Il est remarquable en effet que cet adieu aux figures prenne précisément la forme d'une figure [...]. » Et p. 165-166 : « Watt commence à parler, comme d'ailleurs il marche, à reculons ; puis il inverse non plus l'ordre des mots dans la phrase mais celui des lettres dans le mot, puis celui des phrases dans la période [...], faisant du langage de Watt une sorte de convulsion physique. »

cisément, la mémoire, et, du coup, la promesse du retour prochain, dernier certes, mais encore à venir, venant justement dans cet aveuglement du monde, dans cet assourdissement du verbe en train de parvenir à son terme, parlant encore ce qui lui reste à dire juste avant de se taire « au moment voulu ». Temps de l'avant-dernier temps, celui du seuil, de la proximité, de l'imminence, temps de l'exil sur le point de « rentrer » dans son terme, non pas dans l'origine mais dans ce qui depuis toujours s'annonce comme seule destination, s'il y en eut jamais une : *Là où c'était...* sur le point d'arriver. Il y a dans Beckett, a-t-on souvent constaté, une nostalgie, mais on a peu dit que c'est d'une nostalgie du futur qu'il s'agit. Là comme chez Kafka, la porte, il le faut, est ouverte ET fermée : c'est fini, c'est en train de finir, ça va finir et ça n'en finit pas. Voilà le temps du verbe et du livre dont Blanchot nous dit que, plus qu'un livre, c'est peut-être « l'approche pure du mouvement d'où viennent tous les livres [20] » qu'il faut y reconnaître.

Il y a effectivement dans Beckett un processus de *memoria*, pour reprendre un terme de rhétorique, qui joue à la fois comme citation — Bible, Évangiles, Dante, Descartes, etc. — et comme exposition d'un oubli, d'un inédit qui sert de vecteur à l'énonciation. Belacqua, Jésus, Dieu, la *tabula rasa* ne surgissent pas pour combler le texte d'un sens par avance constitué, mais fonctionnent plutôt selon le principe d'une relance de la voix : ouverture et déplacement. Le nom, la phrase, la figure qui revient pour mémoire dans la bouche du Récitant — du narrateur ou du texte, comme on voudra — désignent l'inouï de ce « je » occupé à dire ce qu'il doit. Les « citations » n'en sont plus, dès lors qu'elles sont livrées au principe désirant du dire. Si le réveille-matin de Hamm et de Clov a une sonnerie « digne du Jugement dernier », c'est d'abord parce que la parole ne cesse de poursuivre son objet qui est son acte même, créateur et dernier. On ne saurait déduire de cette indication une attente des rétributions ni une « allusion » pleine de sens. En fait les références servent à indiquer, dans l'espèce d'ostentation qui les caractérise, l'ordre a-référentiel — ou autoréférentiel — du langage ici en cours.

Ce qui vient pour mémoire — et non *à la* mémoire —, c'est un christianisme désacralisé, qui rebrousse chemin vers son commencement, déplaçant le sens même de l'accomplissement. Si Jésus, pour sa part, dit dans l'Évangile qu'il n'est pas venu détruire la Loi mais l'accomplir — ou encore, plus littéralement, qu'il n'est pas venu pour la vider mais l'emplir —, c'est, au sens eschatologique de l'expression, et surtout au sens de Paul et de la tradition chrétienne, qu'il va la porter à son terme ou à sa plénitude, qui est amour et charité [21].

---

20. Maurice Blanchot, *Le livre à venir*, Paris, Gallimard, coll. « Folio », 1959, p. 290.
21. Rm 20, 8-10 : « Car celui qui aime autrui a de ce fait accompli la Loi. [...] La charité est donc la Loi dans sa plénitude. » (*Bible de Jérusalem*)

N'allez pas croire que je sois venu abolir la Loi ou les Prophètes : je ne suis pas venu abolir, mais accomplir. Car je vous le dis, en vérité [Amen] : avant que ne passent le ciel et la terre, pas un iota ne passera de la Loi que tout ne soit réalisé. (Mt 5, 17-18)

Une note de la Bible de Jérusalem nous assure tout de même que si Jésus ne vient pas détruire la Loi d'un iota, il vient « lui donner, par son enseignement et son comportement, une forme nouvelle et définitive, où se réalise enfin en plénitude ce vers quoi la Loi s'acheminait [22] ». C'est là une façon d'en finir, d'aboutir dans le sens plein. Dans Beckett, ces mots-là, les mêmes, reviennent comme pour mémoire mais à rebours d'eux-mêmes. Non qu'il ne soit question d'amour, de charité, de rédemption — il n'est au contraire question que de cela —, mais le rebours concerne plutôt le temps et donc le sens, la direction que va prendre le verbe, la lettre, pour s'accomplir. Si c'est le Corps du Christ qui a changé le monde et l'a fini, dans Beckett le corps a plutôt l'air de s'en aller, et son futur en est un de description, corps de l'accomplissement en cours d'élan et de « remuement sans nom »… pour finir, encore.

mais d'abord en finir avec ma vie de voyageur première partie avant Pim remuement sans nom dans la boue c'est moi je le dis comme je l'entends qui fouille dans le sac en sors la corde en ficelle les bords me le pends au cou me retourne sur le ventre fais mes adieux aucun son et m'élance

dix mètres quinze mètres demi-flanc gauche pied droit main droite pousse tire plat ventre éjaculations muettes demi-flanc droit pied gauche main gauche pousse tire plat ventre éjaculations muettes pas un iota à changer à cette description [23]. (CC, p. 62-63)

L'emplissage ici à l'œuvre en est un de mots. Accomplir, selon Beckett, c'est dire et dire encore, emplir le lieu de mots jusqu'au silence, jusqu'à l'annulation rêvée, attendue, proférée avant l'heure : « Tout ce que je dis s'annule. Je n'aurai rien dit », déclare Le Clamant [24]. La description n'est ni à changer ni à corriger mais à poursuivre puisqu'elle est précisément celle du Temps en train de s'accom-

22. *Ibid.*
23. Voir aussi *Compagnie*, Paris, Minuit, 1985, p. 71-72 (dorénavant, les renvois à cet ouvrage seront identifiés dans le texte par le sigle C, suivi du folio) : « Aha ! Le créateur rampant. Serait-il raisonnable d'imaginer que tout en rampant le créateur sente ? […] Comme il gagnerait comme compagnon si seulement son créateur pouvait sentir. Si seulement il pouvait sentir son créateur. Un sixième sens quelconque ? […] De la raison pure ? […] Dieu est amour. Oui ou non ? Non. » ; et « Pas moi », dans *Oh les beaux jours*, Paris, Minuit, 1963-1974, p. 83 : « … brusque illumination… dressée qu'elle avait été à croire… avec les autres abandonnés… en un dieu… *(bref rire)*… miséricordieux… *(bon rire)*… »
24. Samuel Beckett, « Le Clamant », *Nouvelles et textes pour rien*, Paris, Minuit, 1958, p. 41. Dorénavant, les renvois à cet ouvrage seront identifiés dans le texte par le sigle *LC*, suivi du folio.

plir, temps non plus chronologique, malgré la montre et les calculs incessants, mais temps agglutiné, entassé, ramassé sur place, arrêté pour mémoire et visant le silence[25].

À un moment, le narrateur de *Comment c'est* est comme « le fils de l'homme » : « Plus rien où poser ma tête », dit-il (*CC*, p. 71) ; mais à la différence de Jésus, sa consubstantialité à l'autre — père ? mère ? frère ? victime ? bourreau ? — en est une de boue, de voix et de temps, consubstantialité avec une Mort annoncée, accomplie, actuelle et re-suscitée pour en disposer, de source, en attendant la fin, comme le Samaritain.

> Je dis, Reste là, étalé sur ces dalles amicales ou tout au moins neutres, n'ouvre pas les yeux, attend que vienne le Samaritain, ou que vienne le jour et avec lui les sergents de ville ou qui sait un salutiste. Mais me revoilà debout, repris par le chemin qui n'était pas le mien [...]. Heureusement qu'il ne m'attendait pas, le pauvre père Breem ou Breen. (*LC*, p. 69)

Dans Beckett, soutient Bruno Clément, « le narrateur est à la fois double (sujet de l'écriture et objet de la fiction) et un (tous deux peuvent dire « je »), comme le Père et le Fils (*LC*, p. 369). Ce ben-Adam ou fils d'Adam, cet homme-boue Père-et-Fils, victime et bourreau, a bien quelque chose du Messie puisqu'on lui demande — qui demande ? à la fois lui et l'autre — comment était sa VIE LÀ-HAUT avec toutes les questions-réponses qui en découlent et dont *Comment c'est* est le déroulement à rebours de la fin.

L'une des rares définitions que l'on ait, dans les Évangiles, du Fils de l'homme, c'est qu'il n'a pas où reposer sa tête et qu'il ne la repose enfin que sur la croix (Jn 19, 30[26]).

> Et un scribe s'approchant lui dit : « Maître, je te suivrai où que tu ailles. » Jésus lui dit : « Les renards ont des tanières et les oiseaux du ciel ont des nids ; le Fils de l'homme, lui, n'a pas où reposer sa tête[27]. » (Mt 8, 19-20)

Et voilà celui qui, après avoir vu Jésus en rêve, poursuit sa récitation :

> [...] j'arrive et tombe comme la limace tombe prends le sac dans mes bras il ne pèse plus rien plus rien où poser ma tête. (*CC*, p. 71[28])

---

25. « [...] quelques minutes par-ci par-là additionnées énorme l'éternité même ordre de grandeur rien dedans presque rien [...] quelques vieux mots par-ci par-là les ajouter les uns aux autres faire des phrases. » (*CC*, p. 129)
26. « Quand il eut pris le vinaigre il dit : « C'est achevé » et, *reposant* la tête, il remit l'esprit. » C'est le même verbe *klinein* qui est employé.
27. Parallèle à Luc 9, 58.
28. « [...] lever les yeux chercher des visages dans le ciel des animaux s'endormir et là un beau jeune homme rencontrer un beau jeune homme à barbiche dorée vêtu d'une aube se réveiller en sueur et avoir rencontrer Jésus en rêve. » (*CC*, p. 70)

Toutes ces citations ou *memoria* ne sont pas, on le voit, l'essentiel ni la preuve d'une écriture à rebours des Évangiles. Seulement viennent-elles travailler la matière et ponctuer de manière comique le temps en train, là, dans le livre que nous lisons, de s'accomplir. Ce Fils sans repos, dans Beckett, n'est déjà plus à prendre au sens chrétien d'un homme sans feu ni lieu, livré à une errance qui serait destin humain et dont l'aboutissement ne serait pas dans ce monde fini mais dans l'autre qui vient au bout de la figure[29]. Si l'on a pu lire et comprendre ainsi « l'errance » dans Beckett, on peut aussi y voir un « discours de la méthode » qui n'a d'autre issue, par son dédale, que celle de retrouver la question, l'urgence de la question. Malgré les résolutions et les décisions irrévocables, les questions en effet ne cessent de faire retour. *L'innommable* vient à peine d'affirmer : « Je ne me poserai plus de questions », qu'il constate un phénomène singulier : « Je ne connais pas de questions, et il m'en sort à chaque instant de la bouche. » Un peu plus loin, l'inéluctable insiste : « Décidément, il semble impossible, à ce stade, que je me passe de questions, comme je me l'étais promis. Non. Je m'étais seulement juré de ne plus en formuler. » (*I*, p. 35, 40) Trente ans plus tard, il n'y a pas d'autre argument contre cette fatalité : « Fut-il jamais un temps où plus question de questions ? [...] Où plus question de répondre. De ne le pouvoir. [...] Non. Jamais. Un rêve. Voilà la réponse. » (*MVMD*, p. 46) Paul est l'homme de la réponse, Sam, celui de la question, mais tous deux se placent dans cet intervalle entre l'achèvement et la fin, l'un pour l'annoncer, intimer le prochain à se préparer, l'autre pour reprendre à zéro l'attente, la reprendre à chaque phrase et construire un livre où la lecture semble se défaire par cumul, se soustraire par addition selon une mathématique qui loin d'être absurde est ascèse, « doute méthodique[30] ».

Il faudra d'abord ressaisir ici la relation entre la *figure* au sens chrétien, disons paulinien et pascalien — Paul et Pascal en font une métaphore tout à fait singulière, dont la fonction n'est pas seulement d'interprétation mais encore d'aboutissement —, et l'impératif de son passage, de son éclipse pour qu'advienne cette fin des temps, cette sortie du Temps, toujours promise, que le christianisme redistribue en Venue, Passion et Retour. Relation entre figure et futur, Parole et Événement, entre Livre et Corps, relation que le christianisme impose comme Nouvelle Alliance et dont l'écriture de Beckett se souvient. Car c'est de souvenirs qu'il s'agit, et de disposition à dire plutôt que de système de pensée ou d'objectifs consentis. Ce n'est pas le travail de Beckett sur la Bible qui peut nous révéler sa pratique du livre mais le travail de la Bible comme enfance, corps, maternité,

---

29. C'est là l'interprétation chrétienne de cette tête sans repos.
30. Sur les liens entre Beckett et Descartes, voir entre autres Michel Bernard, *Samuel Beckett et son sujet*, Paris, L'Harmattan, 1996 ; Alain Badiou, *op. cit.*

père, violence, désir, la lettre et la voix occupant l'écriture de Beckett. La pensée ici n'est pas système mais fiction, imagination, image, expérience du temps comme pensée de la mort, imminence de la fin comme spéculation sur le père, sa mort et l'éthique que cette mort infère. Ce ne sont pas les énoncés qui ici nous guident — bien qu'ils dévoilent le matériau certain —, mais la circularité de la voix qui parle « pour rien » et appelle le silence. Cette *memoria* prend son sens si l'on retient que, pour Beckett, souvenirs et imagination s'équivalent ; la mémoire ici est une invention jamais construite, plutôt nombrée, géométrique ou algébrique, une combinatoire de permutations, un ballet de variables accomplies jusqu'à épuisement de la figure et du sujet [31].

Saint Paul avec Beckett, point de départ d'une lecture à double sens, à double voie, dont l'une court vers la Parousie alors que l'autre suspend son élan et cherche son commencement. « La fin est dans le commencement et cependant on continue. » *Paul avec Beckett* indique ainsi deux fins promises, dont l'une compte avec le Temps, compte le temps dans la figure ; et l'autre combine tout hors de lui, compte SANS lui [32].

La figure ne tient qu'avec le temps, qu'avec la mémoire, qu'avec l'imagination, autrement dit qu'avec le principe de lecture qu'elle infère et qui la rature au moment précis où il la fonde. Un « avec » qui ne dit pas la communion ni même la similitude mais le choc d'une rencontre et de ce qu'elle produit comme accord, au sens grammatical voire musical du terme. Paul avec Beckett voudrait dire que, à accorder *L'innommable* ou *Mal vu mal dit* avec les *Épîtres*, on produit une résonance qui révèle, me semble-t-il, non pas tant le sens de la figure paulinienne que l'enjeu qu'elle recèle. Comme si le fait d'homologuer l'énigmatique formule de Paul — « car elle passe la figure de ce monde » — à l'énonciation de Beckett permettait de lire l'indicatif d'une césure que je voudrais appeler ici *la pensée du roman*.

---

31. Voir Gilles Deleuze, « L'épuisé », *Quad et autres...*, p. 59, 61 : « [...] l'épuisement : on combine l'ensemble des variables d'une situation, à condition de renoncer à tout ordre de préférence et à toute organisation de but, à toute signification. [...] On ne réalise plus, bien qu'on accomplisse. [...] La combinatoire est l'art ou la science d'épuiser le possible, par disjonctions incluses. Mais seul l'épuisé peut épuiser le possible, parce qu'il a renoncé à tout besoin, préférence, but, signification. »
32. Samuel Beckett, *Sans*, Paris, Minuit, 1969. L'achèvement est, dans ce texte, fondé sur la structure en deux parties dont la seconde est la répétition dans le désordre des soixante phrases de la première. « La sensation qu'a le lecteur (sensation vague [...] mais reposant sur une réalité rigoureusement concertée) est de ne rien lire qu'il n'ait déjà lu, et déjà lu dans le texte même qu'il a sous les yeux. [...] Est ainsi définie, et fixée, l'image de ce qu'est pour le lecteur le fonctionnement de la mémoire [...] : une reprise, ou plutôt une série organisée de reprises. » (Bruno Clément, *op. cit.*, p. 383-384) Voir aussi l'analyse qu'en fait Édith Fournier dans « Samuel Beckett mathématicien et poète », *Critique*, nos 519-520, p. 660-669.

Saint Paul dénonce le « comme si » du monde, le simulacre de toutes les vies qui sont à revivre autrement et de toute urgence, car « le temps se fait court ». La figure du monde s'en va, dit-il, elle est en train de passer, et, conséquence théologique de l'Incarnation, le monde avec elle. Beckett se situe dans cet effacement, cette imminence de la fin, mais cet exil de la figure n'est plus assomption du Sens. Il vient éclipser et la figure et le sens pour ne laisser que le *quoi*, le *qui*, le *couah couah* ou la *voix qua qua*. Prise en compte de la mort du Père dans le Fils, la voix de Beckett ne cesse de revenir de cette Bouche qui n'est « Pas moi » et qui raconte la naissance de ce moi un Vendredi saint, jour du Calvaire, « moi » expulsé qui ne cessera plus « d'explorer la piété désacralisée » et « la rigueur dérisoire de la Mort paternelle [33] ». Ce n'est pas le simulacre qui hante le livre de Beckett mais ce temps de la mort sans fin dont nulle résurrection n'est attendue autre que le Verbe, en-corps, Troisième Personne qui revient comme parole, pensée, dire intarissable en attente et en quête d'extinction. Ni semblant ni tromperie à transcender mais invention, imagination, hypothèses et mensonges à dire jusqu'à épuisement.

L'évangile selon Sam commence là où Paul, lui, achève le dévoilement : « choses obscures », dit Molloy, auxquelles il sera temps de dire adieu à leur prochain passage, car elles reviennent ; et il n'y a pas d'autre moyen de comprendre que de parler... pour dire le retard à parler.

> Voilà donc ce dont, devant parler, je parlerai, jusqu'à ce que je n'aie plus à parler. Ça donnera ce que ça donnera. Et Basile et consort ? Inexistants, inventés pour expliquer je ne sais plus quoi. Ah oui. Mensonges que tout ça. Dieu et les hommes, le jour et la nature, les élans de cœur et les moyens de comprendre, lâchement je les ai inventés, sans l'aide de personne, puisqu'il n'y a personne, pour retarder l'heure de parler de moi. Il n'en sera plus question. (*I*, p. 29)

Figure et refoulement

Jamais peut-être regard plus acéré n'a été porté sur la mort paternelle en ce qu'elle détermine le fils, notre civilisation monothéiste, et peut-être même toute donation de sens : dire, écrire, faire. Fouilles, carnaval, au bord d'un basculement qui reste pourtant, chez Beckett, impossible. Radiographie du mythe le plus fondamental du monde chrétien : l'amour pour la Mort du père (Sens hors-communication, incommunicable) et l'univers comme déchet (communication absurde).

---

33. Ainsi Julia Kristeva décrit-elle la posture d'énonciation de Beckett dans « Le père, l'amour, l'exil », *Cahier de l'Herne. Samuel Beckett*, Paris, Livre de poche, 1976, p. 267-268.

Ainsi atteint son point culminant, et le seuil de son renversement, *une des composantes du christianisme : son substrat judaïque, sa branche protestante* qui, lucides et rigoureux, ont appuyé le sens de la parole sur la mort du père inaccessible [34].

Chez Beckett, le Calvaire, la Passion, la Crucifixion hantent la langue et ne cessent de ramener la logique, certes dérisoire et comique, d'une mort paternelle dans laquelle s'affirme non pas la rédemption, le salut ou la sérénité jubilatoire d'une langue pleine de sens, mais la dette permanente et « impayable » de l'être parlant envers le Verbe-Loi. Cet impératif — dire — à tenir jusqu'au bout désigne précisément le lieu d'inversion et de perforation de la figure dont je tente ici de montrer le parcours.

Pour éclairer quelque peu ce qu'il en est de la figure au sens chrétien, il conviendra d'exposer brièvement la méthode d'interprétation dite typologique (la figure étant la traduction du grec *typos* [35]), méthode que l'on dit pratiquée par le Christ lui-même au cours de ses nombreux enseignements [36]. Cette interprétation typologique est le strict équivalent de ce que le Moyen Âge reconnaissait comme sens spirituel ou anagogique (distinct des autres niveaux de sens : littéral, allégorique et moral). Le sens figuratif, donc, est celui que le mystère du Christ confère aux récits qui précédaient sa révélation. Autant dire que ce Mystère instaure dans son avènement même un statut nouveau à l'histoire des Hébreux qui ne peut plus se lire comme histoire ni même comme drame offert à l'interprétation (talmudique, midrachique, kabbalistique, donc judaïque) mais comme succession de « scènes » à ne déchiffrer que depuis le lieu de leur accomplissement christique où nous devons désormais les lire et les recevoir [37]. La

---

34. *Ibid.*, p. 264.
35. Ce qui, bien sûr, confirme le « statut » de l'héritage judaïque, le christianisme étant issu de la traduction/tradition grecque et latine se lie de force au Livre pour en « saisir » la lettre et en refouler la dette. Voir Daniel Sibony, « Le coup christique », *Jouissances du dire*, Paris, Grasset, 1981.
36. En fait, l'interprétation par le Christ est encore midrachique, mais n'a pas été reconnue comme telle par l'Église qui va en radicaliser le sens. Voir, Armand Abécassis, *La pensée juive*, vol. IV. Si, selon le judaïsme, ce « messie » est d'abord un rabbin, avec l'Église c'est bien à une traduction et à un détournement que nous avons affaire. « Accomplir la Parole », comme on le verra plus loin dans ce livre, est une exigence du judaïsme pour lequel la Parole est déjà une incarnation, un « faire » et un « à faire ». Le christianisme détourne cette exigence et en refoule précisément le dire pour s'autoriser de l'acte et de l'Événement.
37. « La catéchèse chrétienne avance que la supériorité de la prophétie de Jésus sur celle de Moïse était annoncée dans l'Ancien Testament. [...] Ce type d'argumentation explique que le christianisme ait adopté l'adage formulé par saint Augustin : *Le Nouveau Testament se voile dans l'Ancien, l'Ancien Testament se dévoile dans le Nouveau.* » (Jean Vassal, *op. cit.*, p. 68-69)

figure est donc d'abord une scène-cadre dont le récit enferme un autre drame non encore dénoué. Scène-cadre d'une révélation à la fois advenue et promise, révélation qui fonctionne comme lecture de sa promesse. Cette révélation promise au futur antérieur est donc en même temps promesse de retrait et de disparition de la figure. S'accomplissant, elle s'achève dans un « réel » de la vérité. La figure est à ce titre un signifiant particulier.

> Le signifiant qui est une figure de l'Ancien Testament signifie ou représente un signifié qui est un événement historique transcrit dans le Nouveau. Cette réalité événementielle est donc à la fois postérieure, selon l'ordre de la succession temporelle, à la figure qui la représente, mais aussi son modèle et son accomplissement au sens axiologique du terme : Jésus-Christ immolé est la victime sacrificielle parfaite dont les brebis et les taureaux offerts par les Juifs étaient les figures. [...] Ainsi le sacrifice de Jésus-Christ est le dernier en date [...] terme ultime d'une série temporelle. Mais ce terme est le principe d'intelligibilité de la série, son sens premier et originaire. [...] signifiant ambigu qui définit la situation herméneutique dans la distance ouverte par l'histoire et que la théologie annule en inversant son sens [...][38].

En cela, il n'y a pas de figure sans retentissement, sans « effet de réel », sans effectuation d'un temps nouveau mais aussi d'un corps singulier qui est le corps advenu de sa lecture. Corps qui d'une certaine façon vient remplir les failles de la lettre, vient précisément là où la lettre bée. C'est l'exemple de Pascal qui relit l'Ancien Testament pour en résoudre ce qu'il appelle les « sottises ». La figure exhausse de la chose obscure la chose claire ; le sacrifice d'Isaac n'est plus, ce qu'il reste pour les Juifs et que les Chrétiens « oublient », l'instauration d'une Loi éminemment symbolique et d'une alliance vraie avec Dieu, mais devient *figure* d'un autre sacrifice, réel celui-là, qui déplace la rédemption dans le registre de la Foi par la Croix d'un seul[39].

Paul Beauchamp consacre un long chapitre de son ouvrage *L'un et l'autre Testament*[40] à « l'exégèse selon la figure ». Je ne retiendrai ici

---

38. Louis Marin, *La critique du discours. Sur la « Logique de Port-Royal » et les « Pensées de Pascal*, Paris, Minuit, 1975, p. 94-95.
39. Blaise Pascal, *Pensées*, Paris, Garnier-Flammarion, 1976, p. 246, n° 678-260 : « Combien doit-on estimer ceux qui nous découvrent le chiffre et nous apprennent à connaître le sens caché, et principalement quand les principes qu'ils en prennent sont tout à fait naturels et clairs ! C'est ce qu'a fait Jésus-Christ et les apôtres. Ils ont levé le sceau, il a rompu le voile et a découvert l'esprit » ; et p. 247, n° 680-267 : « Tous ces sacrifices et cérémonies étaient donc figures ou sottises. Or il y a des choses claires trop hautes, pour les estimer des sottises. » Voir aussi la lecture que fait Kierkegaard de cette « scène » du sacrifice dans *Crainte et tremblement*, Paris, Aubier-Montaigne, 1952.
40. Paul Beauchamp, *L'un et l'autre Testament, tome 1. Essai de lecture*, Paris, Seuil, 1976 ; *tome 2. Accomplir les Écritures*, Paris, Seuil, 1990.

que ce qu'il appelle les critères de la figure qui permettront de voir les dichotomies qu'elle impose et le refoulement de la voix qui en est la conséquence.

> Le premier critère [...] est la centralité. C'est en son nom que nous cherchons d'abord les figures dans le Pentateuque. À thème central dans l'Ancien Testament, thème central dans le Nouveau. [...] Le deuxième est solidaire du premier, c'est la répétitivité. Ce qui est central se répète, selon les principes de modalité énoncés plus haut [le sensible irréductible au sensé, la chair irréductible au *logos*, etc.] [...]. Le troisième critère est la corporéité : les figures se présentent dans le sensible. Le quatrième est la déficience. [...] serait figure ce qui est obscur, contradictoire, immoral. Mais nous appelons déficience ce qui, dans la figure, désigne son non-accomplissement. [...] le cinquième est l'ouverture de toute figure à un choix de liberté entre vérité et mensonge, confiance et jalousie [41].

La phrase énigmatique de saint Paul révèle d'abord ceci que la Croix, c'est-à-dire le terme de cette vie de Jésus, dont le Corps annule ceux pourtant nécessaires qui l'annoncent, marque l'accomplissement des figures en même temps que leur fin. Le monde, dit à peu près saint Paul, a eu lieu et est en train de s'en aller, de carguer ses voiles, de passer à l'invisible ; mais ce passage, lui, est sans figure. Il est le destin de la figure et sa destination. Si la figure du monde s'en va, c'est qu'elle s'est accomplie dans cette lecture radicale, absolue, lecture effectuée par le Corps crucifié-ressuscité projeté désormais dans un dernier retour, non plus répétitif mais définitif. Car si elle passe la figure de ce monde, c'est que nous y sommes encore, nous, oubliés là, devant désormais faire « comme si » tout était consommé, mais restant suspendus dans cet avant-dernier temps qui n'a plus qu'à accomplir la vérité de cet Un venu pour combler la lettre du Nom.

Je m'arrête un moment au cinquième critère de Beauchamp qu'il faudrait entendre à partir du coup de force qu'il suppose. Si la figure ouvre sur un choix, ce dernier est déjà déterminé par le statut de la vérité qu'il ordonne. La figure, en quelque sorte, propose la résolution des contradictions de l'histoire, elle opère ce retranchement dans l'histoire qui décide de la vérité et du mensonge, partage entre confiance et jalousie, entendons entre lumière et choses obscures, entre foi et doute, ce doute qui engendre le zèle du *zelos*, le jaloux.

> *Contradiction.* — On ne peut faire une bonne physionomie qu'en accordant toutes nos contrariétés, et il ne suffit pas de suivre une suite de qualités accordantes sans accorder les contraires. Pour entendre le sens d'un auteur, il faut accorder tous les passages contraires. Ainsi, pour entendre l'Écriture, il faut avoir un sens dans lequel

---

41. *Ibid.*, tome 2, p. 232-233.

tous les passages contraires s'accordent. [...] Il faut donc en chercher un qui accorde toutes les contrariétés. Le véritable sens n'est donc pas celui des Juifs ; mais en Jésus-Christ toutes les contradictions sont accordées. [...] Si on prend la loi, les sacrifices et le royaume, pour réalités, on ne peut accorder tous les passages. Il faut donc par nécessité qu'ils soient figures [42].

Là où il y a contradiction, dit Pascal, c'est qu'il y a figure, c'est-à-dire recouvrement par l'unité. On entend bien, ici, toute la raison du christianisme fondée dans une rationalité qui exclut, au principe de la vérité, la contradiction. Le « choix de liberté » dont parle Beauchamp peut donc bien s'entendre comme acte de rature, d'effacement et d'oubli, autant dire de refoulement : refoulement qui n'est pas, bien sûr, sans imposer un retour du refoulé. Le critère du « choix » est en fait un principe de rature qui vise à relancer mais aussi à élever le sens au registre d'un avènement incarné.

Et c'est bien d'un retour qu'il s'agit, dans la Croix et la Parousie de saint Paul ; retour du refoulé prophétique et messianique dont la figure ne saurait s'accomplir sans cette *élévation*, cet au-delà de la contradiction qui relance le futur de la promesse vers un retour, absolu cette fois, dans la mesure où il serait le principe figuratif en tant que tel. Cette *elatio* qu'est la figure dit bien dans son ancrage latin l'*emportement*, l'*enlèvement* voire l'*enterrement* de ce dont elle s'arrache et se construit [43]. Car c'est bien de cela qu'il s'agit dans la figure au sens chrétien : elle emporte le sens mais aussi le sujet contre la « sottise » voire le néant de sa matière. Pascal, autant que Paul, Augustin, Thomas d'Aquin, « pense » le christianisme depuis cette place marquée d'un emportement contre la lettre, contre l'infinie fracture de la lettre que la figure a pour fonction d'obturer et de faire taire [44].

> Qu'on lise le vieil Testament en cette vue, et qu'on voie si les sacrifices étaient vrais, si la parenté d'Abraham était la vraie cause de l'amitié de Dieu, si la terre promise était le véritable lieu de repos. Non ; donc c'étaient des figures. (680-267)

> La lettre tue, tout arrivait en figures. Voilà le chiffre que saint Paul nous donne. Il fallait que le Christ souffrît. Un Dieu humilié. Circon-

---

42. Blaise Pascal, *op. cit.*, p. 247-248, n° 684-257.
43. « *Elatio, onis* : f. Action d'emporter // Enterrement, funérailles. Action d'élever ou de soulever. » Henri Gœlzer, *Dictionnaire latin-français*, Paris, Garnier-Flammarion, 1966.
44. Figure que l'on associe toujours à l'esprit : « La lettre tue, l'esprit vivifie, dit saint Paul (2 Co 3, 6). Ce qu'Augustin commente : " Par lettre, il s'agit de tout texte écrit, existant objectivement hors de nous, même les préceptes moraux contenus dans l'Évangile ; aussi la lettre de l'Évangile elle-même tuerait, si n'était intérieurement présente la grâce de la foi. " » (Thomas d'Aquin, *Somme théologique*, seconde partie, I, quest. 106, art. 1 et 2)

cision du cœur, vrai jeûne, vrai sacrifice, vrai temple. Les prophètes ont indiqué qu'il fallait que tout cela fût spirituel [45].

En fait, ce que les chrétiens appellent « la lettre », c'est le trou du texte, ce que les Juifs, eux, appellent voix, oralité et interprétation : interstice de la lettre qui est sa nature même. Les chrétiens s'en sont tellement pris à la lettre qu'ils n'ont pu qu'y arrimer finalement le principe de croyance.

> Les deux traditions [...] sont fondées sur la même assertion : la Bible est « parole » de Dieu. Le judaïsme en a tiré la conclusion qu'il fallait donc s'efforcer d'en comprendre les sens multiples alors que le christianisme, jusqu'au début de ce siècle, s'est enfermé dans une lecture fondamentaliste qui oblige à croire à la lettre du texte [46].

Ce qui est oublié par la figure, ce n'est donc pas tant la lettre que sa dérive incessante ; ce qui est enterré, ce n'est pas tant le mystère et le chiffre de la lettre que son infini déplacement, l'interminable et l'indéterminable de sa fixation. La figure impose l'arrêt de la lettre, interruption que la révélation chrétienne a pour but de relancer mais sur un tout autre plan, celui, tautologique, du Corps sacrifié qui authentifie l'Écriture en même temps qu'il l'accomplit, autant dire qu'il colmate la fracture de la lettre, identifié qu'il est à sa perpétuelle refiguration ou Transfiguration [47]. Ce coup de force de la figure dit bien le Golgotha de la mémoire toujours à l'œuvre dans le christianisme, crâne-trou de la mémoire, renommé du calvaire qui en est aussi la performance. La mémoire ici « enchâsse le souvenir de l'oubli [48] », ce qu'Augustin appelle déjà cet « épuisement de l'avenir dans le passé [49] ». La figure est donc toujours mémoire d'une performance à venir, devenir-corps de la lettre. C'est en ce sens que la « déficience » est toujours au cœur de la figure comme noyau refoulé, affirmant son inaccomplissement en même temps que son achèvement imminent, celui que saint Paul annonce dans la Croix où se révèle, dit-il, l'assomption d'Un

---

45. Blaise Pascal, *op. cit.*, p. 247. On peut lire encore au n° 687-272 : « Il n'est pas permis d'attribuer à l'Écriture les sens qu'elle ne nous a pas révélé qu'elle a. Ainsi, de dire que le *mem* fermé d'Isaïe signifie 600, cela n'est pas révélé. Il eût pu dire que les *tsade* finals et les *he deficientes* signifieraient les mystères. Il n'est donc pas permis de le dire et encore moins de dire que c'est la manière de la pierre philosophale. » Où l'interprétation rabbinique se voit révoquée au nom d'une révélation qui en est l'envers puisque, selon le Talmud, la Torah n'est plus au ciel mais a été confiée au jugement de la majorité des sages sur cette terre.
46. Jean Vassal, *op. cit.*, p. 72.
47. Jean-Louis Schéfer, *L'invention du corps chrétien. Saint Augustin, le dictionnaire, la mémoire*, Paris, Galilée, 1975, p. 187 : « [...] la figuration est une gémination transitoire (une élaboration secondaire en tant que s'y modèlerait un champ de symbolicité autonome, autoconfiguré, typologiquement « relevant », c'est-à-dire constitué d'une tautologie minimale des caractères figuratifs) [...] »
48. *Ibid.*, p. 206.
49. Saint Augustin, *Confessions*, Paris, Garnier-Flammarion, p. 278.

Corps vivant, ici, maintenant, mais aussi à venir et dont tous les autres corps n'étaient et ne sont encore que les figurants, lettres mortes.

Si vous ne tentez pas de comprendre le mystère de l'Incarnation, dit saint Augustin, vous ne saurez jamais ce qu'est le temps, le signifiant, le corps. La figure est donc l'attestation d'une vérité après coup. Le Dieu caché de Pascal est caché dans les figures de l'Ancien Testament, mais il n'est caché que parce qu'il s'est révélé dans l'avènement de l'Incarnation dont Paul se fait le témoin. Ce Corps impossible, absent au tombeau, signerait donc l'accomplissement radical, celui qui « fait passer » la figure, la donne dans son éclipse et fait de nous tous des morts — comme le dit clairement saint Paul. On comprend dès lors le principe de refoulement qui n'est certes pas pensé par la figure mais se réalise en elle. C'est ce que le livre de Beckett semble remuer sans cesse et que Kristeva appelle à juste titre, me semble-t-il, une « archéologie du christianisme [50] ».

Le futur antérieur instauré par l'Incarnation ne relève pas d'un simple paradoxe ; il fonde une logique soutenue avec insistance dans le sillage du christianisme comme principe de lecture qui opère le détournement décisif de l'héritage judaïque, le refoulement de sa Loi et de sa lettre-voix [51]. *De la figure comme opérateur du refoulement* ; ainsi s'énonce, pourrait-on dire, le double ancrage de la figure au sens chrétien : à la fois mémoriale, en réserve dans les scènes de l'Histoire, et projetée dans un retour obligé par l'accomplissement d'un acte qui, comme événement, en est aussi la lecture absolue.

Qu'appelle-t-on pensée ? « Crâne seul, pour commencer [52] »

Chez Beckett, avons-nous dit, cela s'entend tout de suite : la voix. Une voix d'avant l'Incarnation ; à moins que l'Incarnation ne soit justement cette voix elle-même, lumineuse, « visible ». Quand le narrateur dit, dans *L'innommable*, que la voix est une image (*I*, p. 100), ce n'est pas un énoncé à prendre à la légère ni tout à fait un énoncé pur et simple. On n'a qu'a poursuivre la lecture d'un livre à l'autre, comme le Récitant et l'Entendeur, pour « voir » la voix, pour voir aussi que c'est là tout ce qui arrive et se produit, cette voix qui parle et se donne à voir. Qu'est-ce qu'une voix visible ? On cesse de se le demander lorsqu'on saisit à quel point, ici, l'énoncé et l'énonciation ne font

---

50. Julia Kristeva, *loc. cit.*, p. 267.
51. Cette affirmation se trouve, on s'en rappelle, dans l'analyse freudienne d'un judaïsme agissant comme refoulé du christianisme et ne cessant de faire retour dans cette inversion de la dette que constitue l'antisémitisme. Voir plus loin « Écrire faute de Dieu : Moïse avec Freud ».
52. Samuel Beckett, *Pour finir encore et autres foirades*, Paris, Minuit 1991 [1976], p. 7.

qu'un. L'imagination et le souvenir, la parole, la voix et le texte produisent un réel qui est lecture en même temps que corps, comme si l'Autre de la voix, l'Autre dans ma voix imposait sa présence pleine (accomplissement), qui n'est pas plénitude et clôture du Sens mais clarté formelle, lumière de l'événement. Il n'y a pas ici de nihilisme triomphant ni d'opacité des signes. Au contraire, une transparence s'impose qui est celle du nom, de la nomination, et non plus celle du sens. Ce n'est pas le sens de l'événement qui est ici recherché — en tant que cet événement pourrait « être » —, mais un « comment nommer ? » qui, ne visant pas le contenu, accède au surgir.

L'œuvre de Beckett, même si elle se rapproche de plus en plus radicalement de cette « clarté formelle » au fil des textes et des ans, y est déjà d'emblée avec les romans de la trilogie, par exemple, qui, bien qu'ils mettent en scène des herméneutes apparemment en proie au sens et soumis, dirait-on, à une confusion des sens, n'exposent pas moins la rigueur d'un parcours méthodique entièrement livré à l'équation complexe de son déroulement. L'absence de solution explicite n'empêche pas la clarté du théorème puisque c'est son déploiement irréversible, sa démonstration « syntaxique » qui importe, et non l'énoncé de sa finalité. C'est en cela d'ailleurs que l'écriture éclaire la scène du désir, de son principe et de son objet dont le statut est de se dérober justement à la maîtrise. La causalité est ici portée au registre de l'énonciation. Molloy va vers sa mère mais y est déjà parvenu. Malone meurt au futur, mais ce futur doit passer par la fiction de créatures bien allantes, vecteurs passés d'un effondrement qui l'a mis sur son lit, lui, sujet de la diction en proie à l'extinction : « c'est fini, je ne dirai plus je. » *L'innommable* reprend le fil de cette exposition dans laquelle la souffrance, l'impossible, l'impuissance se voient haussés à la dignité de l'axiome. Rigueur du désir lorsqu'il se donne à entendre dans sa loi : « Il faut continuer, je ne peux pas continuer, je vais continuer. » La phrase est axiome du texte et non pas énoncé d'un *pathos*, car c'est un faire qui s'y désigne sans cesse. Ainsi peut-on dire que l'énoncé de Beckett a pour fonction de produire sa démonstration ; théorème du désir en train de faire assomption dans le « je ». D'où ce temps du surgir qui dispose le « récit » dans l'axe de la nomination.

Mal voir et mal dire constituent alors le registre ascétique de la rencontre avec l'événement puisqu'il s'agit justement de rencontrer l'*événement* du sens et non le sens en tant que tel. Les « choses obscures », à ce titre, déjouent le bien voir (savoir) et le bien dire. Ne peut être que mal vu et mal dit ce qui précisément donne à voir et donne à dire. Ainsi, ce n'est pas la fin du sens qui est signée par un tel adieu aux figures, mais son commencement, « ce qui arrive[53] ». Dans tous les

---

53. Voir Alain Badiou, *op. cit.*, p. 41 et suivantes.

cas, le lecteur assiste aux mésaventures d'une voix ou d'un œil en train de passer à l'écrit selon une transcription-diction improvisée : dictée et vision. L'improvisation est en effet la seule « technique » de composition exposée, affichée, déclarée, et l'énoncé qui affirme l'impératif de dire ce qui est entendu est en même temps le signifiant multiple d'une hâte, d'une urgence où se bousculent le bâclé et l'hésitation découlant d'une contrainte qui impose des interruptions, des retours, des remords, des étonnements, contradictions ou associations, parfois commentés, parfois abandonnés sur la page comme on se débarrasse d'une tâche harassante. La voix ne cesse de dire ce qu'elle fait et du coup, il est vrai qu'elle devient visible, si ce n'est rayonnante d'une clarté singulière, signifiante dans sa geste même. « Une voix parvient à quelqu'un dans le noir. Imaginez. [...] La voix émet une lueur. Le noir s'éclaircit le temps qu'elle parle. S'épaissit quand elle reflue. S'éclaircit quand elle revient à son faible maximum. » (C, p. 7, 24)

Ainsi s'accomplit incessamment l'adieu aux figures en cet impératif quasi forcené d'entendre et de voir la voix ; le Récitant se voue à une désertion rhétorique qui appelle et constitue sa transparence. De là, le « je » ne peut qu'être frappé d'un mal qui sera sa seule « identité », ni ontologique ni métaphysique, disons-la plutôt géométrique ou topologique puisque le « mal » s'y présente comme dispositif ou posture pour le regard et la voix. La « faute » n'est pas celle de l'Entendeur-Récitant ; mal voir et mal dire sont ici des conditions du récit : « une voix parvient à quelqu'un dans le noir. Imaginez. » Causalité première de l'entendre, car le but n'est pas de dire ceci ou cela mais de dire, d'épuiser les possibilités du dire en en mesurant l'impossible. « Je dis ce qu'on me dit de dire, répète L'innommable, seulement je le dis mal, n'ayant pas d'oreille, ni de tête, ni de mémoire. »

> Oui, foin de démenti, tout est faux, il n'y a personne, c'est entendu, il n'y a rien, foin de phrases, soyons dupes, dupes des temps, de tous les temps, en attendant que ça passe, que tout soit passé, que les voix se taisent, ce n'est que des voix, que des mensonges [54].

De là, le livre de Beckett n'est pas tant la mise en jeu du sens (mise en péril ou refus de signification) que l'événement de la lettre faite corps, de la voix rendue visible par ce littéral indépassable : littéral qui, on le comprend maintenant, n'est pas autre chose que le dépliement sinon l'articulation devenue « personnage ». Cela n'est pas sans rappeler la théophanie sinaïtique qui, bien avant le christianisme, formule une Incarnation sans crucifixion ni calvaire.

En effet, au moment où sont proférées les Dix Paroles (Décalogue ou dix commandements), le texte dit que « tout le peuple voit les voix »

---

54. Samuel Beckett, *Nouvelles et textes pour rien*, III, *op. cit.*, p. 129.

(Ex 20, 15 [55]). Dès lors, la Révélation en ce qui a trait à la vision se pose déjà pour ces enfants d'Israël qui reçoivent la Parole d'un Dieu interdit de représentation. La voix qui se fait corps ou chair, c'est tout simplement le texte, le livre, et c'est de ne pas perdre cette dimension vocale et « charnelle » de la lettre que le livre reste ouvert à l'avènement du « maintenant » dont la dimension subjective est désir. Ce n'est pas une présence ontologique ni transcendante qui là survient mais un présent d'exposition qui devient corps du dire. Dans Beckett, la suspension du temps « prend corps » et produit cet entre-deux-temps, ce pénultième moment qui dit à la fois la proximité d'un achèvement et son impossible saisie. Ici ce n'est pas le temps qui passe mais la voix qui, passant, met fin au temps anecdotique de la narration pour donner à voir ce qui n'est jamais qu'entendu. L'image chez Beckett n'est pas ce sur quoi l'on s'appuie pour avancer ou construire l'histoire qui serait, elle, témoignage du temps en cours ; l'image est « chose obscure », « imagination morte, imaginez ! », c'est-à-dire souvenirs : mots, phrases, dictée, chose disparue ou perdue qui revient *maintenant*, actualisée dans ce dire qui est forme de la mémoire.

C'est de cette mémoire qu'il faut parler dès lors, de cette mémoire qui vient scander, dans le texte, pour le perdre, le temps physique dont les montres, les réveils, les astres, les jours et les nuits exposent la panoplie dérisoire. Ce temps est celui du « crâne » — ou « têtes mortes » —, non plus figure mais lieudit de la voix, source du surgissement, cellule indicative d'une résonance et d'une circularité, chambre d'écho sans direction mais non sans voie. La mémoire dans Beckett ne s'offre pas tel un ensemble contenu ni comme une référence ; l'image qui vient n'a de statut que de venir, justement, d'arriver dans la forme d'un retour. C'est dire qu'elle EST le texte, sa battue, son rythme, sa hachure, sa découpe, elle EST la voix soufflée construite et « racontée » par le crâne, aussi bien cylindre à grottes du *Dépeupleur* que site d'une fin ET d'un commencement synchrones : « Au lieudit du crâne. Descente faite. » (*MVMD*, p. 72) Le Golgotha, jadis figure et voilement, accomplit ici la « descente du corps » dans la lettre, le retour de ce qui précède dans ce qui suit ; principe de mémoire que Bruno Clément appelle à juste titre une « sorte d'inverbération ».

Renonçant pour toujours au temps physique, au temps extérieur, l'œuvre de Samuel Beckett ne peut pourtant pas [...] échapper à toute

---

55. Il faudrait lire les nombreuses interprétations que la tradition judaïque donne de ce phénomène. On peut se référer au résumé qu'en donne Marc-Alain Ouaknin, dans *Le livre brûlé, op. cit.*, p. 281 : « La " vision de la voix ", la " chair de la lettre ", c'est l'écriture dans sa matérialité. La voix qui se fait corps est le texte. La voix qui se voit est la lettre. » Lire aussi Benny Lévy, *Le logos et la lettre*, Paris, Verdier, 1988, qui cite, p. 144, Rabbi Aquiba : « Il n'y eut là aucune parole qui ne fut pas sortie de la bouche du Tout-Puissant et qui ne soit pas gravée sur les Tables de la Loi. »

temporalité ; mais elle se trouve un peu dans la position de ces compositeurs du début du siècle qui abandonnant peu à peu la mesure commune à tous les musiciens se voient dans l'obligation de procéder à l'inverse, et de multiplier soit une pulsation unique [...] soit une cellule rythmique unique dont l'œuvre n'est, de ce point de vue temporel, que la permanente transformation [...][56].

S'il peut y avoir rencontre entre Paul et Beckett, c'est au sens où l'« avec » vient révéler l'oubli au noyau de la figure : oubli non pas du monde mais de la cassure de la lettre et du Livre ; oubli de la question et de la Voix si centrales dans le premier monothéisme. Si la figure annonce le Corps qui vient, l'infigurabilité propre au « Je suis » biblique reste chez Beckett à dire ; réouverture de la question dans l'affirmation de l'indécidable, des « choses obscures » que la figure a toujours pour fonction de circonscrire et d'emporter. « Je crois, dit Molloy, que tout ce qui est faux se laisse facilement réduire en notions claires et distinctes, distinctes de toutes les autres notions. Mais je peux me tromper. » (M, p. 110) La destitution éternellement programmée de la figure, propre au roman beckettien, dit bien l'incroyable du Corps chrétien et ce qu'il a pour fonction de couvrir en s'incarnant. « Je n'ai pas étudié l'Ancien Testament pour des prunes », dit Moran sur le point de partir à la recherche de Molloy (M, p. 161). Bien sûr, puisqu'il s'agit ici aussi de l'*accomplir*, mais à l'envers du christianisme, ce qui veut dire à l'envers de cette figuration dont le roman ne cessera de tenir compte pour la rappeler à sa dimension d'impensable et d'innommable.

Un autre exemple permettra sans doute de faire entendre la portée d'un tel circuit dans l'écriture du roman. Moran reçoit du messager de son maître Youdi (qui en hébreu signifie justement « Juif ») l'ordre de partir avec son fils vers le pays de Molloy. Si Moran peut dire qu'il n'a pas étudié l'Ancien Testament pour des prunes c'est qu'il reconnaît là l'ordre donné à Abraham du sacrifice de son fils. Cette *figure*, au sens chrétien, ne trouvera pas ici son sens autrement qu'à se faire la proie d'une défiguration qui atteint directement le corps des acteurs.

> Vous partirez aujourd'hui, dit Gaber. Aujourd'hui, m'écriai-je, mais il est tombé sur la tête ! Votre fils vous accompagnera, dit Gaber. [...] J'entrai dans la chambre de mon fils. Assis devant sa petite table de travail il admirait ses timbres, les deux albums, le grand et le petit, ouverts devant lui. [...] Tu laisseras tes deux albums à la maison, dis-je, le petit aussi bien que le grand. Pas un mot de reproche. Un simple futur prophétique sur le modèle de ceux dont usait Youdi. Votre fils vous accompagnera. (M, p. 129, 147-148)

Le roman de Beckett serait dès lors ce retour insistant du défaut de la figure « prophétique », devenu indépassable par la suspension du

---

56. Bruno Clément, *op. cit.*, p. 288.

monde dans l'avant-dernier Temps où la figure sur le point de s'accomplir et d'être pensée ne l'est pas encore et n'en finit plus de fuir (comme on dit d'un tonneau) à rebours de la rédemption. Comme si la phrase de Paul, cette alerte qu'il lance aux hommes convaincus de la vérité de leur petit monde, se retournait chez Beckett en perpétuité de l'imminence, imminence d'une autre perpétuité. Rentrant chez lui, à la toute fin du roman, après n'avoir trouvé que le sillage de Molloy en reprenant son parcours sur un autre plan, Moran passe devant le cimetière où sa place est marquée d'une simple croix latine qui attend ses inscriptions [57], mais cette attente est suspendue à la spécificité d'un temps qui, s'il est, au sens de saint Paul, « trop court », n'en demeure pas moins interminable.

Maintenant je vais pouvoir conclure.

Je longeai le cimetière. C'était la nuit. Minuit peut-être. La ruelle monte, je peinais. Un petit vent chassait les nuages à travers le ciel faiblement éclairé. C'est beau d'avoir une concession à perpétuité. C'est une bien belle chose. S'il n'y avait que cette perpétuité-là. (M, p. 236)

Une autre perpétuité suspend en effet celle que la conclusion pourrait enfin délivrer. Mais il n'y aura pas d'autre conclusion que l'impératif de continuer de plus en plus sur place et de plus en plus immobile, laissant le corps revenir dans la voix qui sera la dernière à aller et à venir. Paul affirme l'accomplissement en même temps que l'incroyable du Sens — le Mystère — et sa vérité Une dans la foi ; Beckett, dans ce même mouvement vers l'accomplissement, le ralentit au point de le dévoyer, d'en dévoiler l'envers qui est le dire, l'impératif de dire la mémoire comme travail, perpétuité du retour qui vise toujours la question du où ? vers lequel Molloy mais aussi Moran se « hâtent sans cesse » (M, p. 153) ; un où d'une effarante proximité qui n'est encore que cette proximité de la pensée, celle, car c'en est une, qui dit : « J'arrive bien cette fois-ci puis encore une autre peut-être, puis ce sera tout. » (M, p. 9) Car la pensée est ici redevenue voix, parole, cette voix refoulée par la figure, cette voix du futur prophétique dont Molloy et Moran sont en quelque sorte les corps de résonance pour le surgissement d'un sujet qui ne peut plus être figure de lui-même puisqu'il est en proie à la défiguration de la question [58]. La pensée est devenue pensum, tâche à accomplir avant de dire adieu et qui est encore celle de dire, de ne pas cesser de dire jusqu'à le dire enfin, l'impossible qui permettrait d'en finir, de dire adieu : « Je vais donc continuer, il faut dire des mots, tant qu'il y en a, il faut les dire

---

57. *Ibid.*, p. 183.
58. Sur le dispositif de ce futur prophétique et de son accomplissement, on lira plus loin « L'acteur, le clou, l'au-delà. Jérémie, Artaud avec Freud ».

[...] il faut continuer, je ne peux pas continuer, je vais continuer. »
(*I*, p. 213)

« Paul avec Beckett » recouvre ainsi une autre rencontre, celle de Pascal avec Descartes. Celle d'un *cogito* qu'il faudrait relire dans son étrange constitution, et des « pensées » comme assomption du voilé, du caché, comme division sinon scansion du sens et du sujet chrétien qui s'y arrime. Chez Beckett, on l'a vu, le *penser* est un *imaginer*, imagination morte de la figure, faite après son passage par le retour de la chose obscure comme seul acte d'un dire à voir ; véritable subdivision infinie du parcours pour l'étalement de ce « temps trop court » qui ramène la figure, impossible à évacuer du langage, en position d'actualiser l'aporie de son existence ; précisément ce qu'Augustin ne cesse de ramener au cœur du temps et qui en est le présent inabordable, infigurable. Molloy : « Je ne savais qu'à l'avance, car sur le moment je ne savais plus, on l'aura peut-être remarqué, [...] et après coup je ne savais plus non plus. » Le présent est un trou projeté sur sa surface absente, un impensable de bouche, une Bouche qui a toujours déjà commencé à parler[59]. Aller vers sa mère ou attendre Godot, c'est ce qui justement suspend la crucifixion comme figure ultime et première de l'accomplissement.

Vladimir — Qu'est-ce que tu fais ?

Estragon — Je fais comme toi, je regarde la blafarde.

Vladimir — Je veux dire, avec tes chaussures.

Estragon — Je les laisse là. (Un temps) Un autre viendra, aussi... aussi... que moi, mais chaussant moins grand, et elles feront son bonheur.

Vladimir — Mais tu ne peux pas aller pieds nus.

Estragon — Jésus l'a fait.

Vladimir — Jésus ! Qu'est-ce que tu vas chercher là ! Tu ne vas tout de même pas te comparer à lui ?

Estragon — Toute ma vie je me suis comparé à lui.

Vladimir — Mais là-bas il faisait chaud ! Il faisait bon !

Estragon — Oui. Et on crucifiait vite[60].

La vitesse de la crucifixion nécessaire au passage de la figure pour l'avènement du Sens et de la Rédemption est devenue ici attente,

---

59. Dans *Pas moi*, où seule une bouche occupe la scène, les premiers mots sont en fait les premiers mots audibles, de même pour les derniers. Le texte semble donc se dérouler avant et après l'écoute.
60. Samuel Beckett, *En attendant Godot*, Paris, Minuit, 1952, p. 73.

durée qui est précisément ce *pensum*, performatif à peu près impensable. « Je ne sens rien, je ne sais rien et pour ce qui est de penser, je le fais juste pour ne pas me taire, on ne peut pas appeler ça penser. » (*I*, p. 33)

Si la « pensée » pascalienne opère la division du temps, se fonde sur cette division que constitue la prise en compte du Dieu caché dans la lettre, le *cogito* cartésien permet peut-être, à le reprendre dans sa constitution, de ramener l'impensable sur le site du « je pense » et de l'infigurable « Je suis » qu'il soutient. Et il y a des deux dans Beckett. De Pascal on reconnaît en tout cas la texture de fragment, l'esprit de géométrie, l'organisation mathématique de l'agencement : écho, dialogue, dispute, réfutation, retour.

De Descartes, on le sait, Beckett a repris les leçons (dans *Murphy*, entre autres). S'il est vrai que l'on a pu dire de l'écrivain que son œuvre décrit l'impossibilité d'un *cogito* cartésien, « impossibilité d'une plongée du sujet dans la transparence de sa pensée [61] », il y a tout de même une transparence toute beckettienne qui est une véritable analyse du « je pense » dont certains ont montré qu'il opère, dans les *Méditations* de Descartes, précisément à rebours (encore !) de la tradition cartésienne. Lacan, par exemple, disait devoir lire ce *cogito* cartésien depuis la syncope que constitue l'acte même de penser, à savoir que ce qui pense n'est pas pensable ; d'où la nécessité de ponctuer le *cogito* pour éviter toute tentation de le prendre pour un simple syllogisme : Je pense : « donc je suis [62]. »

> Le « je pense donc je suis » ne veut rien dire s'il n'est vrai. Il est vrai parce que « donc je suis » est ce que je pense avant de le savoir et que je le veuille ou non. C'est la même chose. [...] C'est justement parce que c'est la même chose, ce « je pense » et ce que je pense, c'est-à-dire « donc je suis », c'est justement parce que c'est la même chose que ça n'est pas équivalent [63].

C'est à l'énonciation que l'on est ici renvoyé, énonciation à l'œuvre dans les deux membres de la proposition mais sans équivalence parce que le « je » qui pense n'est pas le même qui « suis » et qui suit. C'est une énonciation qui ne suppose plus la possibilité d'un corps qui vient combler le trou du « Je suis » mais au contraire *tordu* par cette « chose » dont nulle figure ne saurait advenir.

> À seulement penser, à aligner des idées, l'ego fuit, exactement comme quand je marche mon équilibre n'est fait que de la succession de mes chutes retenues [...]. Qu'à défaut de le représenter on le figure

---

61. Anne Henry, *loc. cit.*, p. 296.
62. À propos du *cogito*, voir A. Vergez, *Descartes, Méditations métaphysiques*, Paris, Nathan, 1983, p. 18.
63. Jacques Lacan, *Le Séminaire 1971-1972* : « Ou pire », édition ronéotypée, p. 66.

(point de fuite), et le voici, royalement immobile, moyeu autour duquel tourne tout le charroi représentatif de la science à venir. Mais qu'on cesse même de le figurer, le reléguant dans la seule épreuve énonciative de la profération du cogito, et le voilà désarrimé, livré au gré d'un penser dont il n'est plus l'immobile moyeu, mais seulement le moyen terme, indéfiniment redupliqué dans l'alignement sans fin des figures [64].

On voit peut-être à quel point ce « je » détaché de ses figures rappelle la galerie de crevés du roman beckettien.

Il n'y a pas d'Autre de l'Autre. Point de butée de la relativité. Dans le doute hyperbolique de la méthode, il n'est pas sûr que je sois en tant que je pense : je ne suis pas celui-là qui justement est en train de penser que je suis, pour la simple raison que du fait que je pense que je suis, je pense au lieu de l'Autre, je me situe au champ de l'Autre pour penser que je suis.

S'il n'y a pas d'équivalence entre le « je pense » et ce que je pense, c'est qu'il y a hiatus, voire trou actualisé entre les figures de la pensée (ce que les mystiques chrétiens ne cessent d'ailleurs de rappeler à la raison théologique).

Le corps qui s'en va et celui qui vient

Le corps beckettien n'est-il pas lui aussi « tordu » sur son énonciation, corps de voix, corps du dire. L'homologie qui m'a fait placer Paul *avec* Beckett n'aura donc pas d'autre visée que celle de rouvrir la figure sur le roc d'oubli qu'elle enserre. Lire Beckett dans cette perspective donne alors à entendre que l'écriture commence à la racine du figuratif, sur la brèche d'une faute non encore rachetée et qui est faute ou défaut de sens. Il y a bien chez Beckett quelque chose comme une suspension de la crucifixion, prolongation des « stations » jusqu'à l'informe d'une décomposition. C'est ce qu'affirme déjà Molloy jugeant sa vie comme un long déplacement au sein d'un espace de plus en plus restreint :

Mais c'est seulement depuis que je ne vis plus que je pense à ces choses-là et aux autres. C'est dans la tranquillité de la décomposition que je me rappelle cette longue émotion confuse que fut ma vie, et que je juge, comme il est dit que Dieu nous jugera et avec autant d'impertinence. Décomposer c'est vivre aussi [...]. D'ailleurs de cette vie-là aussi j'aurai peut-être la bonté de vous entretenir un jour, le jour où je saurai qu'en croyant savoir je ne faisais qu'exister et que la passion sans forme ni stations m'aura mangé jusqu'aux chairs putrides [...]. (M, p. 32-33)

---

64. Guy Le Gaufey, *L'incomplétude du symbolique. De René Descartes à Jacques Lacan*, Paris, EPEL, 1991, p. 51.

Cette défiguration n'est pas sans être passée, « au temps de la splendeur » de Molloy, par une ascèse méthodique et athlétique de la « station », qui fait dire à Lousse lorsqu'elle recueille Molloy que tout ce qu'elle demande, c'est « de pouvoir contempler de temps en temps ce corps extraordinaire, dans ses stations et dans ses allées et venues » (*M*, p. 63). Stations d'avant la Croix qui ne cessent de ramener le corps à sa question, à sa « posture d'hypoténuse », à rebours d'un accomplissement qui le renvoie au Dire. Cette suspension du sens ne va pas sans une reprise des figures chrétiennes de l'Incarnation, du sacrifice, du prophétisme, les reportant sur la scène de l'histoire d'un corps qui s'en fera le récitant. Second tour de la figure qui prend en compte l'enseignement paulinien de la disparition imminente du monde, mais pour en dire la lettre, le « rien », avant de s'en aller. « Toute cette histoire de tâche à accomplir, de mots à dire, de vérité à retrouver, pour pouvoir la dire, pour pouvoir m'arrêter, de tâche imposée, sue, négligée, oubliée, à retrouver, à acquitter, pour ne plus avoir à parler... » (*I*, p. 47)

Ce corps qui parle est en train de s'en aller et se raconte comme une rétroversion de la figure qui passe par cette nouvelle croix du devoir-dire, Golgotha inédit. C'est ainsi que Molloy descend de son rocher après le passage des « deux larrons » A et B et s'en va vers le point de disparition qui l'enjoint à parler. Le corps qui vient, alors, n'est plus corps réel, supplicié, mais corps vocal, littéral. S'il faut parler, ce n'est pas seulement parce que nous sommes des êtres de langage, mais parce que ce qui est, et le corps lui-même, dont il y a obligation de parler, part en morceaux, échappe, fuit vers le non-être. « Il faut peindre les choses avant qu'elles ne disparaissent », disait Cézanne.

Le principe du retour beckettien reprend donc une à une, à l'instar de la figure, les scènes de l'histoire ; mais c'est pour les reporter, les déporter dans le défaut de sens, ce défaut toujours « emporté » à l'avance par la figure. C'est donc bien d'une « incarnation » qu'il s'agit, mais renvoyée au principe même de l'oubli, du trou de mémoire. Comme si le *wo Es war* freudien ne pouvait se repérer que depuis la torsion d'un après-coup dont le sujet ne dispose pas encore, et dont la formule serait désormais : *Si je suis advenu, où donc était-ce ?*

L'impératif du retour est ainsi posé, retour dont le parcours semble inscrire un trajet sérialisé, scandé vers le rien. La figure trouve ici, si l'on peut dire, le temps de sa défiguration, par cette façon qu'elle aurait, encore et en-corps, de « s'en aller », de passer, de s'éclipser, sur le mode du choir, de la chute et des « stations », jusqu'à ce qu'il faille ramper puis s'arrêter, s'en tenir à cette tête qui ne marche plus mais continue de parler, d'arriver, de parvenir à sa fin. « Cela a l'air d'un repos, dit Molloy, mais il n'en est rien, je glisse content dans la lumière des autres, celle qui jadis devait être la mienne, je ne dis pas le contraire. [...] puis c'est l'angoisse du retour, je ne dirai pas où, je ne peux pas, à l'absence peut-être, il faut y retourner, c'est tout ce que je sais, il ne fait pas bon y rester, il ne fait pas bon la quitter. » (*M*, p. 55-56)

Cette suspension du Temps fait donc du « lieudit du crâne » la fin et le commencement en même temps : un trou, un présent pénultième de boue, voix d'outre-temps, ce crâne posé dit bien l'évidement, l'os du dire autour de quoi rampe la chair en attendant d'en finir, de dire adieu.

Retour obligé de celui qui, comme Molloy, a oublié qui il est, est sans mémoire d'être jamais né et doit entrer dans cette *ascèse méthodique* de la figure qui consiste à la réduire petit à petit à sa plus simple expression : une reptation, une tête tombante, une bouche. Car qu'est-ce que la figure sinon, au sens précis que lui donne saint Paul, une feinte, un « comme si » qui suspend le sens du monde avant la révélation de l'Autre. La figure n'est pas l'image du monde mais ce qui la supporte — le « schème » traduit Chouraqui —, le trait du semblant, son contour, ce qu'un autre, l'Ecclésiaste, appelle *buée* ou *vanité*. C'est seulement ainsi, prise dans sa fonction en acte, qu'elle peut revenir sur le site duquel on l'avait retranchée, à l'entour obscur des choses ; la voilà qui passe, n'en finit pas de passer, continue de fuir, intarissable, mais à rebours du Corps Mort, comme si la suspension de son accomplissement dans le Sens la relançait vers l'écriture, vers l'acte même de sa profération insensée. Voilà ce que serait la pensée du roman beckettien, cette façon, toujours réinventée de faire passer la figure de ce monde... à l'écriture, de l'y ramener à l'envers d'elle-même.

« Mal voir, mal dire » vient, chez Beckett, soutenir cette pensée de la pensée, le noyau impensé de la figure. Le corps du mouvement, l'incarné, fuit et s'en va pour le surgissement d'un corps autre, vocal. Où l'on entend une autre version de l'impératif freudien : *Là où je voudrais finir, je dois encore dire.*

De là, et pour finir, les abeilles de Moran, mais surtout leur danse, donnent à lire ce qu'il en serait d'une « figure de la pensée » prise comme événement, c'est-à-dire revenant à l'infini questionnement de la lettre, à l'infigurable du passage, infigurable au sens où la vérité y serait sans cesse renvoyée à l'étude infinie.

> [...] je pensais beaucoup à mes abeilles [...]. Et je pensais surtout à leur danse [...]. Cette danse se manifestait surtout chez les abeilles qui rentraient à la ruche, chargées plus ou moins de nectar, et elle comptait une grande variété de figures et de rythmes. Et j'avais fini par y voir un système de signaux [...]. La danse consistait surtout en des figures très compliquées, tracées par le vol, et j'en avais classé un grand nombre, avec leur signification probable. [...] Et malgré tout le travail que j'avais consacré à ces questions, j'étais plus que jamais étourdi par la complexité de cette danse innombrable [...] Et je me disais avec ravissement, Voilà une chose que je pourrai étudier toute ma vie, sans jamais la comprendre [...] ce serait toujours une chose

belle à regarder et d'une portée que n'arriveraient jamais à souiller mes raisonnements d'homme malgré lui. Et je ne saurais faire à mes abeilles le tort que j'avais fait à mon Dieu, à qui on m'avait appris à prêter mes colères, mes craintes et désirs, et jusqu'à mon corps. (M, p. 229-230)

Les abeilles de Moran constituent une figure... insaisissable qui ne permet aucune saisie dont aurait à répondre un corps d'« homme malgré lui ». Elles restaurent la coupure entre savoir et vérité, entre révélation et étude, bref, elles affirment la contradiction des raisonnements que l'Incarnation paulinienne aura eu pour fonction d'abolir.

Chapitre deux

La parabole du Tombeau vide.
Un midrach de Kafka

> Un fétu de paille ? Plus d'un homme se tient au-
> dessus de l'eau en s'accrochant à une ligne tracée
> au crayon. Se tient au-dessus de l'eau ? Rêve, en
> sombrant, d'un salut.
>
> KAFKA, *Journal*, 1912

Quel corps ?

Le midrach a ceci de particulier d'avoir un double statut : il est à
la fois processus d'interprétation des textes, véritable travail de questionnement et d'analyse, et récit, morceau narratif dont la collection
(les *midrachim*) forme le second volet (*Aggadah*) de la tradition orale
— commentaires talmudiques —, le premier étant la loi codifiée
(*Halakhah*). La définition la plus simple que l'on puisse donner du
midrach et qui, en l'occurrence, correspond fort bien à ce que nous
allons lire ici, est *interprétation narrative* [1]. Ce double statut — récit
et interprétation — donne au midrach son caractère dense et elliptique-
que. N'étant pas un récit continu et cohérent en lui-même mais le
matériau polyphonique d'un commentaire, un guide et un acte de lecture, il se donne comme la réponse à un blanc de l'écriture, et peut-
être plus encore comme le bord tracé de ce blanc : non pas effort de
complétude mais, dirait-on, tentative d'assomption du manque et du

---

1. « Commentaire rabbinique de la Bible ayant pour but d'expliciter divers points juridiques ou de prodiguer un enseignement moral en recourant à divers genres littéraires : récits, paraboles et légendes. Le mot *midrach* vient de la racine DRCH qui
signifie « interroger, étudier » [...]. » (Guy Schoeller (dir.), *Dictionnaire encyclopédique du judaïsme*) On peut lire aussi, du Grand Rabbin Henri Schilli, *Regards sur le
Midrach*, Paris, C.L.K.H., 1977, p. 1 : « Par opposition à l'interprétation littérale [...],
le midrach désigne une exégèse qui, allant plus loin que le simple sens littéral, tente
d'approfondir l'esprit des Écritures, pour examiner le texte sous tous ces aspects et,
de cette façon, tirer des interprétations qui ne sont pas immédiatement évidentes. »

non-dit au cœur du texte qu'il commente. Le midrach serait en quelque sorte l'accomplissement de ce « blanc », sa désignation en même temps que sa constitution en matériau de pensée. Le midrach raconte, décrit, dialogue, invoque des personnages et dispose ces éléments non comme une explication définitive mais comme une petite scène sous-jacente, apparemment limpide et judicieuse, laissée en blanc dans la grande Histoire d'Israël. Lisant ces fragments d'interstices, nous sommes chaque fois frappés par la clarté qui là s'affiche. Offert comme réponse à une question posée au texte, le midrach a toujours l'air de venir sans délai en une répartie donnée comme évidente. Par exemple, à la question « Qui a enterré Abel ? » que la Genèse ne soulève pas mais que l'histoire du premier meurtre suscite, Rabbi Abba bar Pappa répond : « Ce sont les oiseaux du ciel et les bêtes pures qui l'ont enterré. Et Dieu les a récompensés par les deux bénédictions que l'on prononce, l'une pour l'abattage, l'autre quand on recouvre le sang[2]. » Un rituel de la cacheroute se trouve ainsi redisposé à la réflexion dans une causalité *fictive*, c'est-à-dire narrative et fabuleuse, mais indéniablement liée à la Loi et à la rationalité qu'elle impose. La fiction a son poids... de vérité. Cette réponse de Rabbi Abba bar Pappa n'empêche pas que l'on puisse soutenir ailleurs, dans un autre midrach, que Caïn est l'inventeur de la sépulture, puisqu'il a dû assumer le premier enterrement.

Dans la vitesse de la répartie qui ordonne ce commentaire pour les étudiants de la Torah, il y a donc apparence d'apaisement, où l'énigme surgie de la question semble résorbée dans le récit qui donne à voir un pan caché de l'Histoire. Mais cet apaisement est troublé par une étrangeté irrésolue qui insiste à vouloir dire autre chose qu'elle ne dit. Le texte du midrach ne résout rien ; il ouvre, au contraire, à d'autres questions. Glissé dans l'interstice de l'Écriture, il se « moule » au blanc, au silence du texte ; cisèlement du manque, il s'offre ainsi en guise d'interprétation.

> [...] la racine DRCH [prononcer *daroch*] veut dire chercher, questionner, mais avec la connotation de demander, exiger. L'explication du *drach* consiste à chercher à partir du texte, en exigeant de lui, éventuellement, autre chose et plus qu'il ne contient ; en quelque sorte, comme on dit, à solliciter le texte. Et cette explication s'accroche non pas à quelque chose qui se trouve dans le texte, mais à quelque chose qui y manque[3].

Ce manque du texte, on l'a vu, peut être déclenché, révélé dans les questions soulevées par les rabbins au fil de la lecture. Mais il peut aussi être posé de tout temps, comme si, à la limite, le texte ne cessait de faire

---

2. *Midrach Rabba*, Genèse, XXII, 22, Paris, Verdier, 1987, p. 254.
3. Henri Atlan, « Niveaux de signification et athéisme de l'écriture », *La Bible au présent*, Paris, Gallimard, coll. « Idées », 1982, p. 75.

question. Ce qu'il y a dès lors à retenir de cette pratique, c'est que le midrach vient dire ce que le texte ne dit pas et, ce faisant, il se présente comme un morceau apparemment arbitraire, sujet à contestation, à contradiction, à retournement ou variation. Mais ce qu'il indique n'est pas tant une quantité innombrable de significations plus ou moins aléatoires que le *procès* même du sens en tant qu'il est d'abord une adresse, un vecteur d'interpellation dans lequel s'entend la destination de la parole.

Le statut fictif du midrach est incontestable. Lors de la dispute de Barcelone, qui eut lieu au mois de juillet 1263, le grand Nahmanide le rappelle à son principal détracteur, le Juif converti Paul Christiani[4]. Nous avons, dit-il, trois sortes de livres. La première est constituée par les vingt-quatre livres de « ce que vous appelez » la Bible. La seconde est appelée Talmud « et nous avons confiance en cette explication ». Et nous disposons enfin d'une troisième catégorie appelée midrach « qui signifie sermon ».

> C'est un peu comme si l'évêque se levait pour prononcer un sermon et que l'un des auditeurs, trouvant celui-ci exact, l'inscrivait par écrit. Si l'on y prête foi tant mieux mais si l'on n'y croit pas, on n'en subira aucun tort. [...] Nous donnons aussi à cette sorte d'ouvrages le nom de « livre de Aggada », ce qui signifie *razonamiento* [raisonnement] en espagnol et qui désigne les choses qu'un homme raconte à son compagnon[5].

L'arbitraire apparent du dit, on le comprend, est dépassé, *traité* par la portée éthique du dire qui vise le rapport au prochain. Le midrach est un effet de texte, un enchaînement associatif constitué par la nécessité de faire résonner « ailleurs » le vouloir-dire d'un passage à commenter. En cela, le vouloir-dire est d'abord une adresse à l'autre qui se trouve à l'écoute de ce sermon-interprétation ; il est cette parole qui vise l'autre, au bout du texte, en train de lire *dans et avec ce dialogue*. Les rabbins ont cultivé expressément cet « accomplissement »

---

4. Voir Nahmanide, *La dispute de Barcelone*, Paris, Verdier, 1984. Cette dispute est l'une des plus célèbres controverses judéo-chrétiennes. Moïse ben Nahman (Nahmanide) est une figure prestigieuse du judaïsme espagnol du XIIIe siècle. Reconnu comme un maître de premier ordre en matière de *halakhah* (juridiction), commentateur de renom de la Torah et cabaliste. On dit qu'il fut nommé grand rabbin de Catalogne en 1264. La dispute met bien en scène la nouvelle situation du judaïsme dans la chrétienté. Le perdant sera bien sûr Nahmanide qui prouve par les textes que le Messie attendu par les Juifs n'est pas encore venu étant donné que Jésus ne correspond pas à ce que la tradition judaïque soutient. Nous avons dans ce « procès verbal » de la controverse un modèle pour les siècles à venir : poursuites judiciaires contre le maître de la Torah, censure du Talmud, confiscation des écrits qui remettent en cause l'orthodoxie chrétienne. Dans l'introduction de ce livre, Éric Smilévitch et Luc Ferrier (traducteurs) affirment, p. 20 : « À terme, la résistance du judaïsme et d'un nombre important de juifs à la politique de christianisation menée par l'Église, conduit à leur expulsion définitive de la société chrétienne. »
5. *Ibid.*, p. 37.

de la parole dans l'oreille qui la reçoit. On comprend la surprenante dialectique qu'il instaure : au manque répond un supplément qui n'est ni comblement ni restriction mais résonance du manque, trop-plein qui n'a pu se dire et qui revient sous la forme d'un excédent, d'un impératif, là encore, qui interpelle l'autre dans son corps. L'éthique impliquée par le midrach somme en effet le lecteur de faire ce qu'il entend... dire. L'équivoque de cette dernière phrase est pesée pour qu'y soient présentes à la fois la loi que vise le midrach et la responsabilité de celui qui le lit. « Faire ce que j'entends dire » — faire maintenant ce que j'entends dire demain — est aussi ce qui, au futur, se révélera comme une parole soutenue par un acte, puisque faire ce que l'on dit ne relève pas seulement d'une adhésion aux préceptes que chacun peut répéter, mais nécessite l'accession à une parole dans laquelle je puisse me reconnaître.

Il y a dans cette révélation une participation du lecteur qui devient à sa façon scribe de la parole qui lui arrive du dehors et l'habite. Mais cette subjectivité inscrite dans la transmission ne saurait être livrée au pur jeu des « individualités », c'est-à-dire au registre des opinions et des idéaux de chacun. Levinas rappelle la préséance de la tradition sur les « personnes » :

> [...] ce qui permet d'établir une discrimination [entre l'arbitraire des amateurs et l'éthique], c'est une nécessaire référence du subjectif à la continuité historique de la lecture, c'est la tradition des commentaires qu'on ne peut ignorer sous le prétexte que des inspirations vous viennent directement du texte [6].

C'est au *sujet* que s'adresse la révélation, c'est-à-dire à cette instance distincte du *moi* toujours pris dans les leurres idéologiques et imaginaires. Le « sujet » de la lecture est en quelque sorte le destinataire du texte, mais seulement dans la mesure où le texte le dispose dans sa dimension désirante et désirée. C'est l'énonciation du midrach qui vous convoque en tant que désiré à la place précise d'une pensée « avec la tradition ». Singularité certaine parce que assujettie à la loi d'un dire qui l'assigne, cette subjectivité, à *sa* place, en *son* nom, d'où recevoir la parole Autre. Vous êtes sujet du texte dans la mesure où, pour calquer les termes de Lacan, le texte vous représente pour un autre texte, signataire d'un accomplissement dans la chaîne des lectures signées de cette Révélation. Quels que soient l'apparente incongruité, la désuétude ou l'« exotisme » des midrachim, il convient d'en admettre les données dans leur univers propre, comme on le fait pour la fiction littéraire. C'est à la condition de reconnaître la rigueur particulière à cette tradition que nous avons une chance d'en recevoir l'insistante actualité.

---

6. Emmanuel Levinas, *L'au-delà du verset*, Paris, Minuit, coll. « Critique », 1982, p. 164.

Le midrach, finalement, ressemble aussi au rêve à propos duquel Freud affirme qu'il faut « le traiter comme un texte sacré[7] » malgré l'apparence d'improvisation arbitraire que constitue son récit, l'acte même de le raconter. Récit composé de morceaux de pensées, bribes condensées des réseaux d'associations qui viennent faire interprétation « dans le transfert »... du sens et du désir de sens, le rêve ne se laisse pas déchiffrer dans son contenu narratif en tant que tel. Il est lui aussi une réponse à la question laissée en blanc dans une histoire, celle de l'énigme du désir. Mais il faut sans doute éclairer cette particularité du texte sacré au sens de Freud, qui n'a rien à voir avec l'unicité d'une version « authentique » dont la vérité serait intrinsèque à une origine inaltérable. Au contraire, Freud pose que le rêve n'a de « réalité » que raconté, que pris dans une énonciation, autant dire une adresse ; et l'interprétation doit tenir compte de toutes les perturbations qui participent de cette mise en récit : doutes, hésitations, oublis, contradictions, reprises, propres à la récitation du rêve. Il y a de cela dans le midrach qui, s'il relève bien d'une transcendance, ne cesse pourtant pas d'indiquer la primauté de sa réception (sens littéral du mot « KaBaLaH », cabale). La vérité du midrach est révélée à qui se sent pris à partie, saisi, convoqué *comme corps* à la sainteté du verbe qui n'est pas assomption du divin *dans* le monde, *dans* le texte, mais accession à la Parole qui ouvre l'espace dialogal entre l'humain et Dieu[8]. De là cette nécessité pour le judaïsme de poser d'emblée la séparation entre le sacré et le saint. Le Livre est saint, la Loi est sainte, le peuple est saint parce que la parole est soutien, condition de vie, que la parole est vecteur du sens auquel je dois parvenir... *comme corps*, vivant.

Est-il justifié d'amorcer une lecture de Kafka avec ces détours par Dieu, la sainteté, la Loi orale, alors que l'on conteste souvent la religiosité de Kafka[9] ? Peut-être est-ce l'occasion de rappeler que tous les rapports à Dieu ne sont pas religieux et qu'il y a dans la sainteté et la Loi, dont le judaïsme se constitue, une dimension athéiste, directement éthique. Puisque le mot « Dieu » n'existe pas en hébreu — il n'y a donc pas de théologie envisageable —, le Nom est toujours propre et force à reconnaître une autre rédemption, un autre salut que celui programmé

---

7. Sigmund Freud, *L'interprétation des rêves*, Paris, Presses universitaires de France, 1971 [1900], p. 437.
8. Pour cette différence essentielle entre le sacré et le saint, on pourra lire Emmanuel Levinas, *Du sacré au saint. Cinq nouvelles lectures talmudiques*, Paris, Minuit, 1977 [principalement la troisième lecture] ; de même qu'Armand Abécassis, *La pensée juive 2. De l'état politique à l'état prophétique*, Paris, Livre de poche, 1987, p. 114-122 : « [...] le sacré c'est le divin dans le monde, lié à un objet précis, adhérant à l'espace et au temps. [...] La notion de saint [QaDoCH] est celle de l'altérité et de la valeur [...]. »
9. Voir entre autres Claude David, *Franz Kafka*, Paris, Fayard, 1989 ; Pietro Citati, *Kafka*, Paris, L'arpenteur, 1993.

par un Messie divin qui rachète les péchés du monde [10]; bref une place « autre » où le mystique ne serait pas celui, pieux, qui adhère aux prescriptions de la Rencontre, mais ce sujet étranger à lui-même, divisé par le Nom et surpris de le rencontrer avant même de l'avoir sollicité, dans le *qui ?*; un « qui suis-je ? » qui le mène droit au Nom qui l'attend.

Le Messie chrétien, on le sait, est ressuscité, laissant derrière lui le tombeau vide. Où donc est passé le Corps ? Là serait le sens du salut chrétien: dans cet au-delà du Corps rédempteur dont chacun doit incorporer la Présence. Mais le salut peut aussi être, comme dans le petit paragraphe qui sert d'exergue à ce chapitre, une salutation qui vous fait lâcher prise et sombrer, vous fait choir de la lettre tracée au crayon, à laquelle vous étiez accroché; et le tombeau vide, une place brusquement ouverte, pour signer.

Il s'agit bien de Kafka. De cette écriture précise, cristalline, ciselée par les arêtes tranchantes du parcours rapide de la phrase qui semble reprendre les allées et venues des personnages en train de zébrer la page traversée par l'allure du corps. Quel corps ? On en revient toujours à cela : le corps, l'incarnation, la mort, la résurrection. Question de voix avons-nous dit pour Beckett, question de parole qui « produit » le corps... autrement, le décharge de son poids, de sa masse d'organes et le rend à sa lettre, à son nom, à sa délivrance qui ressemble souvent, chez Kafka, à une chute.

Le midrach enseigne qu'il n'y a pas de lettre « vivante » sans incarnation, que la Loi ne saurait avoir lieu sans l'accomplissement qu'elle appelle, et que ce dernier exige un corps singulier, issu de la lettre, adonné à elle dans la parole, façonné par sa stature relationnelle. Que l'on retrouve cette exigence dans l'acte de l'écrivain n'est guère étonnant, puisqu'il y a bien, pour qui pratique l'écriture, un imparable effet de la lettre qui vous livre corps et biens aux tribulations de ses parcours. Le sujet de l'écriture, c'est une évidence, ne précède pas l'écrit mais en provient. On ne peut pas faire autrement, puisque commencer à écrire, c'est entrer dans un procès dont nul ne connaît l'issue... qui est le procès même.

On pourra ainsi toujours demander ce qu'est un texte et *qui* l'écrit, ce qu'est l'écriture, la fiction, le sujet qui vient là, et *en quel corps*, pour parler. On ne rencontrera jamais que ce corps divisé par sa lecture, frappé d'une division dont il doit prendre la mesure.

Pour Kafka, cette question du corps s'est posée sur le mode d'un indépassable « choix » à faire — et somme toute toujours déjà fait — :

---

10. On ne s'étonnera pas que pour Kafka le Messie ne puisse venir que trop tard ou quand on n'aura plus besoin de lui. Voir Élie Wiesel, *Le siècle de Kafka*, Paris, Centre Georges-Pompidou, 1984, p. 24, 25.

ou bien la vie (le mariage, la paternité, l'amour), *ou bien* l'écriture. Presque tous les textes de Kafka pourraient se lire comme la réponse « midrachique » à cette question chaque fois reprise : « Qu'est-ce que l'écriture ? » Une vocation, certes, comme il l'a à plusieurs reprises laisser entendre. Mais encore ? Une métamorphose, un arpentage, un exil, un interminable procès, une condamnation à mort [11]. Réponse « midrachique » parce qu'énigmatique et limpide à la fois, parce que littéralement offerte comme interprétation et assomption de la question, parce que désirée telle quelle dans son inachèvement, l'accomplissement étant avéré « ailleurs » dans le transfert certain du sens [12]. Éthique de Kafka qui sollicite ou invente un lecteur non délié du parcours épuisant et inépuisable qu'est le commentaire.

Il existe cependant un récit qui, plus que les autres, me semble exposer ce dont j'essaie ici de rendre compte. Il s'agit d'*Un rêve*, page qui appartenait au chantier du *Procès*, qui devait en faire partie, mais s'est vue finalement rejetée hors du texte pour des raisons certaines et incertaines dont nous évoquerons plus loin les enjeux. Le fragment détaché fait partie des quelques nouvelles publiées du vivant de Kafka (1919), et a d'abord paru en 1917 dans le revue *Selbstwehr* (Autodéfense), hebdomadaire sioniste praguois dirigé par Félix Weltsch.

Retiré du roman, *Un rêve* ne reste pas moins lié à lui. Ne serait-ce que par le personnage de Joseph K. qui en est le « héros » et dont on sait, par le roman, qu'il mourra sans résoudre l'énigme de sa faute. Ce qui ne l'empêche pas de courir plus vite que ses bourreaux au lieu de sa condamnation à mort, comme s'il y avait là quelque urgence à résoudre, quelque réel insu à rencontrer enfin. Cette urgence nous est familière depuis *Le verdict*, et on la retrouvera sur un autre mode, celui du rêve et du désir, dans le petit récit que je reproduis intégralement. *Un rêve* apparaît ainsi comme le commentaire fictionnalisé de cette mise à mort nécessaire. Véritable midrach « personnel » dans lequel s'interprète l'écriture de Kafka pour en livrer, pourrait-on dire, l'impératif moral premier.

Un rêve

Joseph K. rêvait :

C'était une belle journée, et K. voulait aller se promener. Mais à peine eut-il fait deux pas que déjà il était dans le cimetière. Il y avait

---

11. Pour suivre la portée de cette vocation et ce qu'elle implique comme ascèse du corps, on peut lire Marthe Robert, *Seul comme Franz Kafka*, Paris, Calmann-Lévy, 1979 ; Régine Robin, *Kafka*, Paris, Belfond, 1989.
12. Les rapports de Kafka au midrach ont été entre autres soulignés par Régine Robin, *op. cit.*, p. 265 : « Kafka invente à la fois de nouveaux *midrachim* et mime le commentaire talmudique. Il est profondément ancré à son insu dans la textualité et l'intertextualité juives, retrouvant le grand mouvement de la modernité des écrivains juifs [...]. »

là des allées au tracé factice et tortueux, mais lui glissait sur l'une d'elles comme au fil d'un flot rapide, en planant dans une posture immuablement figée. De loin déjà, il repéra le monticule de terre d'une tombe fraîchement creusée et résolut d'y faire halte. Ce tertre exerçait sur lui comme une attirance et jamais, songeait-il, il n'y parviendrait assez vite. Mais par moments il le voyait à peine, caché qu'il lui était par des drapeaux dont les étoffes se tordaient et se heurtaient violemment; on ne voyait pas les porte-drapeaux, mais il semblait régner là-bas beaucoup d'allégresse.

Le regard encore braqué au loin, il vit soudain le même tertre près de lui au bord de l'allée, il l'avait même déjà presque dépassé. Il sauta prestement dans l'herbe. L'allée filant toujours et se dérobant sous son pied d'appel, il perdit l'équilibre et tomba à genoux juste devant le tertre. Deux hommes étaient debout de l'autre côté de la fosse, tenant en l'air entre eux une pierre tombale; à peine K. eut-il paru qu'ils fichèrent la pierre dans le sol, où elle resta plantée comme scellée. D'un buisson surgit aussitôt un troisième homme, dont K. vit tout de suite que c'était un artiste. Il portait juste un pantalon et une chemise mal boutonnée; sur la tête il avait un béret de velours; à la main il tenait un crayon ordinaire avec lequel il traçait déjà des figures en l'air tout en s'approchant.

Ce crayon, il l'appliqua dès lors sur le haut de la pierre; celle-ci était très haute, il n'avait nul besoin de se baisser, en revanche, il lui fallait se pencher, car il était de l'autre côté du tertre, sur lequel il ne voulait pas marcher. Il se tenait donc sur la pointe des pieds et s'appuyait de la main gauche sur la surface de la pierre. Grâce à un truc particulièrement astucieux, il parvenait avec ce crayon ordinaire à écrire en lettres d'or; il écrivit: « Ci-gît... » Chaque lettre se détachait, pure et belle, gravée profondément, et d'un or parfait. Lorsqu'il eût écrit ces deux mots, il se retourna vers K., lequel très désireux de connaître la suite de l'inscription, se souciait à peine de l'homme et n'avait au contraire d'yeux que pour la pierre. De fait, l'homme se disposait à continuer l'inscription, mais il ne pouvait pas, il y avait quelque obstacle, il abaissa son crayon et se retourna de nouveau vers K. À son tour, K. regarda alors l'artiste et nota qu'il était dans un grand embarras dont il ne pouvait dire la cause. Toute sa vivacité d'avant avait disparu. Cela mit K. aussi dans l'embarras; ils échangèrent des regards de désarroi; il y avait là quelque affreux malentendu qu'aucun des deux n'était à même de dissiper. Et voilà qu'en plus, bien importunément, une petite cloche de la chapelle funéraire se mit à sonner, mais l'artiste fit d'une main de grands gestes en l'air et elle se tut; elle recommença au bout d'un petit moment, cette fois tout doucement, et pour s'interrompre aussitôt sans que personne eût rien demandé; comme si elle voulait juste vérifier sa sonorité. K. était inconsolable de voir l'artiste dans cet état, il se mit à pleurer et sanglota longuement en se cachant le visage derrière ses mains. L'artiste attendit que K. se fût calmé, puis, ne trouvant pas d'autre issue, se décida tout de même à recommencer d'écrire. Le premier petit trait qu'il traça fut pour K. une délivrance, mais manifestement l'artiste dut pour cela surmonter la plus vive répugnance ; l'inscription n'était d'ailleurs plus si belle, surtout cela semblait manquer d'or, le trait qui filait était pâle et tremblé, sauf que la lettre était finalement très grande. C'était un J, il était déjà presque terminé, quand l'artiste tapa furieusement du pied dans la terre du tertre qui vola alentour. K. comprit enfin ; il n'était plus temps de l'implorer ; de tous ses doigts il creusa dans le sol qui n'opposait presque aucune résistance ; tout semblait préparé ; ce n'était qu'apparence si une mince couche de terre était disposée là ; juste au-dessous s'ouvrait, avec des parois abruptes, un grand trou dans lequel, retourné sur le dos par un courant suave, K. s'enfonça. Or, tandis qu'en bas, se tordant encore le cou pour redresser la tête, il était déjà absorbé par l'impénétrable profondeur, là-haut son nom, avec de vigoureuses fioritures, s'inscrivait à grands traits sur la pierre.

Ravi par ce qu'il voyait là, il s'éveilla [13].

La parabole, la lettre, le Nom

Que dit le récit et quel est son « vouloir-dire » ? On voit à quel point la clarté de l'histoire, limpide comme une eau claire dans son exposition, ne relève pas moins de la parabole et laisse le lecteur dans l'angoisse de l'étrangeté la plus radicale. Que se passe-t-il ici ? La parabole est lumineuse et pourtant doublée d'une opacité certaine. Nous sommes, c'est entendu, dans la logique du rêve où les temps subjectifs annulent l'espace ou du moins le soumettent à une logique du désir et du jouir. La fiction parle du nom à graver en lettres glorieuses et du temps nécessaire pour comprendre que l'inscription exige la chute du corps, la précipite, et que le corps glissant, roulant, planant vers ce qui l'aspire est déjà un effet d'écriture : « Mais à peine [*kaum*] eut-il fait deux pas que déjà il était dans le cimetière. » Le corps, ici, se meut à la vitesse de l'« attirance » [*Verlockung*], qui est aussi séduction et tentation. Jusqu'à ce qu'il saute au bord du tertre et comprenne que c'était lui le corps attendu. La causalité, dans ce texte, est fabuleuse, incontestablement onirique ; il semble qu'elle tienne tout entière au petit instrument qui en est sans conteste le sujet principal : un « crayon ordinaire ».

Que dit encore l'histoire ? Que la beauté de la lettre, ces puissantes ornementations [*mächtigen Zieraten*], la *vigueur* de l'inscription dépendent de la chute du corps, de sa mise au tombeau, et qu'il y a là une nécessité « dramatisée » sur le mode des pleurs, de l'impatience, de la répugnance, de la colère et du ravissement par les deux personnes —

---

13. Franz Kafka, *Dans la colonie pénitentiaire et autres nouvelles*, traduction de Bernard Lotholary, Paris, Garnier-Flammarion, 1991. Pour l'édition allemande : Franz Kafka, *Sämtliche Erzählungen*, Herausgegeben von Paul Raabe, Francfort-sur-le-Main, Ficher Taschenbuch Verlag, 1970, p. 145-147.

corps divisé entre la vie (le rêveur qui attend) et l'écriture (l'artiste, l'écrivain). Ce rêve est la caricature d'une loi donnée en partage, où sont mis en scène à la fois une précipitation et un retard. K. flotte à vive allure, « comme sur une eau rapide » [*wie auf einem reißenden Wasser*], vers le lieu de son enterrement dont il ne sait encore rien. Tout ici est surgissement soudain [*plötzlich*] : du tertre sur le parcours, de la pierre tombale tenue par deux hommes, de l'artiste hors du buisson, de la cloche, etc. K., le rêveur, est le spectateur de ce qu'il semble à lui seul provoquer, inconsolable de rester suspendu à l'inachèvement de l'inscription. N'ayant d'yeux d'abord que pour la pierre, en attente du nom, il est « noué » à l'impuissance de l'artiste. Ne se sachant toujours pas la cause d'une telle suspension, il implore, exige, éprouve à l'extrême l'intolérable effet de sa résistance [*Widerstand*] : embarras [*Verlegenheit*] et désarroi partagés. Comme si cette inscription l'affectait avant même qu'il en puisse déchiffrer la lettre. L'artiste tente de poursuivre, mais la répugnance [*Widerstreben*] — celle-là même qui traverse le *Journal* où s'entend l'impuissance à écrire et à se marier tant et aussi longtemps que le « choix » reste en suspens, dans l'« atermoiement illimité » — cette répugnance qui produit le « J » (de Joseph ou de *Juden* : Juif) est finalement signe d'extinction, d'exténuation, comme si la persistance de K. à attendre interdisait l'assomption même de ce qu'il attend. On comprend tout de suite que la fonction de la lettre n'est pas de signifier. Elle se donne d'emblée comme « objet » d'admiration et finalement de ravissement, au moment où K. comprend enfin l'attirance et la précipitation qui l'ont conduit là où il est.

Si le Joseph K. du roman ne trouve la résolution de sa culpabilité inassignable qu'en prenant de vitesse sa condamnation à mort, celui du rêve aménage cette vitesse dans le registre d'une jouissance, d'un enchantement [*Entzückt*]... de la lettre. Le petit récit trouve son autonomie par le procès de l'écriture qui y est donné à lire dans sa plus éclatante certitude. Ce que le roman ne précise pas pour disposer le corps dans sa lettre, la parabole l'énonce comme Loi. La « révélation » propre au roman impose le différé qui effectue le passage du corps dans la lettre — le Joseph K. du *Procès* est passé à l'écriture en ce sens que ce qu'il traverse n'est plus l'espace des choses mais celui des lettres, des commentaires, des exégèses, des interprétations.

> [...] l'essentiel de la pérégrination de K. ne consiste pas à aller de lieux en lieux, mais d'une exégèse à une exégèse, d'un commentateur à un commentateur, à écouter chacun d'eux avec une attention passionnée, puis à intervenir et à discuter avec tous selon une méthode d'examen exhaustif qu'il serait facile de rapprocher de certains tours de la dialectique talmudique [...] [14].

---

14. Maurice Blanchot, *L'entretien infini*, Paris, Gallimard, 1969, p. 576.

Le Joseph K. du rêve, quant à lui, réalise ce vœu en le disposant comme impératif. Le *Schreiben* — l'écrire — de Kafka exige un renoncement au monde ; condition de la « délivrance » [*Erlösung*] qui est aussi rédemption. On entend bien le martèlement insistant de cet acte d'écrire reconnu en 1920 « comme forme de la prière ». Mais déjà en 1912, on peut lire dans le *Journal* : « Écrire régulièrement ! Ne pas se déclarer perdu ! Et quand bien même la délivrance [*Erlösung*] ne devrait pas venir, je veux à tout instant être digne d'elle [15]. » D'autre part, il faut prendre la lettre non dans son acception alphabétique courante — qui dit bien son rattachement à la tradition grecque où *alpha* et *bêta* n'ont aucune valeur en soi, tout comme nos a-b-c refoulés par la lecture suivant laquelle ce sont d'abord les mots qui sautent aux yeux et non leur épellation —, mais dans son acception hébraïque ou psychanalytique, le rébus freudien, qui maintient le trait dans sa matérialité première. « En hébreu, une lettre, *oth*, est aussi un signe et il n'y a pas d'arbitraire du signe, en ce sens que la forme de chaque lettre et sa dénomination ont des significations en rapport l'une avec l'autre [16]. » La lettre en hébreu a un nom qui est aussi son « histoire », sa place, et l'ensemble des équations que suscite le nombre qu'elle est encore [17]. La tradition talmudique et la cabale en font d'ailleurs de véritables personnages, dialoguant par exemple avec Dieu au moment de l'écriture de la Torah et de la création du monde. « Quand le Saint, béni soit-Il, voulut créer le monde, les lettres étaient encloses. Et pendant les deux mille ans qui précédèrent la création, Il les contemplait et jouait avec elles [18]. » C'est dire que cette rationalité du livre n'est pas immédiatement celle du Logos. Irréconciliation nécessaire à une parole partagée.

L'écriture de Kafka, comme celle du midrach, s'élabore dans cette logique de la lettre. Le tertre repéré à distance, désiré dans l'étonnante consubstantialité du parcours et de sa destination ; l'« allégresse » [*Jubel*] de cette mort annoncée-accomplie, les drapeaux qui en signifient déjà la retentissante portée, la stèle et l'épitaphe en cours, jusqu'à la petite cloche importune, tout indique la dimension vivante du signifiant et sa préséance sur le corps « immuablement figé » [*unerschütterlich schwebender Haltung*, littéralement : *une posture flottante inébranlable*] qui ne s'y reconnaît pas encore [19]. Toute la scène

---

15. Franz Kafka, *Journal*, Paris, Grasset, 1954, p. 221 (25 février 1912).
16. Henri Atlan, *op. cit.*, p. 57.
17. Aleph = 1, Beth = 2, Yod = 10, Shin = 300, etc.
18. Le texte poursuit : « Lorsqu'Il se décida à créer le monde, toutes ces lettres se présentèrent à Lui, de la dernière à la première. La première à comparaître fut la lettre Tav (T). Maître des mondes, dit-elle, qu'Il te plaise de m'employer à créer le monde [...]. » (*Le Zohar*, « Préliminaires » 2b, tome 1, Paris, Verdier, 1981, p. 36)
19. Dire « la dimension vivante du signifiant » est une façon de parler pour indiquer l'autonomie du signifiant et sa fonction à représenter le sujet avant même de

semble emportée par ces effets d'écriture que vient éprouver, semble-t-il, le rêveur, sujet porté en un « flot rapide » par le tapis roulant du désir vers ce qu'on pourrait appeler, après lecture, le monticule de terre promise. Monticule qui se révèle être un trou [*Loch*], un vide découvert dans lequel Joseph K. n'a d'autre issue que de s'élancer, ravi par l'inscription « pure et belle » de son nom qui scelle non pas le tombeau mais, bizarrement, son ouverture. Cette fuite du corps vers le bas, dans « l'impénétrable profondeur » [*undurchdringlichen Tiefe*] du tombeau découvert — *Tiefe* qui est aussi profondeur métaphysique, c'est-à-dire hauteur — n'est pas sans s'accompagner d'un enchantement ou d'un ravissement qui marque l'accomplissement du rêve et la fin du texte. Jouissance du nom et de sa lettre qu'aucun alphabet réel ne saurait écrire jusqu'au bout, puisque K., pure initiale, est ici le signe, la fiction du nom. De presque mort qu'il était, le nom recouvre aussitôt force et vie pour s'inscrire « à grands traits » en de « vigoureuses fioritures [20] ».

Qui rêve ici ? peut-on se demander pour commencer.

Si Joseph K. est bien celui qui rêve dans le texte, il n'est pas faux de dire que son récit de rêve se déploie dans un registre où il est par avance un nom venu là pour un autre nom. C'est dans la mesure où l'on considère la fonction midrachique d'*Un rêve* que ce texte peut se donner à lire comme le commentaire de toute l'œuvre de Kafka ; interstice d'un ensemble plus général dont il serait l'interprétation, l'énoncé en parabole de sa causalité.

Joseph K., comme Gregor Samsa de *La métamorphose*, comme Georg Bendemann du *Verdict*, n'est que le substitut d'un nom infiniment déporté dans une chaîne qui ne nomme jamais que l'acte de nomination. Et si l'on s'interroge sur la place du nom de l'auteur dans cette chaîne, il faudrait l'imaginer à l'endroit où se marque le retrait du nom qui engendre la série des noms inventés [21]. Le nom « impro-

---

signifier. « La conception lacanienne du signifiant prend en compte, dès le départ, la dimension d'acte qu'il y a dans le langage. Le signifiant n'a pas seulement un effet de sens, il commande ou il pacifie, il endort ou il réveille. » (Roland Chemama (dir.) *Dictionnaire de la psychanalyse*, Paris, Larousse,1993, article « signifiant »)

20. Je renvoie le lecteur à la fin de ce chapitre où la logique de la lettre à l'œuvre dans le Talmud et en particulier dans la cabale est analysée en fonction de cette « vitalité ».

21. On pense encore ici au principe de l'anagramme qui régit les écrits talmudiques dont Kafka est l'héritier. « Dans le texte talmudique [*Quidouchim*, 70 a] le problème posé est celui de la possibilité ou non de prononcer le nom divin et de la transmission de cette possibilité. [...] comme pour le nom divin, ce qui est lu n'est pas ce qui est écrit, comme si toute lecture consistait déjà à récrire un autre texte lisible, plus lisible que le premier, qui reste toujours dans son silence. [...] lorsque le lecteur lit le texte biblique, à chaque fois qu'il arrive à un nom tétragramme de Dieu [YHWH], il passe d'un rapport à l'écrit du texte à un rapport à l'écrit de sa

nonçable » de l'auteur survient précisément aux manquements de la chaîne des noms fictifs à nommer le sujet de l'écriture, d'où éclate la constellation des « personnages ». On se rappellera ce passage célèbre du *Journal*, écrit dans les jours qui suivent la fulgurante rédaction du *Verdict* :

> Georg a le même nombre de lettres que Franz. Dans Bendemann, « mann » n'est qu'un renforcement de « Bende » proposé pour toutes les possibilités du récit que je ne connais pas encore. Mais Bende a le même nombre de lettres que Kafka et la voyelle *e* s'y répète à la même place que la voyelle *a* dans Kafka [22].

Le nom non écrit de l'auteur prend forme, trace les arêtes du récit, en provoque les coupes et les déformations, en pulvérise les blocs, assurant, à n'en pas douter, la signature. Le *qui ?* ainsi renommé, nous pourrions le dire *générique*, puisqu'il ne représente personne, sinon la fiction même. Voilà pour l'auteur qui ne peut revenir dans le texte que mort, disait Barthes, c'est-à-dire non pas inopérant, indifférent ou aboli mais bien plutôt enfin signifiant, pendu à sa lettre et à son inscription, fuyant à tombeau ouvert dans le texte qui se construit de son sillage. Répondre à la question *qui rêve ?* ne nous conduit donc pas au corps d'avant le texte, auteur ou écrivain dont la personne serait supposée soutenir une interprétation du rêve comme « désir inconscient ». Il s'agit bien ici d'une parabole : rêve fabriqué, énigme construite dont l'acte en est avant tout un de nomination, d'interprétation, de dire.

C'est de là, d'ailleurs, que l'on peut interroger le statut du corps dans la fiction. Quel corps, en effet, s'engendre de l'écriture ? Si Barthes parle sans hésiter de la *mort* de l'auteur, et donc de son retrait du texte, la parabole que nous venons de lire ne saurait mieux dire la condition de cette mort pour la résurrection des signifiants [23]. Il n'y a d'ailleurs sans doute pas d'autre autobiographie pensable que celle qui s'élabore à partir de cette sous-scription. Mais il faut voir comment la chaîne des signifiants ainsi lancés sur le « tracé factice et tortueux » de l'écrit [*künstliche, unpraktisch gewundene Wege* : « artificiels, peu pratiques, tortueux chemins »] produit du corps redéfini

---

mémoire, instaurant dans le texte des blancs, des vides. Dire le nom c'est l'effacer en tant que nom écrit. » (Marc-Alain Ouaknin, *Le livre brûlé*, p. 401-402) Le lecteur pieux prononce *HaChem* chaque fois qu'il lit le tétragramme. Et *HaChem* veut dire « le nom ». On pense aussi aux anagrammes de Saussure, dans lesquelles un nom propre, de héros ou de dieu, se trouve distribué, disséminé dans tout un texte, sous le texte. Voir Jean Starobinski, *Les mots sous les mots. Les anagrammes de Ferdinand de Saussure*, Paris, Gallimard, 1971.

22. Franz Kafka, *Journal, op. cit.*, le 11 février 1913. Voir aussi l'analyse de cette « dérive du nom propre » dans Régine Robin, *op. cit.*, p. 59 et suivantes.

23. « Résurrection » dans la mesure où ce qui est indiqué encore ici, c'est la Loi comme Loi de vie, où se remarque l'inscription judaïque de l'écriture de Kafka.

non plus dans sa masse, son poids, sa chair, ses os, mais dans sa vitesse, sa forme, sa « flottante posture », bref dans sa fuite ou disons sa jubilation [*Jubel*]. Il n'y aurait ainsi pas d'autre corps à l'écriture que ce devenir fictif qui n'est ni leurre ni simulacre mais passage et métamorphose [24].

S'il y a bien dans Beckett une véritable théorie de la lecture à déduire — *memoria* et rebours du Livre [25] —, la parabole de Kafka expose, quant à elle, les modalités certaines de cette lecture : parcours du récit qui redistribue le fantasme et son corps brut dans les chocs, les brisures, les disséminations de la lettre que sont les personnages, les noms, les enchaînements, les voix. Lire serait suivre *du* corps pris à la lettre de sa fiction — résistance, embarras, flots rapides, désarroi, délivrance — en train de devenir signature.

Finalement, la question qui nous occupe n'est peut-être pas si éloignée qu'on le croit du lieu où s'embraye, sur la Loi, le Corps du Nouveau Testament, dont la destination est aussi un tombeau ouvert. Dans ce *Rêve*, Kafka semble réunir deux instances, qui sont aussi deux traditions. Le corps, s'abîmant dans l'« impénétrable profondeur », assiste ici à la résurrection de la lettre (du Nom) à l'envers du christianisme mais en plein sur le site de sa fondation (le tombeau vide). Ce qui permet de rappeler que le corps christique, s'il a engendré aussitôt dans les esprits le malentendu que l'entrée en fonction de l'Incarnation implique (malentendu selon lequel la réalité, et le témoignage qui en découle — celui des apôtres, des martyrs et des mystiques — prennent le pas sur l'écriture), ce corps n'en reste pas moins un corps impossible puisque par avance ressuscité, absent au tombeau, pur trou, point de fuite [26]. Il ne faut certes pas s'étonner de rencontrer chez

---

24. Marthe Robert, dans *Seul comme Franz Kafka* (*op. cit.*), rappelle par exemple que les personnages de Kafka ne sont jamais des doubles de l'auteur (p. 196). La fiction n'est donc pas miroir mais déformation, déportation et deuil. Et pourtant, la dimension autobiographique, celle qui nomme le rapport à la mort et à la vie, ne se repère que là.
25. Voir le chapitre précédent.
26. Michel de Certeau, dans *La fable mystique*, Paris, Gallimard, coll. « Tel », 1982, distingue les deux rapports au corps engendrés par ces deux traditions ; p. 110 : « Dans la tradition juive, le Texte ne cesse d'écrire, corriger et déplacer un corps vivant, qui est son autre, le corps du peuple ou de ses membres. [...] Dans la tradition chrétienne, une privation initiale de corps ne cesse de susciter des institutions et des discours qui sont les effets et les substituts de cette absence. [...] Comment " faire corps " à partir de la parole ? Cette question ramène celle, inoubliable, d'un deuil impossible : " Où es-tu ? " Elle mobilise les mystiques ». Par ailleurs, « devant le tombeau vide, vient Marie de Magdala, cette figure éponymique des mystiques modernes : " Je ne sais pas où ils l'ont mis. " Elle interroge le passant : " Si c'est toi qui l'as emporté, dis-moi où tu l'as mis. " Articulée par toute la communauté primitive, cette demande ne se limite pas à une circonstance. Elle organise le discours apostolique. Dans l'Évangile de Jean, Jésus n'a de présence que partagée entre les lieux historiques où il n'est plus et l'inconnaissable lieu, dit-il, *où je suis* [...]. Son

Kafka un esprit talmudique occupé de thèmes chrétiens. Le *Journal* se souvient d'une formation à la pensée qui s'arrangeait fort bien de ces deux sources :

> C'est ainsi qu'il me souvient en tout cas d'avoir eu avec Bergmann, pendant mes années de lycée, de fréquentes discussions sur Dieu et son existence possible, discussions [...] auxquelles je donnais un tour talmudique que j'avais soit trouvé spontanément en moi, soit copié sur lui. À cette époque, je m'appuyais volontiers sur un thème découvert dans une revue chrétienne — *Die Christliche Welt*, je crois [...][27].

Écrire à tombeau ouvert

> Qu'ai-je de commun avec les Juifs ? C'est à peine si j'ai quelque chose de commun avec moi-même et je devrais me tenir bien tranquille dans un coin, content de pouvoir respirer.
>
> *Journal*, 1914

Le corps en cause n'est donc ni le vôtre, ni le mien, ni même celui du personnage ou de l'auteur mais le corps de la fiction, corps dont il importe de suivre les contours non plus cette fois dans le *qui ?* mais dans le *où ?*

Qu'est-ce qu'une fiction ? Peut-être, comme nous le montre Kafka dans sa nouvelle, un exil du voir qui semble « décoller » de la représentation pour s'adonner à la contemplation de la lettre, déportant le corps dans sa fuite tracée, flottante, dont le projet et le trajet sont tortueux. La fiction, somme toute, ne se donne ni à voir, ni à entendre, ni à comprendre. Elle accomplit l'interprétation pour convertir les impasses du désir en lettres, en écriture, nous appelant à poursuivre en ce sens. Conversion d'un sujet tout autre que mortel, chu dans la tombe en un ravissement qui dit bien la fonction symbolique et irréversible de cette « mort ». Le corps devenu signifiant est celui de la division même, celle que « dramatise » la nouvelle. Division qui anime le texte, l'ouvre au désir et le rompt au symptôme. Ce corps signifiant se paye d'une mort, corps étranger qui a « à peine quelque chose de commun avec moi-même ». Dans la fiction, le corps est là où passe le vide du nom, là où le texte se brise sur sa division, resserre les segments de son énigme, ménage des fuites, tisse des réseaux de correspondances dans lesquels il se tord et rebondit. C'est ce que « raconte » *Un rêve*.

---

corps est structuré par la dissémination, comme une écriture. » C'est ce qu'on appelle une conversion de sens qui fonde le passage — et la rupture — d'une tradition à l'autre.

27. Franz Kafka, *Journal, op. cit.*, 31 décembre 1911, p. 193-194.

Le midrach de Kafka reprend à l'envers la parabole du Tombeau vide qui racontait la résurrection du Corps, pour en faire éclater le fantasme qu'il charrie : fantasme d'une sépulture et d'une nomination, démultiplié en fragments, en scènes. Dans les débris qui se font signe apparaît un buisson d'où surgit aussitôt l'artiste au crayon. Ce n'est pas une voix qui jaillit du buisson — d'ailleurs personne ne parle dans cette histoire, sinon l'histoire elle-même —, c'est un corps pour l'écriture. Mais le nom qu'il s'apprête à graver n'a-t-il pas, tout de même, la valeur du « Je suis-étais-serai » adressé à Moïse ? Rappelons que le buisson ardent par où le Nom de Dieu est révélé à Moïse vient soutenir l'annonce de la sortie d'Égypte vers la terre, en cette occasion, promise [28]. La révélation du Nom divin est inséparable de la mission confiée à Moïse de conduire son peuple vers une terre « qui ruisselle de lait et de miel ». Il importe au passage de souligner que ce « Je suis-étais-serai » est par définition une réserve de temps. La promesse de Dieu à Moïse est le site de ce que Rosenzweig, par exemple, appelle « le futur éternel de la rédemption [29] ».

C'est à la composante du salut — délivrance et passage — que l'on est tout de suite renvoyé. Salut par l'écriture que Kafka n'a cessé de poursuivre. L'écriture du *Verdict* est pour lui l'acte par lequel vient se signifier, en une nuit (celle du 22 au 23 septembre 1912), cette délivrance. Il n'y a pas d'autre trace de ce passage que sa fuite en avant d'un texte à l'autre. *Le verdict* est le premier trait d'une série, l'ouverture d'un champ de réseaux qui charrient page après page des inventions par quoi les débris et les relais de ce passage font signe et signature. Dans cette nouvelle inaugurale, on se souvient que le fils accomplit la sentence du père qui le condamne à la noyade, et qu'il se jette du haut d'un pont sur lequel — c'est la conclusion — « la circulation était un flot qui n'en finissait pas ».

Cette mort pour le salut du père signe bien sûr l'impasse du sujet aux prises avec son désir. Mais, au delà de la chute du personnage, la fiction reste accrochée à la circulation folle du pont qui raconte, en fait, un transfert enfin réussi dans le mouvement de l'écriture. À Brod, Kafka écrit : « Sais-tu ce que signifie la phrase finale ? J'ai pensé en l'écrivant à une forte éjaculation. » S'il y a bien un sujet condamné à la malédiction du père (Georg Bendemann), l'écriture quant à elle — la fiction — assume bien le titre que Kafka voulait donner à toute son

---

28. Ex 3, 1-15. Les rapports de Kafka à la terre promise sont aussi des rapports suspendus et déportés que l'écriture ne cesse de ressaisir. Voir Marthe Robert, *op. cit.* Ces rapports sont peut-être ceux-là mêmes que IHWH entretient avec sa promesse. Voir aussi Armand Abécassis, *op. cit.*, tome 1.

29. Dans *L'étoile de la rédemption* (Paris, Seuil, 1982) de Frank Rosenzweig, la terre promise n'est pas étrangère à la vie éternelle, c'est-à-dire à une certaine disposition du temps dont la réserve peut être l'instant.

œuvre : « Tentation pour sortir de la sphère paternelle[30]. » Le vide où se jette le héros accomplit la Loi, non pas à la lettre mais *dans et pour* la lettre, relançant la lettre avec *du* corps, traversant tous ceux qui là font « personnages ». Mais du coup, le vide s'en trouve aussi relancé, propulsé dans une « circulation » dont on ne peut ignorer la puissance sexuelle, qui le transporte plus loin, dans le texte de l'œuvre encore à venir. Vide recouvert — comme le père de Bendemann — mais toujours béant sous les figures ; vide qui attend le sujet à chaque tournant de l'écriture pour l'aspirer et aussitôt le perdre dans la doublure du signifiant qui le rompt, le brise, le métamorphose et le « ravit ».

— Suis-je bien couvert ? demanda le père encore une fois en semblant particulièrement attentif à la réponse.

— Ne t'inquiète pas, tu es bien couvert.

— Non ! s'écria le père en enchaînant la réponse à la question, en rejetant la couverture avec une telle force qu'elle plana un instant toute déployée, et en se dressant debout dans le lit, avec juste une main qui s'appuyait légèrement au plafond. Tu voulais me recouvrir, je le sais, mon mignon, mais je ne suis pas encore recouvert[31].

Le verdict met en scène la mainmise du père sur le fils, sur sa jouissance et son sexe. Et ce recouvrement — ou enterrement — impossible du père par le fils donne déjà la configuration de l'impossible sépulture par où le fils doit s'abîmer. Mais le « flot qui n'en fini[t] pas », sur lequel s'achève le récit, affirme qu'ici il en va d'un autre corps que celui, sacrifié et noyé de la représentation. Il en va plutôt d'un corps « glissant », « planant » qui n'a pas fini, lui, de passer, puisqu'il propulse encore le Joseph K. d'*Un rêve*, filant immuable sur cette « eau rapide » (*reissenden Wasser*).

Ainsi s'opère la sortie par l'écriture qui, comme on le sait, n'empêche pas l'écrivain de se consumer, d'une consumation par ailleurs ressuscitée en-corps[32]. Dans la petite nouvelle — ou le midrach-parabole — que nous venons de lire, K. semble en effet surgir directement d'ailleurs, d'un autre texte sur lequel il est embarqué sans savoir où il court ainsi, immobile. Il est le corps du texte par avance promis au trou de la langue d'où il s'écrit ; le corps ombiliqué au vide de la lettre dont le

30. Max Brod, *Kafka*, Paris, Gallimard, coll. « Folio », 1963.
31. Franz Kafka, « Le verdict », *Dans la colonie pénitentiaire et autres nouvelles*, *op. cit.*, p. 76.
32. Et reportée en ce cas précis au bout de l'œuvre... donnée à brûler. Kafka avait un sens précis voire précieux de ce qui, selon lui, était ou non publiable, achevé. On sait par ailleurs que les raisons de publier ne sont certainement jamais les bonnes. Si Max Brod a « sauvé » l'œuvre de son ami, c'est finalement pour rappeler qu'il ne saurait y avoir de suicide transitif. Brûler l'œuvre n'était donc pas de son ressort. Kafka mourant ne fait au fond que soutenir une dernière fois l'impératif d'un accomplissement impossible qui n'est pas autre chose que sa « tentation ».

tertre n'est que le versant apparent, l'image inversée, l'image textuelle sur laquelle il faut « sauter » pour rencontrer l'écriture. Ce retour obstiné est bien le corps de la fiction qui vient, en l'occurrence, reprendre à sa source la Loi du père pour (se) la donner autrement. On retrouve en effet dans cette nouvelle une autre mise en scène de l'« affreux malentendu » (*häßliches Mißverständnis*) qui lie le père et le fils, et, peut-être plus encore cette fois, le père et l'enfant. Car c'est un Joseph K. enfant qui pleure et qui sanglote devant le « grand embarras » de l'artiste. Il est inconsolable, pris lui-même au désarroi de l'autre, embarrassé à son tour de cette impuissance qui suspend le temps. Sanglots étranges qui rappellent à plus d'un titre un passage de la Lettre au père :

> De mes premières années, je ne me rappelle qu'un incident. Peut-être t'en souvient-il aussi. Une nuit, je ne cessai de pleurnicher en réclamant de l'eau, non pas assurément parce que j'avais soif [...]. De violentes menaces répétées plusieurs fois étant restées sans effet, tu me sortis du lit, me porta sur la pawlatsche et m'y laissa un moment seul en chemise, debout devant la porte fermée. [...] je n'ai jamais pu établir de relation exacte entre le fait, tout naturel pour moi de demander de l'eau sans raison et celui, particulièrement terrible d'être porté dehors[33].

« Être porté dehors » est bien, chaque fois, le terme de la sentence. Mais ce « transport » devient dès lors le corps de l'écriture qui se charge maintenant de représenter le « je », celui, singulier, pris au rets d'un père tyrannique ; de le représenter dans son nom. Or il n'est pas de sujet « un » représentable. K. tombé là, à genoux, sur le tertre, on peut apercevoir enfin ce qui s'ouvre au champ de l'interprétation et qui est la forme folle d'un corps devenu fiction, d'un corps à prendre selon sa découpe et sa partition qui sont sa seule destination. « L'artiste attendit que K. se fût calmé, puis, ne trouvant pas d'autre issue, se décida tout de même à recommencer d'écrire. » Ainsi le *crayon ordinaire* demeure-t-il suspendu au « Ci-gît », puis à l'initiale du nom encore méconnaissable, pour permettre cette fois au fantasme son partage au-dessus du vide qui attend. Les débris du texte s'organisent alors, comme ceux du rêve, entre la pierre tombale, brandie en l'air et plantée là par deux étonnants fossoyeurs, et le buisson d'où surgit le porteur du crayon, qui écrit lui aussi en l'air avant de s'appuyer à la stèle.

Ce surgissement, d'ailleurs assez comique (comme celui du père de Bendemann se dressant sur le lit et retroussant sa chemise), tient de la caricature. Voilà aussi ce qu'est un père : un surgissement soudain dont le comique tout kafkaïen n'est pas sans rapport avec l'inquiétante étrangeté. La figure onirique du surgissement n'est pas, en effet, sans rappeler la fonction de tiers que joue le père dans la rela-

---

33. Franz Kafka, « Lettre au père », *Préparatifs de noce à la campagne*, Paris, Gallimard, coll. « L'imaginaire », 1957, p. 206-207.

tion qu'entretient l'enfant avec la mère : le « père » est ce qui apparaît brusquement dans cette première relation, ce qui fait effraction dans un lieu où on ne l'attendait pas et produit la « révélation » (du désir). On comprend que le « père » désigne ici cette composante dynamique du surgissement. Les rêves, comme certaines perceptions, rejouent parfois de manière saisissante la « violence » de cette fonction paternelle. Ce « troisième homme » (*dritter Mann*) — troisième par rapport aux deux fossoyeurs qui, dans leur brutal rôle de figurants, scellent la dalle et la scène de l'écriture —, ce troisième homme, donc, est *visiblement* un artiste dont le débraillé et le béret de velours ne trompent pas Joseph K. Sa posture, d'ailleurs, est bien particulière. Ce n'est pas lui, de toute évidence, qui doit tomber mais l'autre, le porteur du nom, fasciné par l'attente de sa lettre, en retard sur elle au point de la faire vaciller. Il n'y a d'ailleurs maintenant que la lettre qui puisse, pour K., être « une délivrance », laquelle le jette une fois de plus dans le vide. Et la chute est ici « ravissante », littéralement, car le corps tombant ne semble pas perdre de vue, cette fois, son autre qui n'est plus rien que le nom « s'inscrivant à grands traits ». Voilà comment peut se représenter la disjonction radicale entre l'homme et l'écrivain, entre l'auteur et l'écriture, entre — pourquoi pas ? — le père et l'enfant. Le refus du mariage, et de la paternité qu'elle promet, n'a pas empêché Kafka de s'inventer une autre paternité, celle du livre, dont il est aussi l'enfant. Le paradoxe est tenable si l'on comprend à quel point le *ou bien... ou bien* de Kafka a pu être, lui, intenable.

À ce titre, il y a dans *Un rêve* un autre élément humoristique tout à fait singulier. L'intervention « importune » de la petite cloche de la chapelle funéraire semble en effet venir « en plus », et l'artiste la fait taire avec de grands gestes de la main. Mais voilà qu'elle recommence « au bout d'un moment, cette fois tout doucement, et pour s'interrompre aussitôt sans que personne eût rien demandé ; *comme si elle voulait juste vérifier sa sonorité* ». On reconnaît là le surgissement du « vivant » déjà évoqué. Mais il y a plus. La petite cloche opère ici une diversion. Elle rappelle importunément — *zur Unzeit* —, à contretemps de l'impuissance des deux êtres en souffrance de la lettre, qu'il y a du temps, justement, qu'il y a même du retard. Mais elle n'insiste pas. Dans *Le verdict*, aucune diversion n'était envisageable. La mère morte se révèle être l'occasion de la mainmise du père, lui qui se tient « dans un coin décoré de divers souvenirs de la mère défunte » et qui prononce ces deux phrases annonciatrices de la condamnation : « Depuis la mort de cette chère maman [la tienne ? la mienne ?], il s'est passé des choses qui ne sont pas très jolies. [...] Seul, peut-être aurais-je été contraint de reculer, mais il se trouve que ta mère m'a passé sa force [...][34]. »

---

34. *Id.*, « Le verdict », *op. cit.*, p. 73, 79.

L'absence de la mère est en effet, dans ce récit, la condition de la sortie du temps, de son arrêt... de mort. Alors que la petite cloche que l'on fait taire vient rouvrir le procès de la mise à mort et permet, semble-t-il, d'en déporter le sens. Elle rappelle l'attente, puisque, à contretemps d'une scène, elle semble pourtant être la seule à l'heure pour la cérémonie. Elle rappelle ainsi au père, devenu « l'artiste », le délai et l'attente, le père ne devenant artiste, on pourrait le supposer, qu'à partir de ce rappel qui l'enjoint, au delà du père Bendemann et malgré l'impatience et la colère, à «surmonter la plus vive répugnance ». De là se donne à lire une interprétation qui déploie dans les réseaux légers et fabuleux du texte ce support indispensable du maternel : un contretemps nécessaire à l'avènement du nom.

Cette signature, enfin, n'est pas sans mettre à disposition un judaïsme singulier selon lequel l'écriture provoque immanquablement des effets de corps : effets précis et éminemment fictifs que sont les métamorphoses. Comme si Kafka rendait soudain manifeste ce qui, dans toute fiction, s'éprouve : la transmission du fantasme dans ces immédiates défigurations. On ne pense pas seulement à Gregor Samsa ou au corps gravé à la herse de *La colonie pénitentiaire* mais au montage textuel lui-même, rivé à ses constellations, dont les enchaînements sont régis par des correspondances de vides qui permettent à tout moment les retournements de temps, d'espace, de corps.

La Loi est, dans Kafka, une porte ouverte sur une série d'ouvertures ou encore, comme ici, un tombeau ouvert d'où la torsion du monde devient enfin possible. Accomplir les écritures procède alors d'une résurrection à l'envers. Comme si le corps christique échappé du tombeau et creusant dans le Nouveau Testament la place d'un *où* qui déporte ceux qui le cherchent vers une Autre jouissance [35] se retrouvait, ici, à sa place. Seulement, ce n'est pas davantage pour une sépulture mais bien pour se mesurer à une autre verticalité, vers le bas. Chute et rédemption.

Dans cette parabole, le nom s'écrit à tombeau ouvert. Sorte de sépulture en réserve où la mise au tombeau ne s'effectue qu'en divisant, qu'en scindant son foyer d'engendrement. L'artiste du buisson et K., dont l'embarras, le désarroi, l'impuissance sont pour un temps partagés, disposent ainsi le double centre d'une étrange topologie. Comme si le vide du tombeau se creusait d'une interruption d'écriture qui ne peut se poursuivre qu'à trouver le corps de sa résurrection. Car c'est l'écriture, ici, qui ressuscite. Le trait de l'inscription, d'abord représentant du mort qu'est Joseph K., et dont le scripteur lui-même se trouve saisi, ayant perdu « toute sa vivacité d'avant », est « pâle et

---

35. On retrouve la radicale exigence de ce « où » chez Dante, par exemple, comme chez les mystiques modernes (sainte Thérèse d'Avila, saint Jean-de-la-Croix, etc.).

tremblé ». Mais voilà que le mort, grâce au temps, à l'effort de l'artiste pour donner l'initiale indicatrice — le « J » — et à son coup de pied furieux sur le tertre, voilà que le mort vient de comprendre et accède d'un seul coup à la révélation de sa place. Le trou où il s'empresse de plonger devient, si l'on veut, le second foyer de ce *Schreiben* si particulier : second foyer peut-être inévitable et dont la métaphore n'est pas le miroir mais l'ellipse.

L'impuissance à poursuivre l'inscription ne se résout qu'au moment où le corps choit, projeté en deçà de la scène d'écriture, fuyant sans la perdre de vue la main qui écrit. Dans son *Journal*, Kafka raconte autrement cet indépassable dont il cherche la vérité : « Qui me dira qu'il est vrai ou vraisemblable que c'est uniquement par suite de ma vocation littéraire que je ne m'intéresse à rien et suis par conséquent insensible[36]. » Ce corps expulsé, insensibilisé, « porté au dehors » de lui-même dit bien qu'écrire consiste à se projeter sur une autre scène. On voit comment cette projection vient rompre le simulacre des images et les leurres de l'imaginaire. Le circuit, qui va de l'artiste à K. puis de l'inscription du nom à la chute du corps, trace le bord d'un blanc, celui du Nom dont la fiction se structure.

Le double foyer se repère aussi dans l'échange permanent entre le rêve et la réalité. Et si le petit texte s'achève ici sur le réveil de K., nous ne sommes pas sans savoir que « se réveiller », chez Kafka, ne signifie nullement cesser de rêver. *Le procès*, *La métamorphose*, *L'épée* et d'autres récits débutent précisément au moment du réveil. Le rêve, dans ce monde, est d'emblée retourné sur la réalité, et ce qui sépare le sommeil de la veille permet aussi le repliement des deux plans l'un sur l'autre. *Un rêve* ne se distingue pas des autres textes de Kafka. Nous entrons encore dans le resserrement extrême du sommeil sur la réalité : resserrement dont les deux plans ne forment plus qu'une seule surface. Sans doute était-ce une raison suffisante pour exclure du *Procès* ce rêve de Joseph K. La distinction parfaitement illusoire aurait inscrit une dichotomie qui, sous ce régime particulier de la fiction, n'a pas cours. Ce qui n'empêche pas de le réintégrer au roman et même à la logique de l'œuvre tout entière pour dire que la faute irréparable, à laquelle le Joseph K. du *Procès* reste suspendu, trouve peut-être ici son « site d'enfouissement ». Faute d'écrire.... qui, on le voit dans ce texte, ne peut s'accomplir que par la chute du corps. Faute dont on entend partout dans l'œuvre l'ambivalence irrésolue : éternels tourments de l'écriture comme Tentation.

> Considéré du point de vue de la littérature, mon destin est très simple. Le talent que j'ai pour décrire ma vie intérieure, vie qui s'apparente au rêve, a fait tomber tout le reste dans l'accessoire, et

---

36. Franz Kafka, *Journal, op. cit.*, 2 mars 1912, p. 233.

tout le reste s'est affreusement rabougri, ne cesse de se rabougrir. Rien d'autre ne pourra jamais me satisfaire. Or, l'énergie dont je dispose pour réaliser cette description est tout à fait imprévisible [...]. Je suis donc flottant. [...] je flotte dans les hauteurs, ce n'est malheureusement pas la mort, ce sont les éternels tourments du trépas.

Rêver la cabale. Ravissement et méditation

Il reste à dire, sans doute, le sens de l'« enchantement » propre à la lettre, qui apparaît dans ce *Rêve* et en constitue d'une certaine façon le vœu. La lecture juive des Écritures nous apporte là-dessus quelque lumière. L'exégèse, en effet, n'est pas sans libérer ce que Levinas appelle « une signifiance ensorcelée » qui se love dans toute cette littérature des lettres [37]. Selon cette logique, le lecteur ne fait pas que lire. Il contemple, regarde, admire chaque lettre « détachée, pure et belle », attentif à dégager les forces qui l'animent à son approche. Véritable « corps et graphie », comme l'indique Marc-Alain Ouaknin, la lettre est un mouvement et une force, intimement liée aux capacités de celui qui s'avance au-devant d'elle [38]. Le lecteur peut ainsi comparer entre elles les paroles de la Torah, qui, de statiques qu'elles étaient, deviennent dynamiques. La Torah est vivante et se fie au corps de la lecture pour s'éveiller à son tour et libérer ses secrets [39]. C'est bien en ce sens, rappelons-le, que la Loi est sainte : parce qu'elle soutient la vie de l'être parlant.

Si dans une telle tradition (surtout hassidique), il s'agit bien de lire les lettres et non les mots — ce que la langue française « interdit » d'une certaine manière, sa lecture étant inséparable d'un refoulement de la lettre, à défaut de quoi le sujet ne « sait » pas lire, butant sur l'épellation qui, devenue contemplative, se révèle être un empêchement —, on comprend à quel point elle diffère irrémédiablement du logos. « La lecture hassidique est une opération de dissémination qui restitue la vie, le mouvement et le temps, au cœur même des mots [40]. »

Le midrach de Kafka, qui met en scène cette dimension contemplative instauratrice de temps, n'est pas sans indiquer l'extraordinaire exigence d'une écriture qui vise non pas l'écrit et sa monumentale pérennité — ce que pourrait laisser croire le récit de l'épitaphe et de la mise en terre —, mais « incarne » la parole, c'est-à-dire dispose (de) la « sensation » avec ce qu'elle suppose de rêve et d'imprévisible. Le

---

37. Emmanuel Levinas, *L'au-delà du verset, op. cit.*, p. 135.
38. Pour connaître cette pratique de la lecture, voir Marc-Alain Ouaknin, *Tsimtsoum. Introduction à la méditation hébraïque*, Paris, Albin Michel, 1992.
39. Alexandre Safran, *La cabale*, Paris, Payot, 1972, p. 61-62.
40. Marc-Alain Ouaknin, *Tsimtsoum, op. cit.*, p. 101.

tombeau du *Rêve* n'est pas le sceau ni la fermeture du dit par le nom gravé sur la stèle. Il est au contraire l'affirmation d'une ouverture, d'une circulation impérative, fonction d'une « autre » jouissance. Le nom fonctionne dans ce rêve à l'instar d'un *hidouch*, mot-ouvrant, mot-œuvre. À l'instar de ces interprétations originales [*hidouchim* : renouvellements] qui rouvrent le Livre à une lecture jusqu'alors inouïe, le « Ci-gît… » de la nouvelle de Kafka a ce statut d'inédit ; il indique le partage d'une énonciation dont l'impénétrable profondeur souligne, si l'on en doutait encore, l'ouverture. Trou dont le mot hébreu *HOR* (het-vav-rech) contient à la fois l'espace, l'intervalle *ReVaH* (rech-vav-het) et le souffle *ROUaH* (rech-vav-het).

Cette dimension ouvrante du dire dans la lettre, un talmudiste, Rabbi Haïm de Volozine, l'a énoncée à sa manière : « La braise s'anime sous l'effet du souffle, l'ardeur de la flamme qui se met ainsi à vivre dépend de la longueur du souffle de celui qui interprète [41]. »

---

41. Cité par Emmanuel Levinas, *L'au-delà du verset, op. cit.*, p. 135.

Chapitre trois

Pourquoi moi ? Job avec Kafka

Après quoi, Job ouvre sa bouche et maudit son
jour.
[...] Périsse le jour où je fus enfanté, la nuit qui
dit « un mâle est conçu » !
Que ce jour-là soit ténèbre ! Qu'Éloha, d'en haut,
ne le cherche pas !
Que la luminosité n'apparaisse pas sur lui !
Que la ténèbre et l'ombremort le rachètent ! que
la nuée l'habite !
Que les éclipses du jour le terrifient !
Cette nuit-là, que l'obscurité la prenne !
Qu'elle ne soit pas incluse dans les jours de
l'année !
Qu'elle ne vienne pas au nombre des lunes !
[...] Que les étoiles de son crépuscule s'enténè-
brent !
Qu'elle espère la lumière, sans rien !
Qu'elle ne voie pas les paupières de l'aube,
car elle n'a pas fermé les portes de mon ventre,
pour cacher la souffrance à mes yeux !
Pourquoi ne suis-je pas mort dans la matrice,
du ventre sorti pour agoniser ?
Pourquoi deux genoux m'ont-ils accueilli ;
et plus, deux seins pour que je tète ?
Oui, maintenant je serais couché et paisible ; je
sommeillerais ;
je me reposerais, alors,
avec des rois, des conseillers de la terre, qui se
bâtissent des mausolées.
Pourquoi ne suis-je pas comme l'avorton enfoui,
comme les nourrissons qui n'ont pas vu la lumière ?
[...] Ce qui m'épouvantait est survenu contre moi.
Je ne m'apaise pas, je ne me calme pas,
je ne me repose pas ; l'exaspération est venue.
(Jb 3, 1-26)

Avoir mal est un événement. La douleur me fait *autre*, me donne l'Autre comme une catastrophe inconnaissable. Ce mal m'arrive telle une question adressée à ce qui, juste avant lui, et de moi et de l'autre, restait inouï ; une question brute et brutale venant buter sur ce « reste » qui tout à coup me submerge et que je ne reconnais pas. D'où vient ce mal qui fond sur moi, et que puis-je en dire ? Quelle est cette ouverture, ce silence absolu que je n'entendais pas avant qu'il ne me brise ? D'où puis-je revenir à moi, à ce moi qui a mal, justement là où je cherche à le dire ? Cet événement a la puissance d'un don : gratuit et irrecevable ; mais plus encore, le mal — l'avoir-mal — me donne dans sa fulgurante gratuité l'irrecevable en tant que tel. D'où cette réponse qui vient aussitôt raturer la question du lieu, de l'avoir-lieu, et qui prend la forme d'une autre question non plus ouverte sur le vide — *d'où vient ce mal ?* — mais toute versée dans une causalité qui permet d'entrevoir le paiement d'une dette oubliée, voire niée et pourtant insistante dans les mots qui surgissent pour signer la facture : *Pourquoi ? Pourquoi moi ?*

Ce qui s'entend dans cette question folle, c'est aussi bien « pourquoi cela m'arrive-t-il *à moi* ? » que, plus radicalement, « pourquoi suis-je ? pourquoi y a-t-il moi, plutôt que rien ? ». De là, il se peut que la mort devienne désirable et, plus que la mort, l'impossible avènement de n'être jamais né. *Si seulement j'étais mort avant de vivre, comme je jouirais à présent du repos !*

Si la douleur nous arrive et nous arrache à ce « moi » au point de le perdre, de l'égarer dans des suppositions insoutenables, la réponse à la douleur est souvent cet imparable sentiment d'élection qui demeure lorsque tout est perdu, pour retourner comme un gant la gratuité en paiement. Si j'ai mal, se dit-on, ce n'est certainement pas *pour rien*. Il doit bien y avoir une raison. Payer, être coupable, c'est déjà, pourrait-on dire, se consoler. Il faudrait sans doute poser tout de suite une distinction entre la douleur et la souffrance pour reconnaître dans le sujet *en souffrance* cette place en attente d'une cause, d'une causalité dont la douleur serait fonction [1]. On se rappellera à ce titre la spéculation de

---

1. L'histoire de Job permet cette division puisque le mal lui arrive en deux temps : perte de tous ses biens et de ses enfants, d'abord, puis atteinte au corps par la maladie et les plaies. Deux douleurs, l'une psychique, l'autre physique, qui révèlent un sujet en souffrance. Plusieurs « doublures » insistent, d'ailleurs, dans ce texte, on le verra, qui occasionnent chaque fois la prise en compte de l'après-coup comme mode de structuration du mal dans une parole. Sur la distinction entre la douleur et la souffrance, voir Daniel Sibony, *Jouissances du dire*, Paris, Grasset, 1985, p. 74 : « [...] la douleur est un point limite, un terme, un extrême de la souffrance, une acuité déchirante du temps dans sa pure altérité ; là où la souffrance déploie la dimension de l'attente en souffrance, souffrez que..., c'est : attendez, différez], la douleur n'attend pas et ne peut rien différer, étant elle-même la différence absolue, inconvertible, imparlable. » Cette distinction est importante, mais semble faire de

Freud sur la compulsion de répétition, qui cherche à poser une antécédence au désir que le sujet en souffrance éprouve, la douleur constituant une effraction, un hors-mesure d'où pourront s'enclencher les liaisons du plaisir ; à moins que cette douleur ne subsiste dans ce qui la définit précisément : déliée, maintenue dans un « dehors » radical [2].

L'histoire de Job n'est toutefois pas celle d'une compulsion de répétition, et Job n'est ni un « cas » ni un symptôme. Mais il n'est pas pour autant déplacé de reprendre avec Freud la logique d'un principe de plaisir qui suppose « l'existence d'un temps qui l'aurait précédé [3] ».

Le livre de Job me semble mettre en scène, plus que l'histoire d'un homme, celle de la transcendance. Qu'elle s'appelle ici Adonaï, Chadaï ou IHWH ne change pas le sens de cette antériorité du commencement. L'histoire de Job semble au contraire pouvoir nous donner à lire un statut de la Loi pensable sans recourir aux considérations religieuses. Car ce n'est ni la foi, ni le doute, ni la croyance, ni l'incroyance qui constituent le récit de Job, mais l'avènement d'une douleur, jusque-là inédite, comme constituante... de l'Autre. Dans sa lamentation apparemment égocentrique, le livre de Job ne cesse de produire l'Autre : ce que ses « amis », venus là pour le raisonner, ne cessent quant à eux de vouloir raturer. L'histoire de Job, c'est l'histoire d'un décollement brutal entre l'Autre qui est cause du monde et l'autre, mon semblable : l'invention du Prochain.

Entre ma langue et moi

Qu'est-ce que le mal ? Dans la vocifération de Job se fait entendre l'extrême d'une distorsion entre l'acte et la parole, l'être et ce qu'il dit, l'énonciation et l'énoncé, entre « je » et « moi », entre ma langue et moi. Devant l'Autre qui me condamne, ma parole est sans poids, rien ne saurait plus être entendu.

> Job répond et dit :
> En vérité, je sais qu'il en est ainsi :
> comment l'homme se justifie-t-il devant Él ?

---

la douleur une amplification de la souffrance, alors que je tenterai, avec Job, de montrer leur séparation nécessaire sur des plans distincts.

2. Il va sans dire que ce « dehors » ne correspond pas à la division provisoire que fait Freud dans ce texte entre excitations extérieures et excitations intérieures. Ce qu'il appelle « douleur » devient le paradigme d'une altérité et d'une altération de la surface psychique : une extériorité interne. « Nous cherchons par de tels exemples à trouver des modèles imagés qui étayent nos conjectures métapsychologiques. [...] L'indétermination de toutes ces considérations que nous qualifions de métapsychologiques provient naturellement de ce que nous ne savons rien sur la nature du processus d'excitation des systèmes psychiques [...]. » (« Au-delà du principe de plaisir », *Essais de psychanalyse*, nouvelle traduction, Paris, Payot, 1981, p. 72-73)

3. *Ibid.*, p. 75.

S'il désire le contester, il ne lui répondra pas une fois sur mille.
[...] Certes, il passe près de moi et je ne le vois pas!
Il se déplace et je ne le discerne pas! S'il ravit [pille] qui le fera retourner [se repentir]?
Qui lui dira: « Que fais-tu? »
[...] Si je criais, me répondrait-il?
Non, je ne crois pas qu'il écouterait ma voix,
lui qui dans la tempête m'a épié, multipliant mes blessures gratuites.
Il ne me donne pas de reprendre mon souffle;
oui, il me rassasie d'amertume. [...]
Si j'étais juste, ma bouche m'incriminerait.
Moi, intègre? Il me tordrait.
Moi, intègre? Je ne connais pas mon être et rejette ma vie. [...]
Mais il se moque de l'anéantissement des innocents.
(Jb 9, 1-23)

La parole, pour Job — la sienne comme celle de l'Autre et des autres —, est sans poids. Autant dire qu'elle ne saurait être supportée. Et la parole insupportable laisse, dans l'épreuve de son avènement, le moi et sa plénitude brisés. C'est ce qu'il répondra à Dieu à la fin, qui l'apostrophe sur sa place dans la création: « Voici, j'étais léger. Que te répondrais-je? Je mets ma main sur ma bouche. » (40, 4) Le problème de Job est singulier en ce qu'il pose au fondement même de sa plaidoirie le caractère impossible de toute justification et le statut injustifiable de l'énoncé. Le mal, la douleur de Job, ne vient pas tant des malheurs qui le terrassent, ni même de la maladie qui lui ronge le corps, que de l'écart violemment ressenti entre la vérité qui fait parler et le mensonge des paroles. *Même si j'avais raison*, dit-il, *je ne pourrais plaider. Si je suis juste, ma bouche me condamne.* La souffrance ici est maximale, et Job, frappé dans sa chair par ce réel qui le scinde, le coupe de ce qui depuis toujours constituait sa justice, n'a plus qu'à tout relancer à la face de l'Autre, dans l'espoir qu'advienne une voix, l'Autre voix qui, peut-être, pourrait reconduire le mal à sa juste place.

C'est l'angoisse qui se profile ici puis insiste; une angoisse longuement décrite telle qu'elle devient le facteur d'une transformation de tout le reste [4]. Cette angoisse est nouvelle pour Job, qui ne la connaissait pas, lui qui n'avait peur que de manquer à la Loi: peur concrète reposant sur une méconnaissance qui lui faisait prendre la Loi pour un ensemble de commandements à remplir. L'histoire commence précisément là, dans cette intégrité du droit qui règle sans défaillir le bien et le mal. « Un homme était en terre de Outs. Son nom: Job. Cet homme est intègre et droit; il frémit d'Élohim et s'écarte du mal. » (Jb 1, 1) C'est directement de là qu'il recevra le mal de plein fouet, sans

---

4. Voir à ce sujet l'article de Philippe Nemo, « Job et le mal radical », *Tel Quel*, nᵒ 70, été 1977, p. 76-88.

pouvoir parer à l'effraction qui sera donc radicale. Terreur, épouvante, effroi sont les modes d'être de celui qui vient là pour dire : « Je parlerai dans la détresse de mon souffle, je m'épancherai dans l'amertume de mon être. » (Jb 7,11) C'est ici, on l'entend, que s'introduit la passion, le pâtir, dont l'angoisse est la traduction subjective.

L'angoisse est sur le plan structural l'affect qui saisit le sujet soudain confronté au désir de l'Autre [5]. La psychanalyse à montré qu'elle n'est pas, comme on pourrait le croire, une réaction à la perte ou au manque, mais la vacillation devant le défaut de cet appui indispensable qu'est le manque. C'est le *manque du manque* qui provoque l'angoisse comme signe, écran où la quête subjective de l'objet perdu se signale. Cet objet manquant, spécifiquement concerné par l'angoisse, s'il vient à manquer à sa place, vide, ouverte, dérobée, livre le sujet à la terrifiante limite de sa propre existence, au bord de la disparition [6].

Qu'arrive-t-il à Job au moment où il est frappé par les malheurs ? Le manque qu'il ne cessait de prévenir en « s'écartant du mal » vient à manquer à sa place. Si la réponse toujours donnée au manque, au défaut d'être et de justice, que représentent les sacrifices et les bonnes œuvres de Job, ne comble plus rien, ne serait-ce qu'une comptabilité des bonnes œuvres, et que le châtiment arrive *quand même*, c'est que le manque dans l'Autre, sa demande, ses attentes s'absentent de la scène : la faille apparaît raturée, oblitérée, échappant brutalement à celui qui s'en croyait le maître.

L'angoisse de Job, on va le voir, est paradigmatique parce qu'elle interpelle directement le silence de Dieu et en soutient *passionnément* la violence, impossible à combler.

On pourrait exposer en quelques mots la forme du livre de Job. Vient d'abord un prologue sur la grandeur de Job, suivi immédiatement — le récit s'interrompt— d'un dialogue entre Dieu et celui que la Bible hébraïque appelle « le Satan », dialogue au cours duquel ce dernier reproche à Dieu de trop « couver » Job, et insiste pour dire que le cher serviteur n'est peut-être pas aussi parfait que Dieu désire le

---

5. Jacques Lacan, *Le Séminaire X, 1962-1963*, « l'Angoisse », inédit. Voir aussi ce que Freud avance au même titre dans « Au-delà du principe de plaisir », *op. cit.*, et dans « Angoisse et vie pulsionnelle » (traduction de Rose-Marie Zeitlin), *Nouvelles conférences d'introduction à la psychanalyse*, Paris, Gallimard, coll. « Folio », 1984.

6. De l'objet *a* — concept lacanien (prononcer *objet petit a*) —, on peut dire ceci pour en éclairer le statut théorique : il se crée dans la marge de la demande comme un reste qui s'ouvre au delà de la satisfaction du besoin et qu'aucune « nourriture » ne peut satisfaire. Il choit, si l'on peut dire, de cette demande : « petit tas » du manque devenu manque-à-être ou désir. Du fait de la parole qui accompagne et supporte l'objet de la satisfaction et du besoin, un signifiant se substitue à cet objet.. en reste du désir qui en advient.

croire [7] : « Envoie donc ta main, touche à tout ce qu'il a : il te *bénira*, contre tes faces ! » Le Satan semble trouver que la droiture et la justice de Job ressemblent à une réponse quelque peu obsédée par le manquement à la Loi. Le défi est lancé et se jouera en deux temps. Premier temps : Job perd tout, ses enfants et ses biens, mais il prie toujours son Dieu. Deuxième temps : la douleur physique et la maladie le frappent ; alors s'élèvent avec force le cri de Job, son désir de n'être pas né et les malédictions qui s'ensuivent.

La deuxième partie est consacrée aux dialogues avec trois amis venus apparemment compatir à sa souffrance, trois amis qui ne le reconnaissent pas et qui vont tenter, l'un après l'autre, de le ramener à la « raison » du juste : si l'on souffre, c'est qu'on a péché. Piètre logique que Job, on va le voir, n'entend pas de cette oreille. À la fin, un quatrième interlocuteur arrive, Élihou, qui prend le relais mais sans succès. Chacun, l'un après l'autre, devant l'obstination de Job, est renvoyé au silence.

La troisième partie est constituée par la réponse — et la tempête — de Dieu à Job et par un épilogue. Réponse obscure et insondable s'il en est, non-réponse à la question et, en cela — c'est le nœud même de mon propos —, don précieux qui ne vise aucun comblement mais rouvre, au contraire, la parole sur ce qu'elle ne peut dire. Car cette histoire en est une de désir, de rencontre frontale avec le désir de l'Autre. Nous ne sommes pas ici devant un problème de foi, ni même devant un pécheur en mal de pardon ou de rédemption. L'enjeu premier est le désir de Dieu, à entendre bien sûr dans sa doublure objective et subjective ; désir de Dieu qui, une fois réinscrit à l'occasion de ce récit, pourra redonner à l'Histoire un sens qu'elle avait peut-être oublié. Quelque chose, en effet, a lieu.

Dans le judaïsme, Dieu n'est pas ce « Tout-Puissant » immuable et indéfectible dont les traductions nous ont imposé la figure ; il ruse, regrette, promet, se fâche, parle, se tait, préfère, désire. Dieu, par la création d'un monde « achevé » le septième jour, mais « à faire » en alliance avec l'homme créé libre et responsable à cette fin même, a renoncé pourrait-on dire à sa toute-puissance. Son alliance en est une pour la rédemption, mais cette rédemption le concerne aussi, lui, l'Autre. C'est là une conséquence directe du monothéisme qui fait de Dieu un Nom et l'enjeu d'un désir [8]. Mais tous ces *mouvements* de

---

7. « Est-ce gratuitement que Job frémit d'Élohim ?/ N'est-ce pas toi-même qui l'as couvert [entouré d'une haie], lui, sa maison et tout ce qui est à lui, autour ?/ Tu bénis l'œuvre de ses mains, et son cheptel fait brèche sur terre. » (Jb 1, 9-10) Où s'entend, bien sûr, l'envers de la gratuité du mal qui va fondre sur Job.
8. Le Talmud interprète en effet le premier paragraphe du deuxième chapitre de la Genèse en ces termes : « Ils sont achevés les ciels et la terre et toute leur milice. [...] Élohim bénit le jour septième, il le sanctifie : oui, en lui il chôme de tout son

Dieu sont intimement liés aux sujets qui le rencontrent. Ce sont, par exemple, Loth et les incestes, pour la ruse avec l'Histoire ; Noé et le Déluge, pour le regret d'avoir créé l'humanité ; Abraham, pour les promesses ; Moïse, pour l'exaspération ; les prophètes, pour la colère ; encore les prophètes, pour la parole d'amour ; Job, pour le silence ; Abel et Caïn, pour la préférence ; Israël tout entière, pour le désir. Dieu est limite avant d'être puissance [9]. C'est ce que rappelle entre autres, pour les rabbins, le nom Chaddaï — « qui dit : assez ! » — employé à plusieurs reprises dans le livre de Job ; nom qui désigne l'acte de limitation que constitue la création, même si cette création est celle d'un monde infini. Chaddai (ou Shadaï) désigne le pouvoir de limitation du Nom, l'achèvement qui permet le passage au delà. On peut dire que les transfinis découverts par Cantor sont, en quelque sorte, l'effectuation mathématique de cette Loi de création, qui est Loi de nomination. Un ensemble infini se crée à partir d'un nom qui le désigne comme ensemble. « Infini fini » — ou *in actu* — qui place le nom dans un rapport d'exclusion à l'ensemble et en cela le fonde, le cause et lui donne sa fonction logique [10]. Le Dieu juif est un Dieu de parole et donc de passion. Job doit en prendre acte.

Le livre de Job est situé dans la dernière partie de la Bible juive qui en comprend trois — le Pentateuque (*Torah*), les Prophètes (*Navim*) et les Écrits (*Ketouvim*). Regroupé avec les Psaumes, les Proverbes, le Cantique des cantiques, l'Ecclésiaste et les Lamentations, Job fait donc partie de ces *Écrits* dont la poésie ne cesse d'osciller entre la jouissance et le néant, entre la prière et la mort. Chouraqui, qui le suppose écrit à l'époque du premier Temple, le dit issu d'une antique légende populaire qui met en scène un juste éprouvé par Dieu. C'est évidemment un texte retravaillé par le judaïsme que nous lisons, puisque, en s'intégrant dans la tradition hébraïque, c'est à la transcendance que s'affronte le personnage qui n'est plus héros mais sujet de l'Histoire. Ce qui fait dire à Chouraqui que ce livre « constitue le

ouvrage qu'Élohim crée pour faire. » (Gn 2, 1-3) Que signifie « pour faire » ? se demandent les rabbins. Et ils répondent du même souffle : le monde est créé pour que l'homme le mène à son achèvement éthique et historique, il est donc, bien que fini, un monde *à faire*.

9. Voir Hans Jonas, *Le concept de Dieu après Auschwitz*, Paris, Payot & Rivages poche, 1994, p. 42 : « Le concept de la toute-puissance n'existe pas comme tel dans la Bible. Lorsque dans les traductions françaises, on trouve "Je suis le Dieu tout-puissant" (Gn 35, 11, par exemple), le texte hébraïque dit " El Chaddaï ", littéralement Celui qui dit " assez ", qui pose les limites. » Voir aussi l'essai de Catherine Chalier, *Dieu sans puissance*, publié à la suite de ce texte et reprenant le « principe de responsabilité » humaine développé par Hans Jonas. Voir aussi la théorie du Tsimtsoum développée par la cabale de Louria et présentée ici même au chapitre 7 « La vérité est dans la jarre. Rab et Rabbi Isaac Louria avec Beckett ».

10. Voir Georges Cantor, « Fondements d'une théorie générale des ensembles » [1883], *Cahiers pour l'analyse*, n° 10, hiver 1969, p. 35-52 ; et Daniel Sibony, « L'infini et la castration », *Le nom et le corps*, Paris, Seuil, 1974, p. 207-257.

premier roman métaphysique de la littérature universelle [11] ». Modernité de Job.

Malédiction n'est pas mal dire

Nu et malade, Job affirme donc qu'il souffre pour rien. *Dieu se joue de moi. Le mal que je craignais me rattrape de lui-même.* Le plus intéressant est sans doute que le lecteur, ayant assisté à la petite joute entre Dieu et Satan, a toujours envie de donner raison à cet homme qui semble être le jouet d'un affrontement situé bien au delà de lui. Cette stratégie d'écriture nous dispose à ressentir la souffrance de celui qui se suppose hors-jeu, n'ayant aucune part à prendre au mal dont il est atteint.

Cet homme dont on ne connaît ni l'origine ni la filiation, ce Juste inconnu est le site d'un mal étrange et insistant qui tourne à l'appel, au blasphème, au cri, au livre. Mal de celui qui cherche sa causalité et la suppose toujours hors de lui, dans l'Autre dont il se sent délié et qu'il ne peut qu'invoquer pour le forcer à *dire* et à répondre du « moi ». Mais que peut dire l'Autre pour que j'advienne à ma juste place ?

Le *Pourquoi moi ?*, que je place ici en travers de mon texte pour le faire résonner, dispose donc à l'avance la modalité d'un paiement. Que la raison du mal se révèle ou non, ce *Pourquoi moi ?* la suppose déjà et, à la limite, en tient lieu. Tout le livre de Job pourrait se résumer dans cette question qu'il ne cesse de reprendre sur tous les modes et sur tous les tons, dressé contre l'Autre, tout contre Lui, dans un face à face dont il attend tout, l'accusant d'injustice et de silence. Mais ce qui distingue Job de nous — et de ses amis —, c'est son refus radical de payer pour ce qu'il affirme venir non pas de lui mais de l'Autre. Si Dieu s'amuse, « je parlerai donc sans crainte car il n'est pas juste avec moi ». Voilà que la parole se détache, sort de sa mesure, de sa justesse, et qu'elle se met à courir sans crainte d'être entendue. Voilà qu'elle peut monter directement à Dieu, puisqu'elle n'a d'autre raison d'être que ce délié qui la constitue. S'il n'y a ni Justice ni Loi, je peux dire tout ce que je veux. Le mal n'est plus à craindre, puisqu'il est déjà là.

Maïmonide exprime clairement cette position d'abandon que réclame Job. Job, dit-il, « déclare qu'il ne faut rien espérer après la mort, de sorte qu'il ne reste pas autre chose à dire, si ce n'est qu'il y a

---

11. « Liminaire pour Iov, Job », *La Bible*, traduction d'André Chouraqui, Paris, Desclée de Brouwer, 1989, p. 1278. « Jamais sans doute la pensée d'Israël n'aura été plus loin dans son audace, n'aura autant dépouillé l'univers de son mythe. Jamais l'affirmation de l'homme n'aura été portée aussi loin que par cette victime rongée par son mal et pourtant le surmontant, ivre de justice, malade d'amour. »

abandon. Il exprime donc son étonnement de ce que Dieu, n'ayant pas négligé dans le principe la création de l'individu humain, néglige pourtant de le gouverner. [...] Les docteurs [de la Loi] déclarent cette opinion de Job extrêmement blâmable, en se servant d'expressions comme les suivantes : " Poussière sur la bouche de Job [...] — Job s'était mis à prononcer des blasphèmes " (Baba bathra 16 a) [12]) ».

Il y a là, en effet, outrage, car le Talmud et l'éthique juive ne cessent de rappeler à l'homme sa liberté. Job semble appeler une providence que la tradition révoque et dont Maïmonide veut souligner le danger. Mais je voudrais montrer que c'est l'insistance de la transcendance qui se rappelle dans le livre de Job. Insistance que met bien en scène la vocifération de celui qui la voudrait « toute ». La transcendance judaïque, on l'apprend ici, est de l'ordre du désir. C'est dire à quel point l'alliance suppose un rapport dialogal et une assomption de l'Autre comme parole, autant dire comme séparation. L'alliance est bien ce lien impensable sans la coupure d'une « castration » *transmise*. Par la malédiction provisoire du silence, Job reconnaît cette fracture qu'il pensait jusqu'alors pouvoir combler. C'est ce « tranchement de l'alliance » — *karat berit*, avons-nous dit — que ne cesse de rappeler l'Éternel à ses prophètes. Et Job doit à son tour s'arracher à l'imaginaire complétude : *Il y a de l'Autre ; donc je suis... pas tout.*

Au commencement du récit, Job est marqué par la crainte du mal au point de prévenir par la prière les fautes supposées de ses enfants. Le texte dit :

> Un homme était en terre de Outs. Son nom : Job.
> Cet homme est intègre et droit ; il frémit d'Élohim et s'écarte du mal.
> [...] Il se lève de grand matin
> et fait monter des montées [offre des holocaustes] d'après le nombre
> de tous [ses enfants]
> Oui Job dit : « Peut-être mes fils ont-ils fauté
> " bénissant " Élohim en leur cœur. » Job fait ainsi tous les jours.
> (Jb 1, 1-5)

Le verbe « bénir » n'apparaît ici que par antiphrase, par souci du « langage propre », disent les rabbins. Car c'est de malédiction qu'il s'agit (la phrase devrait donc se lire : « Peut-être mes fils ont-ils fauté *maudissant* Élohim en leur cœur [13]. »). Voilà donc un père soupçonneux, un homme qui s'écarte du mal par avance, si je puis dire, et

---

12. Moïse Maïmonide, *Le guide des égarés*, Paris, Verdier, 1979, p. 487. La référence entre parenthèses indique le traité « Baba batha » du *Talmud de Babylone*.
13. « C'est ce que l'on appelle une antiphrase. D'une part, la Bible aime bien les euphémismes [...]. D'autre part, le respect que nous devons à Dieu est tel que jamais nous n'oserions parler de " malédiction " à son égard. Aussi bien la Bible dira-t-elle " bénir Dieu " alors qu'elle veut évidemment suggérer le contraire. » (Josy Eisenberg et Elie Wiesel, *Job ou Dieu dans la tempête*, Paris, Fayard-Verdier, 1986, p. 34)

retire même aux autres la liberté et la responsabilité de pécher. Il n'est pour lui de jouissance qu'écartée, bannie avant même d'exister. Ce serviteur fidèle de la Loi n'est-il pas déjà trop fidèle, justement ? C'est ce que pense le Satan qui, au paragraphe suivant, rend visite à Dieu pour lui proposer une « magouille ». *Tu crois ton serviteur Job fidèle*, dit-il à Élohim, *mets-le donc à l'épreuve, tu m'en diras des nouvelles !* Et Dieu accepte de remettre Job entre les mains de son visiteur. Ce qui étonne dans cette histoire, c'est la complicité totale entre Dieu et le Satan. Nous ne sommes pas ici dans un univers manichéen, et Job ne s'adressera jamais qu'à Dieu, l'Unique, son Dieu, celui-là même qui le fait souffrir, qui est l'Autre absolu dont le mal certain qu'il inflige au sujet est aussi ce qui l'assure, ce sujet, d'être là dans la vie, tant bien que mal. Dieu et le Satan ne sont en fait que les deux visages d'une même frappe, le relief et le creux d'une seule blessure.

Si dans l'« avoir-mal », il semble que la langue elle-même soit en souffrance, abandonnant le sujet à son reste, autant dire à son Autre pour le rompre sur l'arête du cri, de la parole « vide » ou du silence, Job lui, parle, ne cesse de parler. Même s'il se tait pour écouter les beaux discours de ses amis, sa parole continue de courir en eux ; ils y répondent en la citant, la détractant, la révoquant mais ne l'oubliant pas. Cette parole-fleuve, que fait-elle sinon mettre la langue de l'Autre en souffrance ? Elle ne cesse de l'appeler, de l'attendre, de l'exiger, de l'imiter même, disposant son silence au centre de l'affliction et de la catastrophe. Le problème de Job, c'est le silence de Dieu.

Job ou De la plainte ressassée jusqu'à épuisement de Dieu. Job ou Comment s'en débarrasser. Parce que dans ce livre, l'extraordinaire est que Dieu, à la fin, réponde, lui qui depuis Moïse se refuse à toute explication sinon pour dire qu'il en a assez des hommes et de leurs prostitutions. Que vient faire Dieu dans cette histoire ? Non pas, bien sûr, répondre au pourquoi, mais répondre tout court sur le mode d'un impératif qui fonctionne aussi comme une révélation. Je pourrais donner en quelques phrases la structure du dialogue entre Job et Dieu :

Job — Pourquoi moi qui suis juste dois-je souffrir ? Pourquoi moi ?
Dieu — Tais-toi ! Si Je t'interroge, Moi, qu'est-ce que tu peux répondre ? Étais-tu là quand j'ai créé le monde ?
Job — Je ne suis rien. Je ne dirai plus rien.
Dieu — Enfin !

Ce « tais-toi » a ceci de particulier qu'il arrive, comme le mal, depuis la place inassignable de l'Autre, mais pour mettre cette fois un terme à la lamentation, non en révélant les raisons de la souffrance mais en révélant que la causalité du monde et du mal est éminemment *dans* la parole créatrice du monde et dans le corps qui en advient. Ce dialogue aboutissant à l'injonction du silence — que je caricature un peu pour les besoins de l'analyse — trouve cependant dans le livre de Job l'occasion d'un déploiement quasi intarissable. Et ce silence est un temps de retournement de la malédiction. La question de Job est un long procès fait à Dieu et devant Dieu, un plaidoyer pour la mort. Job, le juste, le plus juste des serviteurs de l'Éternel, celui qui toute sa vie a craint le mal, est frappé par les désastres et les plaies de la terre. Assis sur son tas de cendre et de fumier, grattant ses ulcères et sa lèpre, il se dresse contre l'injustice, l'erreur judiciaire. Les rabbins ajoutent que Job va jusqu'à accuser Dieu de confusion, au point de prendre son nom, Job (IOV), pour l'anagramme de OIeV, ennemi. Dans le Talmud, Job crie : « Est-ce parce que tu es de l'autre bord que tu lis mon nom à l'envers [14] ? » Mais Dieu répondra dans la tempête ; et le blasphème, si longuement assumé par le pauvre Job, dans le silence de l'Autre, s'inversera aussitôt en repentir :

> Job répond à IHVH et dit :
> Voici j'étais léger. Que te répondrai-je ?
> Je mets ma main sur ma bouche.
> Un, j'ai parlé, mais n'ai pas répondu ; deux, je n'ajouterai rien.
> (Jb 40, 3-5)

Une autre traduction de ce passage énigmatique, qui a engendré de très nombreux commentaires talmudiques, permettra peut-être d'en ouvrir un peu le sens :

> Job répondit à l'Éternel et dit : « Hé quoi ! je suis trop peu de chose : que te répliquerai-je ? » Je mets ma main sur ma bouche. J'ai parlé une fois... je ne prendrai plus la parole ; deux fois... je ne dirai plus rien [15].

Maïmonide éclaire lui aussi cette étonnante doublure. Comme s'il y avait en effet deux temps ici encore. Celui où la Providence est réclamée comme un dû, et un second temps, muet, où se reconnaît la transcendance. Cette promesse de silence ne sera d'ailleurs pas tenue puisque, après la seconde récitation divine, Job reprend la parole pour dire qu'il est dégoûté de lui-même et qu'il se conforte dans la poussière et la cendre.

> Je t'avais entendu par ouïe d'oreille.
> Maintenant mon œil t'a vu.
> Sur quoi je me rétracte (je me dégoûte) et me conforte dans la poussière et la cendre.
> (Jb 42, 4-6)

---

14. *Aggadoth du Talmud de Babylone*, traduction d'Arlette Elkaïm-Sartre, Paris, Verdier, 1982, traité « Baba bathra », p. 940 : « *Lui qui m'assaille par une tempête, qui multiplie sans raison mes blessures* (Jb 9, 17). Commentaire de Rabba : Job blasphème en parlant de tempête, il s'adresse à Dieu en ces termes : Souverain du monde, peut-être un vent de tempête est-il passé devant Toi, qui T'aura fait confondre *Job* avec *Ojeb.* »

15. Bible du Rabbinat français, traduction de Zadoc Kahn, Paris, Colbo, 1966. La traduction est ici on ne peut plus « interprétée ».

Qu'est-ce à dire ? Le terme en hébreu est *èmas* que l'on traduit par « je me rétracte » ou par « je suis dégoûté ». S'il y a bien rétractation ET dégoût de la parole tenue jusque-là, il n'y a pas pour autant effacement. Voilà ce que l'on pourrait ajouter au nombre des interprétations. La malédiction, le blasphème ne peuvent être raturés. Seulement peuvent-ils être réinterprétés à la lumière de cette Parole Autre enfin « vue » par Job. D'où ce « une fois... deux fois » que marquerait l'après-coup de l'entendement.

S'il peut se taire, puis se « rétracter », c'est qu'il a « vu » la Loi dans sa plus intime exigence. Ce n'est plus un savoir par ouï-dire ou par tradition qui le fait sujet, mais une rencontre. Voir la voix ou la parole a le même sens ici qu'ailleurs dans la Bible : théophanie qui n'est pas apparition mais assomption du dire dans un réel auquel le sujet ne saurait échapper. Et que dit ici cette Parole ? Qu'il n'y a pas de commune mesure entre le réel de la Parole et le vivant qu'elle engendre. C'est cette différence qui est ici rencontrée. D'où la doublure qui la désigne. Cette « confortation » ou consolation que connaît alors la souffrance de Job — confortation qui n'est pas encore sa résolution — coïncide avec le moment où Job est invité, par Dieu, à prier pour ses amis, ceux qui depuis le début essaient de le raisonner, de lui faire avouer sa faute secrète, de le faire, si je puis dire, « rentrer » dans sa causalité la plus incontestable : *Voyons, Job, un juste est-il toujours juste ! Te prends-tu pour Dieu ! Tu dois bien avoir fauté pour mériter une telle souffrance. Cherche un peu !* Après le discours de la femme de Job, après ceux, alternés, des trois amis, Éliphaz le Téimani, Bilbad le Shouhi et Sophar le Na'amati, après celui, dernier et fulminant, d'Élihou ben Barakhel le Bouzi du clan de Ram, Dieu prend la parole pour rappeler la création du monde, temps où, insiste-t-il, Job n'était pas. *Si tu n'étais pas là au commencement*, dit à peu près Dieu, *comment peux-tu prétendre accéder à un quelconque savoir ? Les raisons de ta souffrance, tu ne les connaîtras pas. Mais prie donc pour tes pauvres amis qui t'ont si mal parlé de moi.*

Finalement, Dieu rend à Job en double ce qu'il lui avait pris. La doublure encore ne cesse de dire la césure de l'expérience. Le jeu est terminé. Tout est bien qui finit bien. Car tout cela, il faut le répéter, n'était qu'un jeu entre Dieu et le Satan. Mais du point de vue de Job, il s'agit plutôt d'un jeu soudain révélé entre *je* et *moi* ; un jeu, entendez un défaut d'agencement, comme on dirait en parlant des pièces d'un mécanisme.

Après plus de trente chapitres, dans lesquels il n'en a eu que pour lui-même et pour son malheur, Job se voit enfin intimer par Dieu l'ordre non pas de demander pardon pour son blasphème mais de prier pour ses pauvres amis qui n'ont pas su, comme lui, bien dire. La parole la plus étonnante de toute cette histoire arrive en effet à la fin :

Et c'est après que IHVH eut dit ces paroles à Job,
IHVH dit à [l'un des amis qui avait essayé de le raisonner sur la justice divine] : « Ma fureur brûle contre toi et contre tes deux compagnons, car vous n'avez pas parlé de moi avec exactitude, comme Job,
mon serviteur.
[…] Job, mon serviteur, priera pour vous.
Ainsi je porterai ses faces [j'exaucerai sa prière], afin de ne pas faire de
vous une charogne,
car vous n'avez pas parlé de moi avec exactitude,
comme Job, mon serviteur.
(Jb 42, 7-13)

Si Job se « rétracte », c'est bien sûr à cause de cette parole sans
poids qu'il n'a cessé de lancer à la face de l'Autre. Certes, c'est bien de
cette parole blasphématoire que Job se repent. Mais il est certain que,
sans elle, rien n'aurait eu lieu. S'il a fallu le blasphème pour l'accession à la vérité, la raison raisonnante des amis est à la fin convoquée
à son tour devant la Loi. Et la prière qui est parole ne saurait être soutenue par ces pécheurs-là, mais seulement par Job qui seul saura dire
ce que Dieu peut « porter ». Ainsi, le blasphème de Job se révèle à la
fin exactitude, parole juste, et la raison des amis plus affligeante que
le désir de mort. Mieux, la colère de Dieu ne s'adresse pas à Job mais
aux amis qui n'ont cessé de plaider, contre Job, la cause de l'Éternel.
À la demande apparente des causes et des raisons que soutenait Job
avec sa question *Pourquoi moi ?*, les amis ont donné pleine réponse.
*Pourquoi toi ? Allons Job, c'est simple : parce que tu n'es pas si juste
que tu le prétends !* De là Job n'a pu, tout au long de cet interminable
échange, que renvoyer ses amis à leurs désolants raisonnements. *Ce
que vous dites, je peux le dire moi aussi, et bien mieux que vous. Là
n'est pas la question !*

Le mal de l'Autre

Où donc, alors, est la question ? C'est à cela qu'il faut en venir,
maintenant que le théâtre de Job est un peu mis en place. Cette question, on pourrait la poser en termes freudiens, par exemple : En quoi le
sujet est-il partie prenante de la souffrance qui lui « arrive » ? Les amis
de Job ne sont pas si fous, ni même tout à fait à côté de la vérité d'un
sujet qu'ils connaissent, semble-t-il, depuis longtemps. Ils ne viennent
là qu'affirmer ce qui est venu s'inscrire au cœur de l'expérience analytique comme son noyau insécable, à savoir que le mal dont je souffre
est encore et aussi une configuration, certes onéreuse mais ô combien
chère, de ma jouissance. Mais cette question n'est pas là où on la suppose. Éliphaz insiste pour dire que Job doit bien mériter ce qui lui
arrive puisque providence il y a. « Souviens-toi donc ! Quel innocent a
péri ? Ou bien des équitables ont-ils été biffés ? » (Jb 4, 7) « Ton mal

n'est-il pas immense ? Sans faute à tes torts ? » (Jb 22, 5) Bilbad parle, lui, de compensation. Tout ce qui t'arrive est un bien et te sera rendu. « Si tu es limpide et droit, oui maintenant, il s'éveillera pour toi [...]. Ton en-tête [commencement] était minuscule mais ton avenir culminera fort. » (Jb 8, 6-7) Sophar affirme qu'il ne faut pas chercher des raisons puisque Dieu fait ce qu'il veut. « Trouveras-tu la finalité de Shadaï ? [...] Plus profonde que le Shéol, comment la connaîtrais-tu ? » (Jb 11, 7-8) Quant à Élihou, furieux de l'échec de ses aînés qui finissent par se taire, et furieux contre Job, il se dit inspiré et condamne selon cette même logique la récrimination de Job. Mais Job dit savoir tout cela et n'avoir que faire de toute cette sagesse en l'occurrence inopérante.

> Certes ! mon œil a tout vu, mon oreille a entendu ; elle l'a discerné.
> Ce que vous pénétrez je le pénètre aussi.
> Moi-même je ne suis pas inférieur à vous.
> Pourtant, c'est à Shadaï que je parlerai : je désire admonester Él !
> (Jb 13, 1-3)

Voilà qui est clair. Ce qui arrive à Job n'est pas de l'ordre de la répétition. Il ne souffre pas de retomber dans les ornières de « son » mal. Ce mal dont il souffre est premier, primaire, inédit, et Job parle pour dire qu'il ne lui revient pas, que ce n'est pas le sien, que c'est le mal de l'Autre qu'il invoque dans une violence indéfectible, sourd à tout argument qui pourrait le ramener à lui-même. *Pourquoi moi ?* a bien ici le sens que j'évoquais tout à l'heure : *pourquoi y a-t-il moi plutôt que rien ?* Et s'il y a moi, quel est cet Autre infigurable et délié, coupé de ce qui me cause parce qu'il ne répond pas ? Job, répète Élihou, est « plein d'un procès criminel ». (36, 17)

Job veut dire. Et dans ce désir d'admonester, il est *passionnément* livré au silence de l'Autre, selon une passion qui est déjà prière ; alors que ses soi-disant amis n'en voient pas la nécessité et s'abandonnent à la barbarie courante et rassurante qui suppose l'homme toujours en faute devant Dieu, devant l'Autre, livré à une transcendance dont il n'y a rien à savoir.

> Ce sont les « amis » de Job qui mystifient le silence de Dieu en affirmant qu'il est une parole pleine — ou plutôt qu'il est le résultat de la faute de Job. [...] non seulement Dieu est pour eux simplement une parole, mais une parole de juge, de tribunal, une sentence, une parole définitive et sans appel. Job prétend que Dieu est parole, mais maintenant il sait en écouter le silence. Il écoute vraiment le silence de Dieu même s'il le maudit [16].

Si ce mal de l'Autre prend en effet les allures d'un procès, Job l'invoque, lui, au nom d'une évidence. Il n'y a qu'à regarder, dit-il,

---

16. Massimo Cacciari, *Icônes de la loi*, Paris, Christian Bourgois, 1990, p. 110.

pour voir le mal du monde, le reste est « paroles de vent » (16, 3). Ce sujet en souffrance est devant l'horreur de ce que l'Éternel a dit être « bon ». Quel est donc cet écart soudain révélé à Job dans sa chair ? C'est toute la dimension de l'achèvement du monde qui est ici convoquée et qui cherche son statut. Le défaut dans l'Autre est-il carence, impuissance, injustice, caprice, tromperie ? Est-ce un défaut ontologique ou moral que l'homme doit soutenir ? Comment accepter l'insoutenable d'une telle hypothèse de la souffrance du monde ? Les amis de Job, c'est évident, ne savent pas répondre. Élihou, le dernier, constate d'abord l'inanité de leurs paroles. Mais que dit-il, lui, de nouveau ? On se le demande. Sa fureur est partout, contre les amis, contre Job. De quoi se targue-t-il donc, sinon de l'existence de l'intercession comme vecteur de salut ? Tout message de paix adressé à Dieu sauve l'homme, dit Élihou. Et si ce discours, s'élevant au bout de la vocifération, ajoute quelque chose de non négligeable aux propos des amis, c'est le rappel de la Parole comme transcendance. Dieu te parle, dit-il à Job, mais tu ne sais pas l'entendre. Selon Élihou, Dieu parle par les rêves et par les maladies. « C'est dans un rêve, un songe, de nuit, à la tombée de la torpeur sur les hommes, dans les somnolences sur la couche. Alors il découvre l'oreille des hommes […]. Il exhorte [l'humain] par la douleur sur sa couche, par le constant combat de ses os. » (Jb 33, 15-19) La transcendance de la Loi passe, dit Élihou, par les rêves et par les maux qu'engendrent nos symptômes. L'Autre EST Parole, voilà ce que répète Élihou, qui le distingue finalement des amis de Job.

Le péché de Job est donc bien moindre que celui de ses amis. Car si Dieu est parole il est aussi silence. Contrairement à ceux qui veulent le consoler, Job n'ignore pas le silence, mais s'y donne tout entier, pâtit de le maintenir ferme et inexorable dans un face-à-face dont il fait sa parole. Il n'idolâtre pas le silence en le rationalisant, mais le prive de toute signification et de toute raison suffisante. La question de Job ne vise donc pas à faire dire à l'Autre qui je suis ; elle assume dès l'ouverture le non-savoir comme condition de l'appel et du blasphème, comme condition du dire. La pauvreté de Job est absolue parce qu'il a perdu non pas la possibilité de savoir mais celle de soutenir le non-savoir. D'où sa question insistante, énervante, qui fait mine d'exiger les raisons, mais s'éteint dès que Dieu, poussé à bout, répond : *Là où c'était (au commencement), tu n'étais pas et tu dois advenir* [17]. Autrement dit : là où tu ne peux savoir, là, tu dois commencer. Ce n'est en effet que depuis l'assomption fracassante du silence qu'une réponse peut enfin revenir qui ne sera pas comblement du « Pourquoi ? » mais déploiement du commencement comme en

---

17. Je reprends encore une fois l'impératif freudien : *Wo Es was soll Ich werden* (Là où c'était je dois advenir).

deçà de la loi morale. Le manque dans l'Autre n'est pas moral et ne répond d'aucun châtiment ni d'aucune rétribution. Le récit d'Adonaï qui clôt le livre est en ce sens un enseignement fabuleux du monde sans l'homme : nature, cosmos, Léviathan. Comme le souligne Maïmonide, « les objets sur lesquels Dieu appelle l'attention de Job n'appartiennent qu'au monde sublunaire ». De même, dit Maïmonide, que « les œuvres de la nature diffèrent des œuvres de l'art, de même le régime divin [...] dont ces choses physiques sont l'objet, diffèrent de notre régime humain [18] ». Mais plus radicalement, Dieu vient ici rappeler que le mal de l'Autre est hors de toute causalité justiciable et ne saurait, de ce fait, être « réparé ». Il y a là une fulgurante révélation de la parole comme cause dont Job va saisir aussitôt la portée. Ayant vidé de toute raison ce qui lui arrive, il est le seul de l'histoire à pouvoir entendre l'enseignement. Si la parole est le fondement même de la voie éthique, ce fondement, lui, est amoral. La parole est cause de division et d'alliance, mais le judaïsme ne pose pas de « péché » à l'origine de cette alliance, pas de péché originel. La faute, certes, est l'affaire des hommes, mais elle n'est pas la raison indépassable de leurs souffrances. Le mal dans l'Autre n'est pas autre chose que cette parole qui me coupe et me lie à lui, me lie par cette coupure même. La faute de l'homme est celle... de l'humanisme. Adam se fait cause de ce qui lui arrive, voilà ce que raconte, pour le judaïsme, cette histoire d'arbre-fruit mangé à l'encontre de la Loi. De là, la relation de l'homme à la création n'est plus aussi facile. Ce qui était « évidence » au jardin d'Éden va désormais exiger le temps qu'il faut pour comprendre.

> L'homme est infiniment aimé, nous disent les Pères de la Synagogue, car il a été façonné à l'image de Dieu. Cette image constitue la plus grande grâce que Dieu ait pu nous accorder. Elle est inaltérable. Le péché originel, selon le judaïsme, ne l'a entamée en aucune manière. Si l'harmonie a été rompue, ce n'est nullement entre Dieu et l'homme mais entre l'homme et la nature [19].

Avant d'avoir mal, Job était la dupe de sa justice. Les interdits lui tenaient lieu de parole. Il n'avait qu'à accomplir ses bonnes actions pour ne pas éprouver le vide de Dieu et de lui-même. Qu'il n'y ait plus de Justice, que la Loi se brise d'elle-même, rappelant sa cassure première, et c'est la catastrophe. Dans le désastre de sa fracture, Job avoue la peur qui faisait de lui un serviteur si fidèle : « Ce qui m'épouvantait est survenu contre moi. Je ne m'apaise pas, je ne me calme pas, je ne me repose pas ; l'exaspération est venue. » (Jb 3, 1-26)

---

18. Moïse Maïmonide, *op. cit.*, p. 491.
19. Meyer Jaïs, « Judaïsme et tolérance », *Information juive*, Paris, 1980. Voir aussi Jean Vassal, *Les Églises, diaspora d'Israël ?*, Paris, Albin Michel, p. 95-113.

Les tourments de Job commencent avec la suspension d'une justice qui déjà faisait peur. Le silence de l'Autre se révèle alors à découvrir dans la division, l'inconciliable, la fissure imparable qui fait l'homme. Il y a dans le livre de Job une sorte de parcours qui va du silence au silence. Cela commence avec les holocaustes offerts et les prières de Job, étalés sur fond de silence : Job ne dit rien et accomplit la Loi. Mais surgit soudain le silence de la Loi, inouï jusque-là, et Job se met à parler. Les amis viennent et implorent Job de se taire, de cesser ses blasphèmes et ses appels inutiles. Puis les amis se taisent, faute d'arguments. Dieu parle enfin au cœur d'une tempête, mais c'est pour ne pas répondre sinon par des questions qui révéleront l'impossible de toute réponse. À la fin, il n'y a plus qu'à assumer l'impératif étrange : Tais-toi et prie !

Ce qu'on apprend ultimement dans l'épilogue, c'est que « l'Éternel compensa les pertes de Job après qu'il eut prié pour ses amis » et qu'« Il lui rendit au double ce qu'il avait possédé » (42 10). Du silence au silence, de la prière à la prière, quelque chose s'est tout de même déplacé ; quelque chose a eu lieu et il n'est pas inopportun de dire que c'est le livre, celui de Job, la doublure de l'écrit. Il faudra donc maintenant prendre la question de Job par un autre bout, celui de son aboutissement, justement, dans un livre et dans la prière pour les amis.

Quand dire est rappelé dans ce qui s'entend[20]

Dieu exige que la plainte cesse. Mais le silence imposé à Job n'a plus rien à voir avec le mutisme du début ; il serait plutôt de l'ordre d'un changement de régime, d'une inversion de la plainte en prière. Si Job récupère en double son bien c'est, nous dit le texte, parce qu'il a prié pour ses amis. Qu'est-ce que la prière ? C'est à Kafka que, ici encore, je ferai appel, lui qui, comme Job, a écrit le procès interminable d'où ne peut sortir aucun acquittement réel[21]. *Le procès*, comme le livre de Job, est le roman de la justification impossible.

---

20. Ce titre emprunte à l'aphorisme de Jacques Lacan : *Qu'on dise reste oublié comme fait derrière ce qui se dit dans ce qui s'entend* (*Séminaire 1971-1972*, « Ou pire », inédit). Aphorisme qui désigne la surdité au fondement de la « communication » affairée à n'entendre que ce qui se dit, oubliant la place, le désir, la demande, l'appel qui supportent ce dit et qui est le dire : dimension symbolique de la parole comme lien, alliance.
21. Il faudrait relire ce passage remarquable du *Procès* qui rapporte la conversation entre Joseph K. et le peintre sur les trois possibilités d'acquittement : l'acquittement réel (impossible, bien sûr), l'acquittement apparent (coûteux, temporaire et soumis à l'enfer des procédures) et l'atermoiement illimité (le seul désirable « puisqu'il présente l'avantage que l'avenir de l'accusé est moins incertain [...] et qu'en sa qualité d'accusé, on se présente de temps en temps devant son juge. [...] Il faut que le procès ne cesse pas de tourner à l'intérieur du cercle étroit où il a été artificiellement maintenu ») (*Dans la colonie pénitentiaire et autres nouvelles*, traduction de Bernard Lotholary, Paris, Garnier-Flammarion, 1991, p. 190-199).

Dans les *Méditations sur le péché, la souffrance, l'espoir et le vrai chemin*[22], Kafka note :

> L'humilité donne à tout homme, fût-ce à celui qui désespère dans la solitude, les relations les plus solides avec son prochain, et cela, immédiatement, à condition toutefois qu'elle soit constante et totale. Elle peut cela parce qu'elle est le vrai langage de la prière, adoration et communication intense en même temps. La relation avec le prochain est celle de la prière, la relation avec soi-même est celle de la poursuite du but ; c'est dans la prière qu'on va chercher la force nécessaire à la poursuite.

De la catastrophe apparemment injustifiée, Job émerge par sa vindicte. Et tout ce que nous saurons de lui provient de sa parole et de celle de ses amis venus le « voir » et le « consoler ». Job apparaît au départ comme l'envers de l'humilité. Ce que ses amis ne manquent pas de lui répéter. Mais il y a tout à coup un fantasme qui surgit au plus fort du plaidoyer, et qui mérite une attention toute particulière. À ses amis qui l'invitent encore à se taire, à cesser de maudire l'injustice de Dieu, Job réplique :

> Oui, qui donnera que mes mots soient écrits ?
> Qui donnera qu'ils soient gravés sur une stèle ? [SePHeR : un livre]
> Avec un stylet de fer et de plomb, qu'ils soient à jamais gravés dans le roc !
> (Jb 19, 23-24)

On l'entend, Job ne peut se taire. La grandeur et les voies inconnues de Dieu qu'invoquent ses amis ne font qu'attiser son désir de dire tout le mal qu'il en pense. Sa souffrance, sa douleur sont les signifiants même d'une limite qui désormais lui échappe ; une douleur à écrire dans la pierre comme les Tables de la Loi. C'est seulement parce que Job, qui ne faisait qu'accomplir la Loi, se situe et se constitue brusquement dans un rapport au signifiant, que se produit pour lui cette division qui fait mal, mais surtout révèle l'angoisse comme signe du sujet, dont il va faire sa passion. C'est parce qu'il invoque le sens, un signe, une parole de l'Autre, qu'il entre dans cette ambivalence douloureuse et qu'il pâtit. La passion de Job est une passion du signifiant, qui surgit pour la première fois parce que, précisément, le signifiant vient à manquer. Avoir mal d'un mal radical est la seule vérité qui lui reste, le seul rempart contre ce silence de l'Autre qui risque maintenant de le consumer. Aucune raison ne lui fera renoncer à *dire* ce mal, même s'il demeure sans réponse.

Job, on l'a vu, veut retirer le jour de sa naissance de la chaîne du temps. Le désir de ne pas être né, aussi absurde et comique qu'il puisse

---

22. Dans *Préparatifs de noce à la campagne*, Paris, Gallimard, coll. « L'Imaginaire », 1957, p. 64-65, aphorisme n° 106.

sembler, n'introduit pas moins une topologie spécifique selon laquelle le sujet se rêve comme venant, lui, à manquer pour l'Autre. Ce qui se produit au moment de la catastrophe, qui laisse Job sur son tas de fumier, malade et amer, c'est l'injection violente du désir. Job, le juste, ne désirait rien, puisque toute jouissance lui était, non pas interdite, mais, dirais-je, « comblée à l'avance », et donc toujours déjà derrière lui. C'est ce que repère le Satan lorsqu'il souligne que Dieu a dressé une haie autour de son serviteur. Barricadé dans sa justice, voilà le premier Job. Mais projeté au cœur de sa division jusqu'alors inconcevable, il est forcé de sortir de sa duperie pour chercher sa « faute », ce défaut qu'il aperçoit brutalement comme manquant et qu'il s'acharne à soutenir contre toute raison. De là seulement peut lui revenir un désir, celui de l'Autre, certes, mais aussi, de ce fait, le sien. Si Dieu me désire au point de se jouer de moi, comment puis-je me dérober ?

Et la réponse qui lui parviendra a ceci de singulier qu'elle surgit dans une tempête.

Adonaï IHVI répond à Job, de la tempête, et dit :
Quel est celui qui enténèbre le conseil, aux mots sans pénétration ?
(Jb 38, 1-2)

Le mot *searah* (tempête) signifie également « cheveux », « crâne ». Les rabbins du Talmud disent que cette tempête a éclaté dans la tête de Job. Autant dire qu'il s'agit d'une voix « intérieure » et que le sujet Job reçoit en quelque sorte la révélation de sa division. Moment de reconnaissance du désir de l'Autre. Mais si le malheur de Job est une mise en jeu de l'Autre, si chaque fois que Dieu met un juste à l'épreuve (Abraham, Moïse, Job), il prend le risque de perdre, cela indique assez clairement que Dieu *désire*. Une telle affirmation ne contredit en rien la tradition talmudique qui soutient en ses nombreuses lectures que c'est justement parce que Dieu désire — couver Job ou l'éprouver — que l'homme ne connaît plus ni paix, ni sécurité, ni repos, forcé qu'il est d'entrer lui aussi sur la scène du désir. Job comme Joseph K. désire savoir ce qui l'a conduit là où il est, et la question théologique de la justification devient par le fait même roman de l'interprétation infinie.

La prière, dit Kafka, nous situe au plus intime de la relation au prochain. Qu'est-ce que le prochain ? Il est avant tout l'avènement du symbolique comme séparation et adresse, direction, sens. La prière est moins demande que parole ramenée à sa fonction symbolique d'alliance, de lien, de relation.

Dieu, à la fin, reçoit la division de Job comme une rectitude, une bénédiction. Que signifie cette réponse inattendue sinon que, pour une fois, *dire*, cet acte de Job qui a consisté à dire — à mal dire comme à dire le mal —, que pour une fois *dire est rappelé dans ce qui s'entend*. Ce qui est rappelé dans le blasphème, c'est l'insistance de Job à dire... quoi ? ce qu'il a dit. De là seulement, de ce rappel de l'énonciation, peut se faire entendre le désir de Job. Non pas tant son désir de n'être jamais né, qui en est la première version, mais le second tour qu'il prend dans la petite phrase que Job lance à la fin : « Je ne suis rien. » Pour reprendre le terme de Josy Eisenberg[23], Job est somme toute un humble mégalomane. Le rêve du livre affirme bien ce désir d'une parole qui soit accomplissement, et le livre de Job, celui que nous lisons, est en effet un roc. Roc pour l'interprétation qui s'y bute et qui cherche désespérément les raisons de l'Histoire.

Qui donc est mon prochain ? Celui qui se tient dans cet écart au cœur de moi-même — tempête sous le crâne —, et duquel je n'ose m'approcher au risque de me perdre. La grandeur de Job — qui le rapproche, dit-on, de Moïse — est dans son face-à-face avec le prochain, avec cet Autre inabordable contre lequel il vient se briser, contre lequel il dresse un tribunal pour recevoir de plein fouet ce qui le cause, lui, et qui, depuis toujours, ne lui dit rien. L'histoire de Job est celle de l'avènement du prochain. On traduit habituellement le concept freudien de *Nebenmench* par *prochain*. Freud parle du *Nebenmench* dans l'« Esquisse pour une psychologie scientifique » pour rendre compte de ce moment fulgurant et douloureux où le familier, la Mère, apparaît à l'*infans* dans une soudaine étrangeté, Autre, parce qu'elle introduit, par son désir ou sa jouissance, un écart entre elle et l'*infans*. Étrangeté où il ne la reconnaît plus et se perd, et d'où il va devoir naître comme sujet en accédant à la parole ; une parole seconde par rapport à celle, première, du cri, de la demande et de l'appel où il se tenait jusque-là[24].

Il y a dans Job quelque chose de cette doublure temporelle qui supporte la naissance au langage. Et l'entrée en scène de l'Autre boucle la parole sur elle-même, la coupe, littéralement, mais suivant une scansion qui promet le changement de régime : « Je mets ma main sur ma bouche. J'ai parlé une fois... je ne prendrai plus la parole ; deux fois... je ne dirai plus rien. »

Les rabbins ont sur ce « une fois... deux fois » plusieurs interprétations. J'en inventerai une nouvelle qui ne me semble ni déplacée ni hérétique. Job a parlé, nous l'avons entendu. Mais cette première parole ne trouve son sens qu'après coup, dans l'inversion que Dieu lui fait subir en l'entendant depuis un autre lieu. Ce qui est injecté dans la parole de Job et la redouble, c'est précisément le *rien* qui lui manquait pour qu'elle s'accomplisse. Le rien de la réponse de Dieu qui vient là pour décrire en détail le commencement du monde, affirmant

23. Josy Eisenberg et Elie Wiesel, *op. cit.*
24. Sigmund Freud, *La naissance de la psychanalyse*, Paris, Presses universitaires de France, 1985, p. 348-349.

ainsi sa grandeur, son absolue transcendance ; le rien qui permet au « je » de crever l'abcès du « moi » pour accéder à sa vérité. *Je ne suis rien*, dit alors Job, *et je m'en console... de le dire, de l'écrire.*

De là, le jeu douloureux entre « je » et « moi », cet écart qui fait mal, devient l'occasion d'un bien et d'un bien-dire. Mon prochain, on le voit, n'est ni mon *alter ego*, ni mon semblable, ni mon frère. Il est cette distance qui me scinde, m'arrache à moi et assure le glissement de la chaîne signifiante. Mais ce prochain, encore faut-il le reconnaître, pire — c'est un commandement insoutenable —, encore faut-il l'aimer.

Écrire, ce n'est déjà plus parler. Écrire est toujours cette « deuxième fois », ce temps *où je ne dis plus rien* et commence à disposer de l'ouverture radicale qui fera signature.

Qui a écrit le livre de Job ? Une certaine tradition talmudique soutient que c'est Moïse ; une autre, Job lui-même. Mais il faudrait pour cela qu'il ait existé, ce qui, selon le Talmud qui ne se préoccupe que bien rarement de ce genre de question, est loin d'être sûr.

> Rabbi Lévi, fils de Hama disait : *Job vivait au temps de Moïse...* Rava disait : *Il a vécu au temps des douze explorateurs...* Rabbi Yo'hanan et Rabbi Éliézer disaient : *Job était au nombre de ceux qui revinrent de l'exil de Babylone, et il avait une maison d'études à Tibériade...* Rabbi Éliézer disait : *Job a vécu au temps des Juges...* Rabbi Yochoua, fils de Kor'ha disait : *Il vivait au temps d'Assuerus...* Rabbi Nathan disait : *Au temps de la reine de Saba...* Un rabbin était assis devant Rabbi Chemouel fils de Na'hamami et il disait : *Job n'a jamais existé, et n'a jamais été créé. Ce n'est qu'une parabole* [25].

Job, c'est la parole et l'écriture de la parole.

Ce qui ressort de cette histoire, c'est que le blasphème constitue le livre, dans la mesure où il est reçu en bout de ligne comme une bénédiction, une rectitude, bref comme un acte éthique. Le prix à payer pour l'accès à ce désir de livre est l'invention d'une parole double qui est à la fois violence blasphématoire et prière, parole d'endeuillé et acte de symbolisation [26].

La spécificité de l'éthique formulée dans ce livre ne se résume donc pas à faire le bien. Si cela était, le premier paragraphe aurait suffi à l'illustrer, puisque Job ne faisait, avant son malheur, que cela. L'éthique s'invente plutôt à partir de ce désastre que constitue l'entrée

---

25. *Aggadoth du Talmud de Babylone, op. cit.*, traité « Baba Bathra », p. 935-936.
26. Pour les Juifs, le livre de Job constitue le recueil où sont puisés les prières et les rites de deuil et d'enterrement. Ce qui me fait les rejoindre dans cette avancée où je dis qu'écrire, c'est faire le deuil du *moi*, du *pourquoi moi ?* pour l'accès au prochain.

du sujet sur la scène du désir de l'Autre. Ce qui, on le voit, n'est pas de tout repos. Ce n'est que parce qu'il reconnaît son assujettissement à la parole, reconnaissance qui ne peut lui venir que de la place de l'Autre, que Job risque d'accéder au registre de la prière. Prière à entendre au sens de Kafka et du judaïsme, comme au sens de saint Paul et de saint Augustin : un acte de parole qui soutienne la vérité dérobée du prochain. Cette prière constitue l'histoire de la littérature, sa passion.

Chapitre quatre

L'acteur, le clou, l'au-delà. Jérémie, Artaud avec Freud

> Le prophète : il faut entendre ce mot littéralement.
>
> *Talmud de Babylone*

Littéralement, entendre

Dans la foulée d'une énumération de titres et de fonctions qui désignent les figures importantes et actives au sein du peuple, le Talmud esquisse pour chacune une définition, comme pour rappeler la mesure incontournable de ces ressources vivantes, invoquées justement au moment où Dieu menace de les retirer. Il s'agit du commentaire de la parole d'Isaïe qui annonce encore une fois la fin du Temps, la catastrophe radicale et la destruction :

> Le Seigneur, l'Éternel des Armées, va ôter de Jérusalem et de Juda tout appui et toute ressource, toute ressource de pain et toute ressource d'eau, le héros et l'homme de guerre, le juge et le prophète, le devin et l'ancien, le chef de cinquante et l'homme honoré, le conseiller, le plus habile des artistes et le subtil enchanteur. (Is 3, 1)

On nous révélera donc, dans ce passage du traité « Haguiga » qui s'attarde à relever l'importance de toute cette richesse humaine, le sens de chacune des instances retenues dans la liste d'Isaïe [1]. Ainsi découvrirons-nous que « tout appui » renvoie aux spécialistes de la Torah, et « toute ressource » à ceux de la *michna*, que les « ressources de pain »

---

1. *Aggadoth du Talmud de Babylone*, traduction d'Arlette Elkaïm-Sartre, Paris, Verdier, 1982, traité « Haguiga », p. 583. *Haguiga* signifie « offrande de pèlerinage » et désigne le commandement de réjouissance qui imposait au pèlerin de se rendre à Jérusalem offrir des sacrifices personnels. Comme beaucoup d'autres commandements, il a été incorporé à l'office — sous la forme d'un texte de prière — après la destruction du Temple.

désignent les spécialistes de la *guemara* et l'« eau », ceux de l'*aggada*[2]. Le « héros », quant à lui, est le spécialiste des traditions, l'« homme de guerre », celui qui sait conduire un combat d'arguments sur la Torah, le « Juge », celui qui prononce un jugement vrai, et ainsi de suite jusqu'à épuisement de la liste. On le voit, les grands hommes de la cité sont les lecteurs, les interprètes et les accomplisseurs de la Loi et du Livre. L'étonnant dans tout ce déploiement de sens n'est pas le principe d'éclaircissement qui régit le commentaire mais le trou singulier qu'il met en scène. À la fonction du « prophète », nous trouvons en effet une étrange tautologie qui indique une familiarité si intime qu'elle semble évacuer toute définition; le Talmud se contente en effet de dire : « comme son nom l'indique » ou « à entendre littéralement ». Comme si le prophète — son nom, son titre — constituait à lui seul son propre commentaire, sa propre définition. D'extrêmement familier, comme une telle évocation le laisse du moins supposer, il n'en devient pas moins singulièrement étranger à l'explicitation qui a cours ici.

Il n'y a plus qu'à se demander « comment » ce nom — en hébreu, *nabi* — se signale lui-même, et quel est le sens littéral que nous devrions, là, entendre. Car de rôle, nous n'en trouverons pas d'explicitement défini, ni ici ni à proximité, les prophètes eux-mêmes étant chaque fois saisis, happés à cette place comme par un destin imparable autant qu'imprévu qui les fait parler sans avoir à se définir ni à se justifier. Il n'est donc pas surprenant que, cherchant à définir la parole prophétique, sa mission ou sa performance au sens de la tradition, nous devions repasser par les dédales de ce nom, rendu particulièrement obscur d'avoir subi les travers de la traduction. Raphaël Draï, reprenant dans *La communication prophétique*[3] les propos d'Abraham Heschel[4], rappelle bien la controverse sur l'origine du mot *nabi*.

1. Le mot *nabi* et ses formes verbales *nibbat* et *hitnabé* semblent provenir de l'accadien *nabbu*, appeler.

2. L'autre hypothèse rattacherait *nabi* au verbe *nabbâ*, qui signifie « jaillir », « sourdre »[5].

Il y a déjà là matière à développement. La seconde hypothèse est d'autant plus étonnante qu'elle nous donne la fonction du prophète dans un acte de pur surgissement, comme le retour de quelque chose

---

2. *Michna, guemara* et *aggada* sont des composantes du Talmud, la première représentant le découpage en six « Ordres », la deuxième désignant les discussions sur la *Michna* qui ont eu lieu après 200 è.c., la troisième étant le récit qui accompagne ces discussions. Il s'agit donc ici des spécialistes de la Loi orale. Voir ici même le chapitre d'introduction.
3. Raphaël Draï, *La communication prophétique*, vol. 1 : *Le Dieu caché et sa révélation*, Paris, Fayard, 1990; *vol. 2 : La conscience des prophètes*, Paris, Fayard, 1993.
4. Abraham Y. Heschel, *The Prophets*, New York, Harper and Row, 1973.
5. Raphaël Draï, *op. cit.*, vol. 1, p. 169.

— on ne sait quoi — qui remonterait avec force de profondeurs encore méconnues. Si l'« inspiré », comme l'appelle par ailleurs André Chouraqui, reçoit une inspiration qui est à la fois souffle (*rouah*) et parole (*davar*)[6], il doit se soumettre à l'impératif de porter ce qu'il reçoit à son peuple — mais aussi aux nations dont dépendent d'une manière ou d'une autre le sort des Hébreux et celui du monde. La « charge » du prophète est universelle et politique ; il est la médiation entre l'Éternel et le profane. Selon la thèse prophétique, le profane vient au saint par le divin, qui permet à l'homme de désacraliser le monde[7]. De là peut-être, le sens de ce jaillissement intempestif, à la fois dans l'esprit d'un sujet en proie au brusque devoir-dire de l'Autre, et dans la communauté toujours visée par ce dire au moment précis où elle vient d'opter pour ne plus rien entendre. Avant de parler de cette scène tout à fait singulière de la réception-transmission que constitue la performance prophétique, avant d'en montrer la dimension éthique, dont il se peut que nous ayons, encore aujourd'hui, à prendre acte, il me semble important d'ajouter la remarque que place Édouard Dhorme en introduction de sa traduction des prophètes bibliques[8].

> Le verbe dont dérive *nabi* est *naba* « appeler ». On ne le rencontre pas à la forme simple en hébreu, ce qui élimine l'opinion qui voudrait voir dans le *nabi* celui qui appelle ou qui crie, une sorte de crieur public. Selon nous, la signification de *nabi* est simplement « appelé » participe passif [...] pour signifier « être en état de prophète, prophétiser ».

On se souviendra de ce passif qui est aussi passion et pâtir du corps prophétique. Mais pour le moment, on peut dire que le premier sens, strictement linguistique, de ce mot demeure somme toute incertain ; le *nabi* avertit, réprimande, fouille les consciences, livre un message. Ce sens est par ailleurs toujours déjà amphibologique puisque, à la parole prophétique, est immanquablement associée la dimension du doute et de la certitude qui relance chaque fois la nécessité de distinguer le faux prophète de l'envoyé, le délire de la révélation.

> J'ai entendu ce qu'ont dit les inspirés
> qui s'inspirent de mensonges en mon nom pour dire :
> « J'ai rêvé, j'ai rêvé ! »
> Jusqu'à quand existe-t-il au cœur des inspirés,
> des inspirés du mensonge, des inspirés de la duperie de leur cœur
> de penser faire oublier à mon peuple mon nom,

---

6. André Néher, *Prophètes et prophéties* (réédition de *L'essence du prophétisme*), Paris, Payot, 1995 [1955].
7. Voir le commentaire d'Armand Abécassis sur la différence entre sacré et saint, dans *La pensée juive 2. De l'état politique à l'état prophétique*, Paris, Le Livre de poche, 1987, p. 114-122.
8. *La Bible. Ancien Testament*, tome II, Paris, Gallimard, coll. « Bibliothèque de la Pléiade », 1959, p. XII.

par leurs rêves qu'ils se racontent, l'homme à son compagnon,
alors que leurs pères avaient oublié mon nom pour Ba'al ?
(Jr 23, 25)

Mais il conviendra ici de maintenir l'autre sens du mot *nabi*, qui
renvoie plus directement à l'« acte » de celui qui, donc, « sourd » dans
un espace de surdité décisive, pour restituer le sens de l'alliance au
peuple en train de l'oublier et de se perdre : restitution qui exige certes
une parole, mais dont la dimension reste ici à sonder.

On comprend en tout cas que la parole prophétique n'est pas pré-
dictive (comme les traductions grecque et latine le laissent supposer),
mais actuelle et *active*, disons « performative » puisqu'elle vise, on va
le voir, à rouvrir l'énoncé sur son énonciation afin de donner à
entendre un *accomplissement* à la fois passé, présent et à venir.
« Quand la parole devient prophétique, ce n'est pas l'avenir qui est
donné, c'est le présent qui est retiré et toute possibilité d'une présence
ferme, stable et durable. Même la Cité éternelle et le Temple indestructible sont tout à coup — incroyablement — détruits [9]. » Ce registre de l'énonciation, en rapport avec la vérité et ses effets de réel, ne
peut être pensé, me semble-t-il, qu'à partir d'une lecture qui prend en
compte non seulement l'altérité radicale, l'Autre et sa fonction struc-
turante et déstructurante, mais aussi la mémoire et l'oubli. C'est
l'acte prophétique qui, ici, doit s'entendre littéralement ; autant dire
qu'il reste précisément à entendre, qu'il ne se donne que sur ce mode
de l'*entendre*, et que sa performance, dans ce qu'elle suppose de corps,
de sujet, de scène, de théâtre et de répétition, en est une avant tout de
profération. Il faudra voir pourtant comment cette parole intime au
sujet qui la reçoit l'ordre d'agir, de jouer, de mimer, d'écrire, jusqu'à
épuiser toutes les ressources d'expression que son corps lui offre au
point de rejoindre ce « théâtre total » dont rêvait Artaud.

> Sur ce principe, nous envisageons de donner un spectacle où des
> moyens d'action directe soient utilisés dans leur totalité ; donc un
> spectacle qui ne craigne pas d'aller aussi loin qu'il faut dans l'explo-
> ration de notre sensibilité nerveuse, avec des rythmes, des sons, des
> mots, des résonances et des ramages, dont la qualité et les surpre-
> nants alliages font partie d'une technique qui ne doit pas être divul-
> guée [10].

Cette divulgation interdite n'est pas sans lien avec le statut de la
prophétie biblique, qui ne repose d'ailleurs pas non plus sur une union
mystique ni sur une pratique de la contemplation. La prophétie vous

---

9. Maurice Blanchot, « La parole prophétique », *Le livre à venir*, Paris, Gallimard,
coll. « Folio », 1959, p. 110.
10. Antonin Artaud, « Le théâtre et la cruauté », *Le théâtre et son double*, Paris, Gallimard, coll. « Folio », 1964, p. 135.

tombe directement dessus, c'est une « saisie » et en ce sens elle n'est jamais qu'à *entendre*, littéralement ; elle apparaît pour tous les sujets qui en sont frappés comme une élection cruelle et une « action directe ». Mais l'erreur serait de penser qu'il en va donc d'une transe, d'une possession pure et simple. En fait, la saisie impose un travail, une « technique », une répétition. Ce qui sourd ne saurait se faire entendre sans la pratique d'une tonalité si ce n'est d'une voix acquise au bout d'une traversée, à l'issue d'une certaine gymnastique. Les sept ans de mutisme d'Ézéchiel pourraient fort bien s'interpréter comme une technique, un véritable travail qui impose au corps la prise entière de la parole. Le corps-mime ou corps-spectacle serait donc aussi un dispositif de vocalisation. « Clame grommelle, fils d'humain ! [...] Aussi claque-toi la cuisse ! [...] frappe paume contre paume ! » (Ez 21, 17-19) La danse d'Ézéchiel ne vise pas une expressivité quelconque mais relève d'un dire. On peut donc la rapprocher d'un exercice, certes immédiat, mais technique tout de même, ou du travail d'acteur qui serait non pas apprentissage mais corporisation, tels ces chantonnements, ces cris, et ce système de souffle qui troublaient tant le docteur Ferdière de Rodez. Paule Thévenin dit avoir souvent vu Artaud, dans sa maison d'Ivry, « se livrer à des exercices de souffle, de rythmes scandés, ponctués d'ahans, en même temps qu'il frappait sur un billot de bois à l'aide d'un couteau ou d'un marteau. [...] Ce travail constant le rendait tout à fait maître de sa voix et de ses intonations [11] ».

Le rapprochement d'Artaud avec le prophète n'est certes pas inattendu. On aurait même plutôt envie de dire qu'il s'agit là d'une comparaison dont le sens est à peu près vidé ou du moins à l'avance parcouru. On reprendra tout de même une fois encore le lieu commun mais à rebours, cette fois, c'est-à-dire à l'envers d'une retrouvaille du prophète dans l'écrivain. Qu'est-ce à dire ? Que c'est une incarnation qu'il s'agit d'analyser ; celle du dire et du penser, autant dire du verbe, dans la mesure où le devenir-corps de l'énonciation ne peut plus se concevoir sans l'*acte* qui prend nom d'Artaud. La traversée du corps religieux, l'avancée frontale insoutenable et pourtant soutenue dans et par le christianisme, l'obstination et l'*ostinato* christique martelés jusque dans les dernières œuvres du poète constituent à mon sens une interprétation inaugurale à partir de laquelle on est forcé de tout reprendre. Car celui qui, visant l'au-delà de la métaphysique, a accepté d'en soutenir la Loi cruelle, impose à l'entendement une posture radicalement athée parce qu'elle reste sans solution de continuité, ni restauration, ni complétude. Le « retour », d'ailleurs, n'est possible qu'à ce prix ; et c'est ce qui rend celui d'Artaud le Mômo si difficile à

---

11. Paule Thévenin, *Antonin Artaud, ce Désespéré qui vous parle*, Paris, Seuil, 1993, p. 64-65.

entendre, puisque ce retour ne signifie pas simplement le fait de revenir, mais celui de *faire retour* sur un site qui ne l'attendait pas, *second tour* aussi, selon un bouclage dont la torsion, le pli, n'est pas sans avoir produit un bord, un tranchant *au delà* du parcours. Ruban mœbien de ce dire qui assume de poursuivre son dehors radical ou son dedans infernal jusqu'à l'incarner dans une surface sans profondeur ni envers. Il y aurait, pour Artaud, l'exigence de maintenir ce fait de la doublure qui n'est pas dichotomie. D'une métaphysique prise au corps : « Il n'y a pas de dedans, pas d'esprit, de dehors ou de conscience, rien que le corps tel qu'on le voit, un corps qui ne cesse pas d'être, même quand l'œil tombe qui le voit. / Et ce corps est un fait. / Moi [12]. » C'est aussi ce qui s'énonce dans le premier fragment de *Centre-nœuds* justement préoccupé d'anatomie : « Pourquoi l'envers qui est l'unique endroit est-il jalousé par le revers alors qu'il est l'inaliénable surface dont le plein est le seul état [13]. »

Ce corps-fait, ce plein faisant bord au delà — ou *débord* —, nous dit bien ce qu'il en serait d'une transcendance athée, devenue corporelle, d'une transcendance dont le nom « Dieu » n'appellerait plus ni croyance ni foi. Il m'a semblé que prendre le lieu commun « Artaud-prophète » à rebours imposait ce saut décisif qui interdit somme toute de reconnaître l'*inspiré* dans l'acteur-écrivain Artaud, nous imposant, au contraire, le dire de l'*expiré*, de l'*extorqué*. S'il y a proximité entre Artaud et les prophètes, elle serait dans cette posture cruelle et désenvoûtée de révélation. De l'identification du « Révélé [14] » à la verticalité prophétique qui inaugure la descente aux enfers psychiatriques, jusqu'au « Retour » où s'impose la persistance d'une « posture christique [15] », Artaud opère la traversée, sans possibilité de sortie, de la métaphysique, mettant ainsi au jour la production inédite d'un au-delà comme constituant premier de l'athéisme. Et c'est depuis la révélation de cet au-delà sans religion envisageable, de cette transcendance a-théiste qu'il devient possible de relire les prophètes pour les « entendre littéralement ».

Car le prophète se trouve brutalement divisé, séparé du monde parce que, sans être pour autant retiré du destin humain, il partage, en sa condition de sujet parlant, une Autre parole. Sa « charge » ne le détruit ni ne le rend divin ; il reste ainsi maître du style de sa prophétie et sa fonction politique demeure incontestablement humaine.

---

12. Antonin Artaud, *Suppôts et supplications*, *Œuvres complètes*, t. XIV*, Paris, Gallimard, 1978, p. 17.
13. *Ibid.*, p. 23.
14. Celui qui signe *Les nouvelles révélations de l'Être*, *Œuvres complètes*, t. VII, *op. cit.*, 1982.
15. L'expression est de Guy Scarpetta dans « Artaud écrit ou la canne de saint Patrick », *Tel Quel*, n° 81, automne 1979, p. 66-85.

C'est un sujet, comme le dirait encore Artaud, *empesté* par l'Autre, fracturé par un théâtre intime qui n'est que la réplique, le double d'un désastre social effectif, actuel. Mais il n'en reste pas là ; cette peste ou cet envoûtement est le désastre, l'effroi à partir duquel le travail peut commencer. Le prophète biblique — pour reprendre le mot de Freud à Jung — « apporte la peste » au peuple rompu à sa raison aveugle et idolâtre. Freud, on le sait, parlait d'autre chose, mais on verra peut-être que ce qu'il croyait apporter, lui, n'est pas non plus si éloigné de ce que la tradition judaïque injecte par ses prophètes.

> Car si le théâtre est comme la peste, ce n'est pas seulement parce qu'il agit sur d'importantes collectivités et qu'il les bouleverse dans un sens identique. Il y a dans le théâtre comme dans la peste quelque chose à la fois de victorieux et de vengeur. Cet incendie spontané que la peste allume où elle passe, on sent très bien qu'il n'est pas autre chose qu'une immense liquidation [16].

Il y a justement dans l'acte prophétique cette double portée qui le rend d'autant plus « tordu » qu'il délivre à la fois le blâme, la condamnation et l'amour ; qu'il soutient un nationalisme extrême, exacerbé, en même temps qu'un universalisme infaillible, et profère une menace terrifiante sans jamais céder sur la promesse de rédemption. Le prophète « joue » en effet cette liquidation radicale dont il ne cesse pourtant de dire le « reste », la retombée à partir de quoi le Temps ne cessera de se recompter. Liquidation qui veut dire aussi rigoureuse réinterprétation, révélation. La question aussitôt risque de surgir : « Qu'est-ce qui est révélé ? » Pour les prophètes comme pour Artaud : l'envoûtement généralisé, la prostitution, la résistance universelle, anonyme et constamment renforcée, à l'*effraction*, c'est-à-dire à la parole. « On ne s'entend pas ! » Voilà ce que disent les prophètes, d'où leur nom de *nabi*.

À suivre, par exemple, Jérémie dans les rues de Jérusalem assiégée, on est frappé par son insistante « performance » d'une parole à laquelle Dieu l'assigne. La série de « mimodrames » par lesquels son corps tout entier est porté au registre du dire ne saurait mieux montrer ce que parler veut dire lorsque cette parole coïncide avec un penser en acte. Ce n'est pas là un trait spécifique à Jérémie, puisque le prophète se remarque dans le judaïsme du fait qu'il peut tenir cette énonciation en prise directe sur l'Autre. C'est la fonction de ce « théâtre », aussi présent chez Isaïe descendant nu dans la ville « en signe et prodige » du dénuement et de la honte qui attendent ceux qui cherchent le secours du côté de l'ennemi, c'est-à-dire là où il brille de tous ces feux illusoires (Is 20, 3-5). Quant à Ézéchiel, il est certainement le plus occupé à « accomplir » les divers actes de l'histoire, couché sur le côté gauche

---

16. Antonin Artaud, « Le théâtre et la peste », *Le théâtre et son double*, op. cit., p. 39.

pour signifier la maladie du Royaume d'Israël, au nord, puis couché sur le côté droit pour porter le tort de la maison de Yéhouda, au sud ; il mime la famine, brûle ses cheveux coupés et posés sur une balance pour dire l'incendie du Temple et la justice de cette destruction. Ézéchiel, déjà exilé à Babylone, doit aussi se promener en ville avec le baluchon d'exil pour dire les déportations certaines de tout le peuple resté dans les murs de Jérusalem.

> L'un des traits caractéristiques de la méthode prophétique est le recours aux actes symboliques afin de donner plus de force au message divin. Ainsi Isaïe prénomma-t-il ses enfants Chear-Yachouv et Maher-Chalal-Hach-Baz ce qui signifie « Un reste Reviendra » et « Prompt-Butin-Proche-Pillage », afin que le peuple garde un souvenir vivant de son destin tel qu'il le lui prédisait. Jérémie racheta son patrimoine familial alors que les Babyloniens étaient aux portes du pays, pour montrer sa confiance dans le retour sur la terre ancestrale. Ézéchiel grava les noms d'Éphraïm et de Juda sur deux bâtons et les tint réunis pour montrer sa foi dans la réunification ultérieure des tribus dispersées [17].

C'est cette dimension particulière du mime-prophète que je retiendrai ici, en ce qu'elle invente un espace théâtral *réel* à l'Autre de l'énonciation. Jérémie, recevant en dictée la parole de l'Autre, sera sommé de la dicter à son tour au scribe Barukh afin de la faire proclamer sur la place publique. L'impératif du livre occupe dès lors une place centrale, mais c'est un livre dicté et à dire. Le rouleau de Jérémie, deux fois dicté puis lu devant quelques dignitaires importants et enfin devant le roi, sera brûlé par ce même roi Yohayaqim, colonne à colonne, dans l'âtre qui réchauffe la pièce où se déroule la lecture. Jérémie devra donc le dicter de nouveau « de mémoire » en procédant à quelques additions, le principe d'accomplissement de la parole fonctionnant, comme on peut le voir, sur plusieurs modes et selon une série de déplacements qui permettent de lire une médiation en acte [18]. Ce n'est donc pas une primauté de la voix sur la lettre que cette geste soutient mais une répétition selon laquelle l'inaugural est dans le « je » de la parole. Ce qui parle, ce n'est pas moi, mais la parole qui peut dire « je ».

En fait, il m'a semblé que la révélation judaïque, qui implique la Loi orale comme acte d'interprétation spécifique au judaïsme, permettait la rencontre à rebours d'Artaud et des prophètes, en nous invitant à désamorcer l'insistante tentative et tentation de lire Artaud selon la logique du délire. S'il y a délire et structure psychotique chez le sujet

---

17. « Prophètes et prophétie », *Dictionnaire encyclopédique du judaïsme*, Paris, Cerf/Laffont, coll. « Bouquins », 1996, p. 826.
18. Pour la scène de la lecture et de sa « brûlure », lire le chapitre 36 du livre de Jérémie.

Artaud, on ne peut pas dire pour autant que l'acte dont il est le signataire ne prenne que cette dimension clinique. Artaud, le texte Artaud, le dire Artaud, déborde sa place de sujet parlant par la « construction » d'un corps, l'invention d'un corps *dans sa fiction*. L'acte d'énonciation signé Artaud tord le sujet sur sa faille et parle, pourrait-on dire, à la place de l'infini devenu corps, devenu *ce* corps. C'est ce qu'il appelle aussi la « vie ». Corps d'homme centré sur ce point, dans le corps, où le corps (se) fait. « Les choses ne sont pas vues du haut de l'esprit par-dessus le corps,/ mais faites par le corps,/ et à son niveau,/ beaucoup plus infini que celui de tout esprit [19]. »

Si la nécessité s'est posée pour le sujet Artaud d'en passer par la psychose, c'est dans la mesure où le « travail », ici revendiqué par l'acteur-écrivain et *extorqué* par la psychiatrie, implique cette perte d'identité, cette proximité obligée avec le délire psychotique et le partage de ses effets. Qu'un sujet, comme le dit Freud, *choisisse* le « travail de son délire » pour résoudre et reconstruire la catastrophe intérieure de sa désubjectivation, qu'il aille jusqu'à prophétiser la fin du monde imminente en projetant son monde subjectif sur le monde extérieur, c'est là la démarche thérapeutique de la folie à l'école de laquelle doit se mettre la clinique psychanalytique [20]. Mais il y a chez Artaud quelque chose comme l'*inclusion* effective de cette « psychose » — dont il ne peut faire l'économie [21] — selon un double tour, un retour qui en est l'analyse sur le mode d'un trajet dont le tracé scripturaire — celui des *Cahiers de Rodez* — parcourt les impasses et ne cesse de rouvrir à l'envers du délire les failles qu'il travaille à combler. « La folie est *décidée*, dit Sollers, pour éviter la folie suprême : la reconnaissance de la différence sexuelle irréductible [22]. » Il faudrait dire, je crois, que cette « décision » diffère du déni dans la mesure où elle hausse la différence sexuelle au registre du penser et du dire « purs », et procède, de là, à une ré-incarnation passionnée — suspendue à l'arbitraire qui en est le seuil intenable — du symbolique. On ne peut dès lors s'étonner qu'un tel procès croise les fantasmes antisémites liés, bien sûr, à la destitution du féminin pour l'assomption du Vierge. Artaud ne saurait se lire sans que l'on repasse par ces nœuds dont il fait sa signature. Car ces nœuds sont *à lire et à dé-lire*, dans le procès qui les actualise, avec le dénouement qu'ils appellent et qu'ils effectuent aussi.

19. Antonin Artaud, *Œuvres complètes*, t. XIV**, p. 60.
20. Sigmund Freud, *Remarques psychanalytiques sur un cas de paranoïa (dementia paranoides) décrit sous forme autobiographique [Le président Schreber]*, traduction de Pierre Cotet et de René Lainé, Paris, Presses universitaires de France, 1995, p. 68-70.
21. On lira au sujet de la psychose le livre de Simon Harel, *Vies et morts d'Antonin Artaud. Le séjour à Rodez*, Montréal, Le Préambule, 1990.
22. Philippe Sollers, « Folie : mère-écran », *Tel Quel*, n° 69, printemps 1977, p. 97-102.

De même, peut-on dire qu'il n'y a ni délire, ni langue de fond, ni psychose, ni mystique chez les prophètes hébreux, si l'on maintient que la résistance dont le prophète fait son objet tient précisément à l'envoûtement imaginaire des corps par le sujet de l'énoncé. Qu'il ait à se frotter à cet envoûtement au point d'en devenir le théâtre dit bien *l'institution* qu'il incarne en se faisant ainsi *Parole en corps*. On voit bien d'ailleurs comment le prophète est le point précis d'ancrage du christianisme au judaïsme. Lieu d'une incarnation dont on n'aura qu'à déplacer le site, de l'entendre au voir. Ce qui « passe » d'une institution à l'autre, d'une tradition à l'autre, c'est le principe de cet affrontement au *symbolique en tant que tel*. Pour celui qui s'en fait le corps, l'aventure pourrait se raconter ainsi : si ce que je dis n'est pas ce que je pense — condition de l'être parlant — c'est que je ne sais pas d'où je pense du fait même de penser que je le dis. Autrement dit, la « prostitution » n'est pas autre chose que cette manière de croire que le sujet d'énonciation c'est moi. Et la traversée, l'effraction et le retour se mesureraient à l'assomption de ce réel inouï où le sujet d'énonciation c'est effectivement moi.

Que toute cette histoire — celle des prophètes, celle d'Artaud 1937-1948, la nôtre — se joue sur la scène d'une catastrophe imminente (la destruction du premier Temple et de Jérusalem, la Seconde Guerre mondiale et la *Shoah*, la postmodernité et la fin des fins) et sur le site d'un désastre toujours déjà avéré, n'est pas sans soutenir ici ma décision de reconnaître, à partir d'Artaud, dans l'écriture des prophètes, ce dispositif si singulier, improuvable, quasi indémontrable que Freud a appelé, dans l'évocation de ce débord, l'« au-delà du principe de plaisir ».

Paradoxe du comédien

> LE LANGAGE DE LA SCÈNE : Il ne s'agit pas de supprimer la parole articulée, mais de donner aux mots à peu près l'importance qu'ils ont dans les rêves.
>
> *Le théâtre de la cruauté*

Les enjeux théâtraux de la prophétie hébraïque sont assez singuliers. Il s'agit, pourrait-on dire, d'un théâtre dont seule la scène est visible et sur laquelle le principal comédien ne « figure » jamais. C'est une scène pourtant habitée, envahie même, occupée, mais d'une présence invisible dont seuls les effets s'actualisent dans un spectacle qui pourrait n'être que celui du cadre : rideau, décor, rampe, lumière et ombre, nuit obscure, bande sonore et accessoires. Ce théâtre particulier se complique d'être vivant, mobile, itinérant, de monter ses tréteaux toujours hors champ, du côté des spectateurs, de lutter aussi contre la parole qui résonne en son centre, intarissable, vociférante et que cette étrange scène ne peut faire entendre qu'en différé, dans une sorte d'après-coup, qui semble mimer ce qui s'est déjà joué en elle, sur ses planches qu'elle promène à présent dans le monde.

Ce « spectacle » particulier donne à penser un espace de performance paradoxal parce que toujours déjà double, espace paradoxal dans la mesure où il est à la fois scène et corps, cadre et sujet, parole impérative et mutisme radical. Ce n'est donc pas tout à fait le corps du comédien qui se profile ici dans mon propos, mais bien le corps-substitut, qui tient lieu d'irreprésentable à une comédie dont la répétition est partout ailleurs, au delà du corps qui justement s'en fait la scène. Cet espace impossible est celui de la performance prophétique dont on a souvent dit qu'elle faisait du prophète le comédien de Dieu, jouant, mimant, proférant une Parole dont il n'est pas l'auteur, mais le « porteur » et l'officiant [23]. « La grande révélation de tous les systèmes de formation de dieu dans ma couille d'eau de glaire gauche./ Quand la conscience déborde un corps c'est aussi un corps qui se dégage d'elle,/ non,/ c'est un corps qui déborde le corps d'où elle sort,/ et elle est tout ce nouveau corps [24]. »

Il y a de cela, bien sûr, dans l'action prophétique ; et que Dieu soit le créateur, l'auteur et le souffleur de l'Histoire, plus d'un écrit biblique nous le rappellent. Mais il me semble que, à prendre le prophète pour scène, théâtre, lieu d'une performance autre, on pourrait proposer un nouveau « paradoxe du comédien » qui ne nommerait plus seulement l'écart entre le semblant et l'effet de vérité qui caractérise la justesse du jeu et l'art de la comédie, mais l'écart étrange entre la diction de la vérité et son accomplissement, entre la parole et le réel qu'elle vise. Écart sans comblement envisageable dont le prophète se fait le « site » de révélation, voué qu'il est à jouer, à mimer, à « rendre » cet écart, à s'en faire le corps. « Pendant plusieurs années, Jérémie traverse les rues de Jérusalem avec un joug sur la nuque (Jr 27, 2 ; Jr 28, 10). Quoique le symbole dépasse la condition personnelle du prophète (il s'agit de montrer la servitude des peuples sous le sceptre de Nabuchodonosor), il n'y a pas d'image plus exacte pour décrire la vocation prophétique [25]. »

Le Dieu retiré, sa mise à distance encore proche, distance du prochain — « suis-je un Dieu de près et non pas un Dieu de loin ? » demande-t-Il à Jérémie — ne s'effectue en quelque sorte que sur la scène du corps prophétique devenu, comme le souligne Blanchot, une

---

23. André Chouraqui, André Néher et Édouard Dhorme, entre autres.
24. Antonin Artaud, *Œuvres complètes*, t. XIV**, *op. cit.*, p. 82.
25. André Néher, *op. cit.*, p. 287.

« force désolée » qui est le désert même [26]. L'expression de ce retrait se
dit en hébreu *Ester Panim*, qui signifie « Je cacherai mes faces ». Mais
ce retrait n'est pas une simple invisibilité ni une disparition ; c'est surtout une limitation, quelque chose comme un cadre posé, un bord
tracé d'où la révélation pourra s'effectuer, une scène, en quelque sorte,
si ce n'est le site qui permet ce hors-lieu de l'Autre et lui donne son
poids de réel. Que le prophète soit précisément un site (*seter* [27]) et une
scène, une place enclose et les murs qui la bordent, cela est rappelé au
début du livre de Jérémie dans les paroles que Dieu lui adresse pour le
forcer à commencer.

> Et moi, voici, je te donne aujourd'hui en ville fortifiée,
> en colonne de fer, en rempart de bronze sur toute la terre.
> Pour les rois de Iehouda, pour ses chefs,
> pour ses desservants, pour le peuple de la terre.
> (Jr 1, 18)

Cette ville forte indestructible qu'est encore, au regard des
Hébreux, Jérusalem, voilà que le prophète la devient comme pour se
faire à lui seul le théâtre de la destruction promise et déjà commencée.
Le prophète est dès lors ce *bord* inhabitable, ce désert rappelé où l'alliance a été conclue. C'est en cela que la performance du *nabi* n'est pas
annonce mais acte, actualité d'un désert non pas immédiat mais toujours présent dans sa désolation, son dénuement effroyable, son impossible présence. « Le désert, dit Blanchot, ce n'est encore ni le temps ni
l'espace, mais un espace sans lieu et un temps sans engendrement [28]. »

Si Dieu réside bien parmi les hommes, il ne saurait pour autant y
être assigné à résidence. Dieu ne se révèle qu'en se retirant, ne se
dévoile que voilé, masqué, dirais-je, de sa parole dialogale toujours
déjà humaine [29] et cependant tout Autre. Ce serait donc Lui, ce Dieu-
là, le premier Comédien, le seul peut-être à n'avoir que sa parole pour

26. Maurice Blanchot, *op. cit.*, p. 110-111. Lire aussi André Néher, *op. cit.*, p. 300 : « Le
    prophète est, semble-t-il, l'organe non pas du Dieu qui se révèle, mais du Dieu qui
    est en voie de se cacher. Le mouvement de Dieu vers le monde [...] n'est pas une
    approche mais un retrait. »
27. Voir à ce sujet le développement de Raphaël Draï, *op. cit.*, p. 59 et suivantes :
    « [...] le premier verset du psaume 91 comporte une énonciation capitale en tant
    qu'il fait du Seter, le site [secret], au sens à la fois le plus spécifique et le moins
    objectivant, de Dieu. [...] Nous lirons alors ce verset ainsi : " Celui qui se tient dans
    le haut secret (*be Seter Elyon*) habitera dans l'ombre (*betsel*) du Dieu Chaddaï. " [...]
    Le Midrach interprète *Chaddaï* comme *che-daï*, celui qui dit *daï* : " assez jusque-
    là ", à son pouvoir. Mais cette auto-limitation qu'un préalable, une
    condition préparatoire du processus de la création. »
28. Maurice Blanchot, *op. cit.*, p. 111.
29. L'Exode 33, 11 le dit bien, parlant de l'adresse à Moïse : « Comme un homme parle
    à un autre homme. » Les rabbins affirment par ailleurs que si la Torah parle en
    langue humaine, ce n'est pas par concession de IHVH mais en vertu de la structure
    humaine de la réception de cette Parole tout Autre. La Bible ne se dit pas en

voile ou pour masque, le seul à pouvoir ainsi rendre compte d'un réel du corps — *réel* au sens où Lacan a défini ce terme —, réel, du fait qu'il se donne à voir en tant que tel : non représentable et non présentable. Si Dieu, donc, est le premier Comédien, la scène qu'il occupe avant de s'exiler tout à fait n'est pas tant celle de l'Histoire que celle, toujours cadrée, contingente et rebelle que constitue le corps du prophète. Et c'est le prophète qui, de cette « occupation », connaît l'injonction à se faire le contemporain de l'Histoire qu'il ne prédit pas, comme les traductions nous l'ont souvent fait croire, mais qu'il rappelle. Le prophète se souvient de l'Histoire et c'est en cela qu'il peut être un contemporain, en cela aussi qu'il se trouve *effracté*, vidé de sa volonté mais non de son désir, *violé* par une comédie qui est cette mémoire vive « en jeu ». Ce n'est qu'au prix de cette extrême contemporanéité qu'il peut faire retour sur le site d'une coïncidence avec l'énonciation.

Là où c'était oublié

> IHVH envoie sa main et fait toucher ma bouche.
> IHVH me dit : « Voici, je donne mes paroles à ta bouche !
>
> (Jr 1, 9-10)

Il s'agit donc d'un théâtre de la mémoire dont l'enjeu repose sur un écart, un paradoxe et un viol. Comme si le prophète avait pour fonction de prendre à son corps défendant le « tranchant » de l'alliance, sa faille en même temps que son intenable exigence. Le paradoxe du comédien n'est donc plus dans le corps de l'acteur qui trompe son public pour mieux l'atteindre dans la vérité de ses passions, mais dans son tenant-lieu, dans ce « corps-défendant » du prophète qui ne peut faire entendre la voix qu'il entend, ne peut transmettre l'*éprouvé* de la vérité qu'il éprouve qu'en produisant l'irrecevable en personne. Ni semblant ni comédie, donc, et, de là, pas de mise en scène du corps puisque le corps du Comédien est radicalement ailleurs. Ce qui est mis en scène, porté sur la scène du corps prophétique, c'est, somme toute, le signifiant, celui, toujours renouvelé, déplacé, retrouvé de l'alliance[30].

> Je donne les hommes qui ont transgressé mon pacte [*berit*],
> qui n'ont pas réalisé les paroles du pacte [*berit*]

---

hébreu « Écriture » mais *Miqra* : Lecture. Voir Henri Meschonnic, *Le signe et le poème*, Paris, Gallimard, coll. « Le chemin », 1975, p. 536-537.

30. « L'étymologie de l'hébreu *berit* n'est pas claire. Certains ont suggéré que le mot est lié à une racine qui signifie couper, tandis que d'autres ont proposé une connexion avec une racine signifiant manger — en se fondant sur la pratique commune de marquer une alliance par un repas cérémoniel. » (« Alliance », *Dictionnaire encyclopédique du judaïsme, op. cit.*, p. 42)

qu'ils ont tranché en face de moi ;
le veau qu'ils ont tranché en deux pour passer entre ses morceaux ;
les chefs de Iehouda, les chefs de Ieroushalîm,
les eunuques, les desservants, tout le peuple de la terre,
qui sont passés entre les morceaux du veau
je les donne en main de leurs ennemis,
en main des chercheurs de leur être.
(Jr 34, 18-20[31])

Mise en scène du signifiant et de son incarnation. Cette parole-Dieu, « donnée » au prophète, et dont il doit se faire le corps de profération, on pourrait sans trop de difficulté en reconnaître la logique et la vérité hors de toute croyance, puisque ce qui est ainsi rappelé par le prophète, c'est la parole comme Loi, autrement dit comme interdit de transiger avec elle ; « parole pleine » au sens où la psychanalyse la repère dans l'adéquation de l'énoncé à sa dimension symbolique d'énonciation. De même, la parole pour Artaud ne saurait être prise comme *moyen* ou *support* d'une chose à exprimer. La parole est réelle, pensée vivante, charnelle. Il s'agit, dit Artaud, de « brûler des formes pour gagner la vie ». Incarner la parole comme Loi, c'est en quelque sorte produire cette « parole pleine », intransigeante. La vérité n'a pas à être défendue, elle parle. Et ce qu'elle exhume est précisément ce que la parole humaine ne cesse de couvrir : « l'érotisme des charniers ».

Il s'agissait donc en m'internant de m'empêcher d'accomplir non ma mission, car je ne suis l'envoyé de personne, mais mon métier. [...] Comme toute la médecine va s'attabler autour des textes ci-joints, pour prouver une fois de plus qu'ils sont l'œuvre d'un coprolalique qui recommence à délirer,
je dirai qu'il sont l'œuvre d'un homme qui connaît la tartuferie et la coupure, le point de suture d'un monde abject qui étale sa façade proprette, quand sa sexualité si replète, et quand on y regarde bien si concrète, n'a jamais vécu que de sa science de l'érotisme des charniers[32].

C'est la vérité qu'une telle « œuvre » vise. Quelle vérité ? On se rappellera que Freud situe la vérité directement dans l'acte d'énonciation ; vérité non d'énoncé mais de structure[33]. Quant à Artaud, il ne

---

31. La façon de sceller l'alliance était habituellement, pour les deux parties, de passer ainsi entre les moitiés d'un animal ou de plusieurs animaux abattus, indiquant sans doute par ce geste que le pacte est irréversible et qu'il pose, en même temps que le lien et en lui-même, la séparation. D'où l'expression biblique « trancher [ou couper] une alliance, un pacte ».

32. « Lettre à Maurice Saillet », *Dossiers d'Artaud le Mômo, Œuvres complètes*, t. XII, Paris, Gallimard, 1989, p. 229.

33. Voir tout ce qui s'élabore chez Freud autour de la réalité historique et « matérielle », c'est-à-dire autour de la « construction » comme assomption d'une vérité consubstantielle à l'acte de sa construction matérielle, depuis [*L'Homme aux*

cesse de la dire consubstantielle aux conditions où elle s'énonce, c'est-à-dire au corps qui la produit et qui en est aussi l'effet, manifestant par là la transcendance de son statut, non comme signifié ou valeur de contenu, mais *corps de pensée.* Consubstantialité de la mémoire et du corps, le signifiant est cette chair sublimée dont parle Roland Gori [34]. Une telle assomption dans le réel ne saurait se faire sans violence.

La parole prophétique est harangue, dévoration, et en cela, elle est originellement dialogale. Elle se donne comme la reprise d'une parole confiée, soufflée, et cette répétition est déjà une réponse, une résonance, un écho différé et cependant premier. Toute la logique du regard — visions et spectacle du monde —, toute l'économie scopique est ici impérativement « saisie » par le signifiant. Il n'y a rien à voir que la Parole, celle qui hante le prophète et à laquelle le reste du monde n'entend, pour ainsi dire, rien. Parole inaudible et incompréhensible du Comédien dont le corps du prophète se fait le site, devenant le lieu où l'Autre, littéralement, lui « fait une scène » qui est chaque fois — on le sait, depuis le temps que Dieu accuse son peuple de prostitution et d'adultère — une scène de ménage, la prostitution se définissant, dans la littéralité hébraïque et ses jeux anagrammatiques chers aux talmudistes, comme un manque à entendre. Ainsi, « oreille » se dit en hébreu *ozen* et s'écrit *aleph, zaïn, noun* : 'ZN, et « prostitution » se dit *znout* et se construit sur la racine bilitère zaïn-noun : ZN. Là, se remarque la proximité littérale des deux termes où la chute d'une lettre vient dire une audition coupée du sens de l'antériorité que représente l'*aleph.* La prostitution est l'état de celui qui n'écoute plus que lui-même, n'entend plus que la dictée du pulsionnel entée sur la pulsion de mort : confusion entre sujet de l'énoncé et sujet de l'énonciation, envoûtement [35].

Le signifiant de l'alliance — qui n'en est ni le signe (arc-en ciel pour Noé, circoncision pour Abraham, chabbat pour Moïse et le peuple) ni le sceau (sacrifice, tranchement, repas) — est donc clairement le trait du désir et de sa Loi ; désir de Dieu pour son peuple dont le prophète se fait, si l'on peut dire, la surface d'inscription, la page où l'écrire, le déposer. C'est cette surface une, qui se constitue en un double tour, qui déjoue l'envoûtement et rejoue le symptôme sur son

loups] *À partir de l'histoire d'une névrose infantile* [1918], traduction de Janine Altounian et de Pierre Cotet, Paris, Presses universitaires de France, 1990, jusqu'à « Construction dans l'analyse » [1937], *Résultats, idées, problèmes II,* Paris, Presses universitaires de France, 1985, en passant par les années d'écriture de *L'homme Moïse et la religion monothéiste* [1934-1939], traduction de Cornélius Heim, Paris, Gallimard, coll. « Folio », 1986. Dans chacun de ces textes, Freud ne cesse de chercher le partage entre délire et théorie, fiction et construction analytique.
34. Roland Gori, *La preuve par la parole,* Paris, Presses universitaires de France, 1996.
35. Voir Raphaël Draï, *op. cit.,* p. 247-251.

« envers qui est l'unique endroit ». Car il s'agit bien de sortir d'un moi aliéné pour produire l'Autre *en personne*. « Sortir en moi », dit Artaud[36]. Le prophète n'imite pas la parole ni ne s'y trouve aliéné selon les métaphores névrotiques ou les rituels psychotiques. Quelque chose survient là hors champ, échappe à la matière pathologique parce qu'il en est justement l'interprétation actualisée. « Il n'y a vraiment que des singes, écrit Artaud, pour se satisfaire de l'imitation des gestes d'un autre et de ses pensées dans sa propre tête et pour dire qu'ils les ont pensés alors que c'est eux qui par le fait même sont évidés de la pensée[37]. » C'est en effet une nécessité incontournable de reconnaître la juste démesure à laquelle parvient le travail du prophète quand on veut l'entendre depuis le lieu-Artaud, lieu de l'écrivain « radical », si l'on accepte que cet adjectif désigne l'extrême d'un acte d'énonciation qui implique toujours *à la fois* l'association du matériau-pensées ET son interprétation. Car le prophète comme l'écrivain ne se prend pas pour Dieu, mais il le devient au sens strict du fait même qu'il doit passer, *comme corps*, par ce site déflagré du « je ». « C'est en prévention d'être dieu/ que moi/ Antonin Artaud,/ ai été martyrisé pendant les siècles des siècles. » Il n'y a pas là méprise mais intégration de Dieu « comme sujet d'énonciation dans la théâtralité d'une déflagration d'identité[38] », ce qui est somme toute la seule définition envisageable d'une position athée. « La connaissance prophétique [...] implique une violence et un corps à corps. Entre Dieu et le prophète, il y a lutte, saisissement. Mais ce que l'analyse doit maintenant souligner, c'est que dans ce débat, l'Esprit et la Parole sont toujours vainqueurs[39]. »

Ce saisissement dit bien à quel principe de transmission on se mesure. C'est le désir de l'Autre que le prophète entend, non seulement pour s'y assujettir, mais pour s'en faire le sujet en devenant corps de la Parole. Saisissement qui n'est ni possession ni envoûtement mais travail d'interprétation, de symbolisation, et qui resterait d'ailleurs impensable sans l'espace théâtral des spectateurs visés par cette transmission impérative. On peut donc prendre l'expression « signifiant de l'alliance » dans le sens d'une matérialité verbale, structurale et charnelle. Le prophète est frappé par ce signifiant qui le sépare, l'arrache à la Présence de l'idole, ce Dieu-tout-de-suite. La prostitution n'est donc pas autre chose que la perte de cette distance impérative dont le prophète est devenu le rappel insistant. « Je n'ai jamais écrit, dit Artaud, que pour fixer et perpétuer la mémoire de ces

---

36. « D'où est sorti en moi l'esprit ?/ Où a-t-il pris ce saint esprit ?/ D'où sortit en moi un esprit ? », Antonin Artaud, *Œuvres complètes*, t. XIV**, *op. cit.*, p. 104.
37. *Ibid.*, p. 128
38. Guy Scarpetta, *loc. cit.*, p. 69.
39. André Néher, *op. cit.*, p. 287.

coupures, de ces scissions, de ces ruptures, de ces chutes brusques et sans fond qui [40]... »

Le *nabi*, éprouvé par la nécessité qui lui arrive, s'il résiste — parfois longuement, parfois violemment —, il ne peut pas se soustraire à sa vocation, à son « métier ». Moïse argumente à plusieurs reprises, malgré l'insistance de Dieu, pour enfin lancer : « Envoie donc qui tu veux ! » Il se trouve que c'est lui que Dieu veut envoyer, et qu'il devra, malgré sa bouche entravée et son peu de confiance en son peuple, accomplir la parole. Cette urgence d'accomplissement, on la retrouve au début du livre de Jérémie, qui entretient d'ailleurs plus d'une ressemblance avec Moïse.

> Et c'est la parole de IHVH pour me dire : « Que vois-tu Jérémie ? »
> Je dis : « Un bâton d'amandier, moi, je le vois. »
> IHVH me dit : « Tu as bien vu. Oui, je me hâte de faire ma parole. »
> (Jr 1, 11-12)

L'accomplissement, on le voit, est aussi du côté de Dieu. C'est lui qui se hâte de « faire » cette parole. Car cette parole est singulière et fonctionne, comme dans les rêves, par rébus, *Witz*, ou anagrammes. Dans l'hébreu original, on trouve en effet pour « bâton d'amandier » le mot *CHaQèD* qui fait jeu de mots avec *CHoQèD* « je me hâte ». Comme si la vision de Jérémie — et ce que lui-même va déployer aux regards de ses concitoyens — n'était pas à voir mais à déchiffrer, à lire. L'accomplissement se situe non pas dans la réalisation factuelle du dit mais dans l'assomption réelle d'un dire pleinement audible ; quelque chose comme la « traversée du mur du langage » pour reprendre l'expression de Lacan qui désignait ainsi (en 1955) la visée de l'analyse. « L'analyse doit viser au passage d'une vraie parole, qui joigne le sujet à un autre sujet, de l'autre côté du mur du langage. C'est la relation dernière du sujet à un Autre véritable, à l'Autre qui donne la parole qu'on n'attend pas, qui définit le point terminal de l'analyse [41]. »

Le *nabi*, au sens de la tradition hébraïque, semble précisément traversé par cette parole donnée qui est signifiance — jouée — de l'alliance et de la promesse, « sortie du moi en moi ». La parole de Dieu est toujours déjà performative et le *nabi* est le site de cette mémoire ressurgie, jaillie, le lieu d'un ressouvenir qui le brise. « Mon cœur se brise en mon sein, tous mes os couvent. Je suis comme un homme ivre, comme un brave en qui passe le vin, face à IHVH, face à ses paroles saintes. » (Jr 23, 9) Cette mémoire forcée, qui trouve corps dans le prophète, n'est pas sans le rapprocher du fou, du psychopathe qui, lui aussi, porte sa mémoire à bras-le-corps. « L'hystérique

---

40. « Lettre à Peter Watson », *Dossiers d'Artaud le Momo, op. cit.*, p. 235.
41. Jacques Lacan, *Le séminaire, livre II. Le moi dans la théorie de Freud et dans la technique de la psychanalyse*, Paris, Seuil, 1978, p. 287-288.

souffre de réminiscence », avance Freud. Le prophète aussi, et cette réminiscence fait loi sur lui, car dans son cas, elle est réminiscence de la Loi, souvenir brutalement inoculé à celui qui, frappé par Dieu, a des oreilles pour entendre, des yeux pour voir et une bouche pour parler. C'est d'ailleurs cette bouche qui s'offre le plus souvent comme dernier instrument de résistance. Comme si le prophète, saisi par la voix de l'Autre, ne se reconnaissait plus que dans l'acte qu'on lui ordonne de poser et qui est de parler la Parole. Je ne peux pas ne pas voir, dit à peu près le prophète, je ne peux pas ne pas entendre, mais je peux toujours me taire et même, argument suprême, je *ne peux pas* parler ; c'est le mutisme d'Ézéchiel, la raison dernière invoquée par Moïse et Jérémie.

> Et c'est la parole de IHVH pour me dire :
> « Avant que je ne t'aie formé dans le ventre, je te connaissais,
> avant que tu ne sortes de la matrice, je t'avais consacré ;
> pour inspirer des nations, je t'ai donné. »
> Je dis : « Aha ! Adonaï IHVH ! Voici, je ne sais pas parler [...]. »
> (Jr 1, 4-6)

La « folie » serait dès lors l'extrême acuité du corps, et ne saurait se réduire à l'impasse subjective du psychopathe assujetti à cette acuité qui est aussi la sienne. Le prophète, l'acteur-écrivain, soutiennent au contraire cette acuité qui est souffrance, en la soumettant à l'interprétation, c'est-à-dire à une intervention, à une technique qui vise à faire surgir un corps inédit au delà du corps manifeste.

> Et abstrait,
> enfin,
> tu le seras,
> ô homme,
> homme,
> tu le seras,
> homme,
> jusqu'au corps,
> jusqu'à ce qu'enfin
> le corps
> s'avance,
> jusqu'au point
> où le corps
> s'avance,
> où il s'annonce comme un corps,
> par-delà le concret du corps,
> dit concret
> par l'intelligence
> ou la science [42].

---

42. Antonin Artaud, *Œuvres complètes*, t. XIV**, *op. cit.*, p. 51.

Si le délire est bien un mécanisme thérapeutique pour pallier le défaut du symbolique et suturer une béance insoutenable, cette « thérapie » signe l'impasse de la parole à dire autre chose que la suture qu'elle pratique. La « folie » du prophète, la folie *décidée* d'Artaud, s'en distinguent dans la mesure où elles tendent à maintenir ouvertes *à tout prix* la faille et l'incomplétude, selon le travail désespéré d'une transmission infatigable. « Je ne prendrai pas de repos jusqu'à ce que je me repose enfin. » « Si tu veux hâter le repos/ tu perdras à la fin le Repos[43]. »

La « folie » du prophète est singulière parce qu'elle se fait, selon un travail et une « technique », le théâtre d'une parole Autre. Ce que dit le prophète, ce n'est pas tant que le monde court à sa perte, que le désastre est ici maintenant et non pas hors les murs de la citadelle qu'il incarne[44] ; ce qu'il affirme n'est pas tant le malheur et l'horreur du monde que cet « au-delà du principe de plaisir » qui est, précisément, dans la théorie freudienne comme dans la Bible, le site même du retour, celui de la jouissance avec laquelle il faudrait bien commencer à compter. Le discours de Jérémie est traversé par cette logique du retour déjà pensable, déjà accompli dans l'effondrement actuel. C'est cela, je dirais, l'irrecevable de la performance, sa langue non seulement « de transport et d'emportement[45] », mais de déportation et de retour simultanés, *in actu*, en un seul corps, en un seul temps. Déportation et retour qui disent bien l'Histoire juive, mais aussi, et par elle, la condition universelle du sujet parlant, exilé de son désir et pourtant irrévocablement recentré par lui en lui.

Les transferts d'un asile à l'autre et les neuf ans d'enfermement ont pris pour Artaud le sens d'une déportation dont il ponctuera inlassablement ses textes, allant jusqu'à s'associer aux victimes des camps dont il ressuscite à sa manière les voix. Retour du refoulé, retour de l'enfermé, de l'extorqué, du Mômo qui est aussi bien l'enfant que le cauchemar, le souffle, la grimace, la folie[46]. Retour à la surface de ce que l'on a enfoui, laissé couler, perdu, oublié, parce que l'on n'a pas su en soutenir l'effraction, retour de l'occulté qui revient comme révélation. Retour du réel à sa place, du corps forcené après le travail

---

43. *Id.*, *Œuvres complètes*, t. VII, *op. cit.*, p. 288, 483.
44. On lit aussi sous la plume d'Artaud : « Car moi, homme vivant, je suis une ville assiégée par l'armée des morts,/ intercepté par leurs charniers,/ coupé de tous objets externes, quand je suis l'externe d'un mort,/ moi,/ et ceux qui m'attaquent/ sont dehors,/ et c'est dans le dedans qu'ils s'agitent. » (*Œuvres complètes*, t. XIV**, *op. cit.*, p. 68)
45. Maurice Blanchot, *op. cit.*, p. 115.
46. Voir Paule Thévenin, « Entendre/voir/lire », *op. cit.*, p. 238-244 et suivantes : « En Provence, à Marseille plus spécialement, le mômo (que l'on peut rapprocher de l'espagnol *momero* : le bouffon, *momo* : la grimace), c'est le fou, dans le sens d'innocent, de fou du village, le fada, le dingue. [...] Mômos est le dieu de la raillerie. [...] Mômos, selon Hésiode, était le fils du Sommeil et de la Nuit. Comme le rêve, le cauchemar. »

inaudible de sa résurrection ; « et ce n'est pas une affaire d'idées mais d'affres terribles à surmonter [47] ».

C'est ainsi que je ne crois pas qu'il y ait un monde occulte ou quelque chose de caché au monde, je ne crois pas qu'il y ait sous le réel apparent des étages enfouis et reculés de notions, de perceptions, de réalités, ou de vérités.

Je crois que tout l'essentiel surtout fut toujours à découvert et en surface et que cela a coulé à pic et au fond parce que les hommes n'ont pas su et pas voulu le maintenir.

C'est tout.

L'occulte est né de la paresse, mais n'en est pas devenu occulte, c'est-à-dire irrévélable, pour cela [48].

L'acte prophétique — qui est précisément ce retour surgi, brutal, de l'Autre qu'on avait oublié — exige d'abord des spectateurs capables de voir et d'entendre. Ce sera d'ailleurs tout le problème de la prophétie qui ne rencontre que la surdité voire l'indifférence ou la haine de la collectivité, si ce n'est son désir violent — avoué implicitement par la condamnation du *nabi* — de ne rien vouloir entendre. Le prophète, s'il transmet ultimement la Parole qu'il reçoit en dictée, ne saurait pour autant rouvrir ni desceller l'oreille intérieure de ses auditeurs qui l'ignorent. Le prophète est théâtre parce qu'il est, lui, le premier spectateur, le public privilégié et absolu du Comédien. Son paradoxe est d'être dans l'extrême proximité de l'écart, dans l'intime de l'expulsion hors du monde, dans cette distance qui permet à l'œil le regard et à la parole le délié, le dépliement.

Dieu dit à Jérémie : *Suis-je un Dieu de près et non pas un Dieu de loin ?* (Jr 23, 23) Mais qu'est-ce que Dieu dans cette histoire sinon cette « ek-sistence » radicale de l'Autre m'ordonnant de parler ? « Ek-sistence » — « Être-hors-de » ou Dehors — soudain si proche qu'elle devient ex-position ; surgissement et effraction en corps qui expose le prophète à tous les dangers. Ce péril est relaté au chapitre 26 de Jérémie où se raconte de nouveau la résistance, cette fois au cœur du peuple. Cette résistance est centrale, car elle est le mode même de la réception, la posture inévitable du spectateur, qui est aussi la condition de sa liberté et celle du retour. Une résistance — cette « affaire d'envoûtement généralisée » dont parle Artaud — qui ne doit pas être brisée ni forcée, encore moins niée, mais, comme en psychanalyse, autrement dénouée, déjouée, « travaillée », révélée comme manifestation de la pulsion de mort qui la soutient et l'alimente.

---

47. Antonin Artaud, « Chiotte à l'esprit », *Tel Quel*, n° 3, automne 1960, p. 7.
48. *Id.*, « Lettre à André Breton », citée par Paule Thévenin, *op. cit.*, p. 258. Voir aussi *Œuvres complètes*, t. XIV**, *op. cit.*, p. 24.

De là, accomplir la parole ne sera pas tant la jouer, la mettre en acte ou la mimer que la *devenir* au regard aveugle de l'Histoire. Devenir le corps de la Parole, voilà bien la fonction du *nabi* déchiré entre la scène de l'Autre et la scène des autres hommes dont il ne s'exclut pas. Le retrait de l'Autre comme Présence, son surgissement comme faille obligée EST l'enjeu de la prophétie et son site. Théâtre du trou de mémoire manifesté, le prophète devient cette mémoire-trou ; l'alliance, il ne peut reculer à s'en faire le porteur, lui qui annonce justement la déportation dont il est l'acte même. C'est en cela d'ailleurs que le vrai prophète est toujours prophète de malheur, en ce sens que c'est l'extimité radicale du Dieu biblique qu'il a pour mission de mettre en scène, de donner à voir avec les moyens du bord qui sont corps et voix du prophète. Dieu parle aux hommes par visions, rêves et verbe. C'est donc sous le masque des signifiants qu'il se révèle à ses prophètes par le fait même rappelés à l'urgence de la lecture et de l'interprétation. La *hâte* de l'accomplissement est donc toujours vitesse de déchiffrement, urgence de traduire pour transmettre à ceux qui ont perdu le sens du Temps avec la mémoire.

Le poids du signifiant

> Ainsi IHVH m'a dit : Fais-toi des attelles et des entraves ;
> donne-les à ton cou.
>
> (Jr 27, 2)

Depuis un moment, nous suivons Jérémie, celui dont le Talmud dit bien la doublure et la paradoxale situation qui le fait défenseur de son Dieu autant que de son peuple condamné, ce qui lui vaudra, affirme la tradition, le mérite de voir sa prophétie doublée, comme il est dit : « [Barukh] y écrit de la bouche de Jérémie toutes les paroles de l'acte [du livre] incendié au feu par Yohayaqîm roi de Iehouda. Il y ajoute encore de multiples paroles semblables [49]. » Il reste à dire la portée et l'éthique de cette étrange « doublure ».

Il y a dans Jérémie l'obsession du fardeau [50], celui qui distingue le vrai du faux prophète. Ce fardeau — charge, *massa* —, quel est-il ? C'est bien sûr la prophétie elle-même, la responsabilité éthique et politique de la vocation à laquelle le *nabi* ne peut se soustraire. Mais plus précisément, la *massa* est le frayage de cette Parole dans celle du

---

49. Voir *Mékhilta sur Chémot* 12, 1, cité par David Sabbah, *La révolte des prophètes et des romantiques*, Montréal, Phidal, 1996, p. 25-26. Voir aussi les notes 18 et 58.
50. Chapitre 23. Voir l'analyse d'André Néher, *op. cit.*, p. 287 et suivantes : « [...] l'expression la plus caractéristique de la servitude prophétique est celle de *massa*. Le terme signifie *fardeau*. [...] Tous les essais de se libérer de ce poids sont brisés. [...] Les prophètes ont fait l'expérience douloureuse de ce problème. »

sujet-*nabi*, elle est le pouvoir même qu'il a de soutenir les signifiants dont il se fait la caisse de résonance. « Caisse de clous », dit Artaud commentant son dessin *L'homme et sa douleur* « où l'on voit un homme en marche qui traîne après lui sa douleur [...] Et son abdomen est l'étau devant lui serré de toutes les coliques de ses clous [51] ».

La « charge », d'ailleurs, est toujours offerte en partage, puisqu'elle désigne à la fois le discours, l'oracle du prophète et le poids qu'il fait peser sur ceux à qui il s'adresse. Les ennemis du *nabi* ne reçoivent justement que le poids jugé aussitôt insupportable de cette parole.

> Ainsi, me voici, je vous charge de charge,
> et vous lâche avec la ville que je vous ai donnée,
> à vous et à vos pères, loin de mes faces.
> (Jr 23, 38-39)

Mais le fardeau du prophète n'est pas tant sa mission que sa disposition. Car sans cette disponibilité particulière, sans cette écoute du chiffre, sans cette vision de la lettre dont il est capable, il n'y aurait pas de prophète. Ici encore l'impératif freudien est pertinent pour dire l'urgence éthique à rencontrer les signifiants qui nous gouvernent, à les prendre en charge, justement, pour ne pas être accablé par leur charge : *Wo Es war soll Ich werden*; *Là où c'était* (la Loi, la jouissance de l'Autre, les signifiants-maîtres), *je dois advenir* (en tant que sujet de la parole, du nom, du désir). Le prophète est brutalement frappé par cet impératif catégorique. On pourrait reformuler pour l'occasion l'impératif prophétique en disant : là où ça pesait sur moi (poids sous lequel Jérémie, Ézéchiel, Moïse et d'autres ont peur de s'effondrer), je dois « peser » ça, au sens de mesurer, de considérer, de prendre en compte ; au sens de *shaqal* qui veut aussi dire penser, discuter. *Là où était la Parole, je dois la prendre ; là où c'était la Parole, « je » dois parler*. Cela ne se fait pas sans prix à payer ni sans souffrance. Enseignement dont s'est peut-être, à son insu, souvenu Freud au moment d'inventer la psychanalyse. Le *nabi* est donc celui qui en vient à soutenir ce fardeau toujours contradictoire, à « donner du poids [52] » au signifiant, refusant dès lors d'en être guéri.

> Tes paroles se trouvent et je les mange.
> Et c'est ta parole, pour moi, une exultation, la joie de mon cœur ;
> car ton nom est crié sur moi, IHVH Elohîm Sebaot !
> Je ne siège pas en compagnie des joueurs pour me divertir.
> En face de ta main je siège solitaire, car tu me remplis d'exaspération.

---

51. Antonin Artaud, *Œuvres complètes*, t. XIV*, *op. cit.*, p. 46.
52. Selon la traduction, proposée par Daniel Sibony, du terme KBD (prononcer *kavod*) : « *Honore* ton père et ta mère ; *Pèse* ton père et ta mère ; *Donne-leur du poids.* » (*L'Autre incastrable*, Paris, Seuil, 1978) On se souviendra que Job, à la fin, reconnaît avoir été par sa parole blasphématoire léger.

Pourquoi ma douleur est-elle persistante,
et mon coup pernicieux refuse-t-il d'être guéri ?
Tu es, tu es pour moi comme un mirage, des eaux de non-adhérence.
(Jr 15, 16-18)

La parole est dans la bouche et ne dit pas : elle « parle pour dire ». L'ambivalence de ce corps à corps ne saurait être plus explicite. C'est en cela, et en cela seulement que le prophète se fait sujet de la parole et corps de sa dévoration. Cette parole, on l'a dit, fonctionne à l'instar du rêve — de cela, bien sûr, seul l'hébreu peut témoigner — en ce qu'elle ne se donne que reconnue dans sa logique du signifiant ; cette parole est toujours à reporter au registre symbolique auquel l'imaginaire du corps prophétique doit se recomposer, se refaire, se « fabriquer ». Véritable travail de respiration : « Quand on n'a pas de corps et qu'on n'est rien, qu'on n'a encore jamais respiré, il faut une volonté terrible pour arriver à s'en fabriquer un, et gagner avec lui la place de respirer en totalité [53]. »

Le corps du prophète est en quelque sorte ce corps fabriqué, appelé à transmettre et à incarner les signifiants de l'alliance — ce seront, en l'occurrence, la cassure d'un pot à montrer (Jr 18), la ceinture pourrissante à exhiber (Jr 13), le joug à porter partout dans la ville (Jr 27), l'achat d'un champ qui constitue pour Jérémie un acte de foi en l'avenir, alors que toute la terre est en train de tomber aux mains des ennemis (Jr 32). Ce ne sont d'ailleurs pas ces gestes qui comptent mais leur littéralité, la parole ramenée au corps. Lieu d'une pensée-parole qui abolit toute dualité, celle que le langage nous impose ; lieu-acte fabriqué, construit, fictionnalisé et qu'un Artaud (un Jérémie) a vécu pour en souffrir absolument le sens. Ainsi, IHVH ordonne à Jérémie d'acheter une ceinture de lin et d'en ceindre ses hanches. Ce que fait Jérémie. Puis lui ordonne d'aller enterrer la ceinture dans une cavité de rocher au Perat. Ce que fait Jérémie. Il devra enfin retourner au Perat, après plusieurs jours, pour reprendre la ceinture pourrie, rongée par l'humidité. Voilà, dit Dieu, je détruirai le génie de ce peuple pourri devenu comme cette ceinture, « plus efficace du tout ».

Oui, comme la ceinture colle aux hanches de l'homme,
ainsi je colle à moi toute la maison d'Israël, toute la maison de Iehouda,
harangue de IHVH [...].
(Jr 13, 11)

Ce verbe « coller », DaBaQ, désigne bien l'union de IHVH à son peuple, mais c'est le même verbe qui désigne ailleurs (Gn 2, 24) l'union de l'homme et de la femme [54]. On entend que la ceinture

---

53. Antonin Artaud, « Chiotte à l'esprit », loc. cit., p. 7.
54. Voir le commentaire de Chouraqui, L'univers de la Bible, op. cit. (Jr 13, 11) : « Cette communion essentielle réalise la plénitude de l'humain. [...] la ceinture renforce

pourrie est à la fois Dieu et son peuple, ou plutôt, elle est ce « lier », cette « colle » déjà différenciatrice ou désirante, et pourrissante. Plus tard, l'ordre est donné à Jérémie de descendre à la maison du potier, où il assiste à la fabrication d'un vase de glaise détruit par la main du potier, puis refait sur le tour.

> Ne pourrais-je agir avec vous, comme ce potier,
> maison d'Israël ? harangue de IHVH.
> Vous êtes dans ma main, maison d'Israël,
> comme la glaise dans la main du potier.
> (Jr 18, 6)

Ce mot, potier, a en hébreu la même racine que « former », « créer ». Ainsi, l'image n'est jamais tout à fait une image à produire, à voir, mais un texte à déchiffrer, un rébus à prononcer. L'acte du prophète n'est donc pas tant une *mimesis* qu'une *semiosis* et une *somatique*. C'est en cela d'ailleurs qu'il est toujours déjà porté par le livre, que son théâtre en est un de lecture et, de là seulement, de récriture, puisque lire et écrire imposent aussitôt un *se produire* qui n'est pas, il faut le répéter, un devenir factuel mais une irruption du corps dans le signe, « corps au delà du corps ». Une telle logique explique que Moïse, exaspéré par son peuple, découragé par sa propre impuissance à rencontrer l'insoutenable de sa mission, puisse lancer à Dieu : « Efface-moi du Livre que tu as écrit[55]. » (Ex 32, 32)

Jérémie se fait donc, comme les autres prophètes, théâtre du Livre, véritable scène sur laquelle les Tables de la Loi sont accomplies, récitées, scandées. Car le Livre est à lire *absolument*, c'est-à-dire à rappeler constamment à la vie, à ressusciter. Le Livre est à lire parce qu'il est à « faire » avec et dans l'Histoire[56]. Ces Tables de la Loi, on n'a d'ailleurs cessé de les promener dans le désert et dans toutes les itinérances du peuple, jusqu'à les perdre. On ne dit jamais que les Hébreux se penchent pour les lire, mais qu'ils doivent sans cesse se les rappeler, comme s'il fallait inconditionnellement les récrire, les actualiser, selon l'autre sens du verbe interpréter.

---

le corps de l'homme en ornant ses vêtements. Ainsi de l'adhérence à IHVH ; elle unifie l'homme en lui donnant puissance et beauté. Mais ici encore l'échec naît de la surdité de l'homme. Noter l'ambivalence du symbole : ici, Israël est la ceinture collée à IHVH, qui a vocation de lui donner puissance et beauté. »

55. Rachi commente ce verset : « Efface-moi de la Torah tout entière. Pour qu'on ne dise pas de moi que j'ai été incapable de demander pour eux la miséricorde. » (*Le Pentateuque avec commentaires de Rachi*, « Exode », Paris, Samuel et Odette Levy, 1990)

56. Raphaël Draï, *op. cit.*, vol. 1, p. 138 : « Si la transcription met la parole en forme écrite, la lecture transforme de nouveau l'écrit en parole, lecture entendue ici non pas [...] en tant que chant, déclaration publique, mais en tant qu'étude et débat, cheminement comme l'indique la racine *KR* du mot hébreu, lecture, *kria*, qui désigne aussi la rencontre. »

Le livre brûlé

> Mais on ne peut les lire que scandés, sur un
> rythme. que le lecteur lui-même doit trouver
> pour comprendre et pour penser :
> ratara ratara ratara
> atara tatara rana
> [...]; pour que cela puisse vivre écrit il faut un
> autre élément qui est dans ce livre qui s'est
> perdu [57].

C'est donc au statut du texte que nous en arrivons, à ce livre parlant dont on commence à repérer la « scène », quelque chose comme
un livre performatif dont on peut reconnaître certes, et avec d'autres,
l'actualisation dans la tradition judaïque, mais aussi et peut-être surtout dans la pratique d'écriture propre à l'écrivain Artaud. Quelle est-
elle cette pratique et de quel objet se constitue-t-elle ? La lecture des
prophètes et la réévaluation de l'énonciation qui les singularise me
semblaient nécessaires pour comprendre cet impératif qui pousse un
sujet à l'écriture. Il ne s'agit plus, on le comprend, de l'inspiration
dont les Romantiques ont défini la portée en des termes ontologiques
et mythiques qui désignent eux aussi une « occupation » que l'on
devine toutefois plutôt comblante en la figure aimée et aimante, parfois tyrannique, toujours réconfortante de la muse. Il s'agit — et l'on
pourrait presque dire : *au contraire* — d'un devoir-dire dont la Loi est
transmission et séparation.

Il y a d'abord dans Jérémie une injonction à écrire qui fait que la
dictée de Dieu devient aussitôt dictée de Jérémie au secrétaire Barukh.
Puis il y a lecture publique de la Parole et enfin lecture privée au roi
Yohayaqîm qui brûle « mot à mot », si je puis dire, le livre de Jérémie.
À cela Dieu répond de récrire. Mais voilà que, à cette récriture qui est
déjà double, comme les Tables elles-mêmes, s'ajoutent « bien d'autres
paroles ». La *Mékhilta* sur *Chemot* [58] affirme à ce propos que la prophétie de Jérémie eut le mérite de se voir doubler. Or, cette doublure
permet surtout d'inscrire la douleur, la souffrance et l'amertume du
prophète, mais plus encore, elle incite à poser la question de la perti-
nence de l'écriture et de sa fonction.

---

57. Antonin Artaud, *Lettres de Rodez, Œuvres complètes*, t. IX, *op. cit.*, p. 172.
58. *Mekhilta* veut dire « mesure » ou « méthode », l'ouvrage recueille des midrachim
   sur l'Exode qui en hébreu se désigne sous le titre de *Chemot* signifiant « Noms »,
   premier mot du second livre du Pentateuque qui commence par « Voici les noms »
   suivi d'une liste qui présente les fils de Jacob par ordre de naissance. « Le premier
   mot important du texte sert de titre au livre tout entier, suivant un usage attesté
   dans toute la basse Antiquité et le Moyen Âge et que les papes perpétuent dans
   leurs encycliques. » (André Chouraqui, commentaire à sa traduction de *Noms
   (Exode)*, Paris, JC Lattès, 1993, p. 32)

Ainsi, comme les Tables de Moïse, le Livre de Jérémie a été détruit et il a fallu le récrire. Seulement, les secondes Tables étaient comme les premières, Écriture de Dieu ; et Dieu conserve, dans l'Écrit, une sérénité imperturbable, qui fait que les secondes Tables étaient, en tous points, identiques aux premières. Mais la Parole qu'Il confie à l'homme n'est pas assumée sans réactions pathétiques. Et lorsque l'homme qui l'a transcrite une fois l'a vue, de ses propres yeux, périr dans le feu du blasphème, il ne peut la retranscrire sans amertume, ni sans crainte. Il y a, dans le Livre de Jérémie, tel qu'il nous est offert, la trace d'une irréparable déception [59].

Où donc est la voix ? pourrait-on ultimement demander. Cette voix, que les Hébreux ont « vue » au pied du Sinaï, est-elle la même que celle du prophète ? Une fois les prophètes disparus, cette voix est-elle dans le livre qu'ils ont laissé ? De quelle voix s'agit-il ? Questions éminemment théâtrales avec lesquelles se remarque le principe performatif de l'écriture et, en lui, la fonction de l'énonciation.

La brûlure du livre, sa destruction est, dans Jérémie, le vecteur du sujet, de l'inscription plus incisive du « je », et la Parole qu'il reprend après coup apparaît peut-être plus clairement comme la force d'un frayage. Ce n'est plus seulement une mémoire transsubjective, universelle, qui impose désormais son travail mais une mémoire plus immédiate et singulière, frappée qu'elle est d'un deuil récent. De là, est révélé qu'il n'y a aucun terrain commun entre le mot et l'image, entre la lecture/écriture et le spectacle du monde. Une fois la pièce représentée, jouée, et dès lors que le texte est à retrouver, à reprendre, se présente une atopie : il n'y a pas de place pour sa mise en scène. Comme le dit François Régnault à propos du théâtre comme art de la représentation, il y a une impossibilité structurale à fondre la lecture dans l'acte de scène. « Une mise en scène n'est pas une lecture, l'*autre réel* de la chose, c'est le corps des acteurs [60]. »

Que le roi brûle la parole et enferme le prophète et son scribe a pour fonction de relancer l'acte mais dans un second tour qui procédera directement de cette brûlure. Ce qui advient, dès lors, c'est la juxtaposition d'un détruire et d'un construire, d'un arrachement, d'un bûcher et d'une « résurrection ». La résurrection en question n'est cependant ni réparation, ni apaisement, ni suture, elle est restauration de l'effroi inaugural, cette fois, éminemment subjectif et signé. Effroi d'une alliance avec l'Autre non plus seulement téléologique ou formelle, mais devenue souffrance d'un « je » qui se fait soudain cause de ce dont il est l'effet. L'avènement du sujet, logiquement, ne s'effectue qu'à partir de cette opération de saisie, puisque chu d'un ordre qui

---

59. André Néher, *Jérémie*, Paris, Plon, 1960, p. VI.
60. François Régnault, *Le spectateur*, Paris, Beba, 1981, p. 90.

l'a nommé à la place où il est, le parlant ne s'y reconnaît assujetti qu'à trouver là sa causalité. Problème de Job, on s'en souvient, qui doit subir le décollement nécessaire de cette place imaginaire dont il ne voulait rien savoir, lui qui se disait hors cause. Dieu, on l'a vu, ne l'a pas contredit sur ce point, seulement lui a-t-il fait entendre que, à cette causalité, il devait s'attacher pour com-pâtir.

C'est par cette torsion, donc, que le sujet s'immisce en son nom dans un ordre qui l'avait d'abord nommé. Cette destruction-restauration est au commencement du livre, celui que nous lisons puisque l'autre, le brûlé, celui d'un Jérémie d'avant Jérémie, est annoncé, ici, comme perdu. Mais cette torsion subjective est, dans l'acte prophétique, ressuscitée avec le corps. Et le « je » se met à parler, exactement comme s'il était la parole, au lieu de lui être assujetti. Mémoire vive de la résurrection du Brûlé dans sa langue d'incendie [61].

> Si le feu moral de la colère n'était pas capable de s'identifier avec toutes les formes visibles ou invisibles du Feu ce ne serait pas la peine de vivre et d'ailleurs nous n'aurions jamais pu vivre car après tout de quoi sommes-nous donc faits ?
>
> [...]
>
> Je ne sais pas ce que je suis mais je sais que depuis 22 ans je n'ai pas cessé de brûler et j'ai déjà dit qu'on avait fait de moi un bûcher [62].

Il y a aussi, chez Artaud, un livre perdu. Et le lien que l'écrivain entretient avec ce livre manquant, « brûlé », permet encore ici de reconnaître la construction d'une voix, d'un « je-moi », à partir d'une mort traversée et martelée comme *réelle*. Artaud ne fait Retour qu'au prix de la certitude de sa mort et de sa résurrection ; le Golgotha ne saurait être raturé par la traversée et le reniement du christianisme. Quelque chose, là, en effet, insiste à se rappeler au réel, et n'a rien à voir avec une identification pure et simple au Christ ni avec la prétention d'être Dieu. Ce dont ne cessera de témoigner Artaud à l'encontre de « l'universelle paresse d'esprit » toujours « tentée de le cloîtrer » dans le registre du délire, c'est du réel indéniable de sa mort et de sa renaissance. Ce qui limite les tentatives de lectures « cliniques » du texte Artaud est justement le statut qu'il donne à l'interprétation de cette « résurrection » comme sortie de l'impasse du Nom, c'est-à-dire de la *sexuation* et de la *génération*.

> J'aime les poèmes qui puent le manque et non le repas bien préparé. Et j'ai contre *Jabberwocky* quelque chose de plus. C'est que j'avais eu depuis bien des années une idée de la consomption, de la consommation interne de la langue, par exhumation de je ne sais quelles

---

61. Antonin Artaud, *Œuvres complètes*, t. XIV**, *op. cit.*, p. 33.
62. *Id.*, *Lettres autour des Nouvelles révélations de l'Être*, *op. cit.*, p. 189 et 197. C'est Artaud qui souligne.

torpides et crapuleuses nécessités. Et j'ai, en 1934, écrit tout un livre dans ce sens, dans une langue qui n'était pas le français, mais que tout le monde pouvait lire, à quelque nationalité qu'il appartînt. Ce livre malheureusement a été perdu. Il a été imprimé à très peu d'exemplaires, mais des influences abominables de personnes de l'administration, de l'Église, ou de la police se sont entremises pour le faire disparaître, et il n'en est resté qu'un exemplaire que je n'ai pas mais qui est resté entre les mains de l'une de mes filles : Catherine Chilé [63].

Ce livre dont la langue se consomme elle-même s'intitulait, selon Artaud, *Letura d'Ephrahi Falli Tetar Fendi Photia o Fotre Indi* [64]. Ce livre perdu, brûlé, ou plutôt mangé, innommable et introuvable inscrit par son insistante disparition un réel d'où la parole pourra revenir en personne. C'est à cette mémoire du néant, mémoire « d'ante-néant et d'outre-gouffre [65] » que l'acte Artaud se repère, procédant, selon un long travail de désenvoûtement de la matière, à la restitution d'un corps « sans profondeur, toujours surface [66] ».

Le Retour d'Artaud ne s'effectue sans doute qu'à partir de l'avènement de cette Parole Autre, réelle, c'est-à-dire au delà du corps parlant mais ramenée à lui pour le refaire, gouffre.

> Car dieu de son vrai nom s'appelle Artaud, et c'est le nom de cette espèce de chose innommable entre le gouffre et le néant,
> qui tient du gouffre et du néant,
> et qu'on n'appelle ni ne nomme ;
> et il paraît que c'est un corps aussi,
> et qu'Artaud est un corps aussi,
> non pas l'idée, mais le fait du corps,
> et le fait que ce qui est néant soit le corps,
> le gouffre insondable de la face, de l'inaccessible plan de surface par où se montre le corps du gouffre, le gouffre en corps, ce gouffre le corps, le gouffre corps [67].

L'écriture comme acte de division et art de la césure rappelle le sujet qui s'y mesure à l'impératif d'assumer sa propre causalité. Là où c'était sans nom... je deviens. Et de la culpabilité qui en résulte découle — ce qui, dans Jérémie est partout à l'œuvre, et très précisément aussi chez Artaud — la compassion. Là où c'était sans nom, je deviens Nom.

---

63. *Id., Lettres de Rodez, op. cit.*, p. 171.
64. Il faut lire le magnifique déploiement que Paule Thévenin donne à ce titre dont elle soutient rigoureusement la langue « que tout le monde peut lire, à quelque nationalité qu'il appartienne », dans « Entendre/voir/lire », *op. cit.*, p. 212 et suivantes. Où l'on reconnaîtra un récit de l'origine dans lequel se déclinent les prénoms de la mère et du père, l'ouverture du ventre par l'enfant-Tetar, etc. Quant à la « fille » Catherine Chilé, il s'agit de la grand-mère d'Artaud.
65. Antonin Artaud, *Œuvres complètes*, t. XIV**, *op. cit.*, p. 146.
66. *Ibid.*, p. 78.
67. *Ibid.*, p. 146-147.

Je voudrais considérer momentanément cette singularité du livre consumé, mangé, vecteur d'un dire « puant le manque », c'est-à-dire ne cessant pas de ne pas l'ensevelir, de ne pas l'enterrer, de ne pas le couvrir. Que l'acte Artaud en soit un d'interprétation et de « sortie en soi », on le reconnaît au déplacement qu'il fait subir au Nom [68], véritable recherche d'une extériorité interne, d'un dehors à rappeler à soi jusqu'à le devenir. Mais on reconnaît aussi l'acte d'interprétation dans la certitude, elle, non déplacée, d'un je-corps dont la souffrance assignable est le « centre-nœud ». Le mouvement qui travaille tout le texte d'Artaud s'apparente à une réversion de la parole sur le corps ou, si l'on veut, à une métamorphose du corps *en parole*. D'où la nécessité d'un trou, d'un réel d'où pourra revenir la scansion du dire « ratara / ratara / ratara /atara / tatara / rana », d'où ce livre perdu, mangé, livré à la mastication des langues. À ce titre, l'hypothèse de Paule Thévenin appartient au domaine du vérifiable.

> Ce livre perdu, ce livre écrit en 1934, ne faudrait-il pas entendre qu'il est ce LIVRE ininterrompu écrit DEPUIS 1934, ce livre qui s'écrit depuis 1934, ce livre qui comprend (exception faite pour les Cenci, travail de circonstance) tous les textes écrits depuis cette date-là, toutes les traces des voyages faits par Antonin Artaud, tous ses parcours : le Mexique, l'Irlande, les asiles d'aliénés, du Havre à Rodez, en passant par Sotteville-lès-Rouen, Sainte-Anne, Ville-Évrard et Chezal-Benoit [69] ?

Ce livre innommé et innommable est pourtant celui de la traversée du Nom. « Je n'ai jamais rien inventé, mes œuvres resteront, mais innommées [70]. »

Il y a dans la Bible, au désert, un phénomène étrange que les prophètes ne se lassent pas de rappeler, de re-susciter, et c'est le don de la manne. Qu'est-ce que la manne ? La nourriture céleste, bien sûr, mais il faut voir à quelles violences cette nourriture soumet le corps qui s'y restaure. Le nom de la « chose » d'ailleurs est assez révélateur. On dit que, sortant des tentes et apercevant cette indéfinissable nourriture qui monte du sol ou tombe du ciel, les Hébreux s'interrogent : *Manhou !* « Qu'est-ce ? », d'où son nom. La manne est d'abord le « quoi ? ». Voilà ce que mangeront pendant quarante ans les enfants d'Israël. Cette « chose » à manger est question, effraction. Et le texte dit bien la dimension déconcertante de ce don, puisque, à la demande de nourriture répond une pluie du ciel qui est sustentation en même temps qu'épreuve. « IHVH dit à Moshè : " Me voici, je fais pleuvoir pour vous le pain des ciels. Le peuple sortira et récoltera la parole du jour en son

---

68. Nanaqui, Révélé, Séparé, Nalpas, Artaud, Mômo, etc.
69. Paule Thévenin, *op. cit.*, p. 221.
70. Antonin Artaud, cité par Paule Thévenin.

jour, pour que je l'éprouve : ira-t-il en ma tora ou non " [71] ? » Cette manne est donc offerte d'emblée comme parole, et l'histoire raconte qu'elle n'a pas le même goût pour tout le monde. « Tes paroles se trouvent et je les mange », dit Jérémie, alors qu'Ézéchiel avalera le rouleau avant d'accéder à sa voix. On comprend à quel point il importe de poser cette parole-corps comme radicalement distincte du corps parlant. Nécessité d'autant plus essentielle qu'elle produit du corps, qu'elle instaure une incarnation impossible à représenter mais présente, de l'énonciation. Ce n'est pas ici une langue de fond à la Schreber qui est suscitée, car la langue qui se consume n'a pas pour fonction l'interprétation suturante, ni ne vise une jouissance sans reste et donc inévitablement catastrophique et dépossessive ; l'énonciation n'est pas ici réductible à un « processus de guérison qui défait le refoulement et ramène de nouveau la libido aux personnes délaissées par elle [...] par voie de projection [72] ».

Si le délire du psychotique signale que « ce qui a été intérieurement supprimé fait retour de l'extérieur [73] », il faudrait alors reconnaître dans ce processus celui-là même qu'accomplit une communauté avec le sujet qu'elle refuse d'entendre. Le prophète est bien celui qui effectue le retour, dans le réel, de la Parole. À ce titre, il ne délire pas, ni celui qui, dans *Les nouvelles révélations de l'Être*, annonce l'incendie générale et signe LE RÉVÉLÉ. J'aimerais du moins suspendre le jugement clinique sur ce texte d'Artaud, inaugural d'un parcours et postérieur au « livre perdu », pour le ressaisir justement dans sa « chaîne d'accomplissements ». L'assomption du Sans-nom, Séparé, Révélé, Anonyme dans sa première publication [74], est en fait l'aboutissement du premier temps d'un désir de faire passer l'Autre à la place du sujet. Cette démarche en est une effective de révélation, puisque ce qui est visé c'est le réel de la parole. L'interruption du rapport au symbolique qu'Artaud désignera à juste titre comme sa mort corporelle — anonymat, rapt, déportation dans l'enfermement psychiatrique, drogues, électrochocs — a ensuite pour effet que le corps, la matière, la pensée, l'infini deviennent ce « moi le corps, ce corps même, et non un moi au milieu du corps [75] ».

Quant à la sexuation, on sait qu'Artaud a dû en passer par le Vierge, autrement dit par une interrogation tourmentée et violente du féminin. Les bouffées d'antisémitisme, qui parsèment les écrits de Rodez, ne sont d'ailleurs pas sans nous interpeller au lieu précis de

---

71. Ex 16, 4.
72. Sigmund Freud, *Le président Schreber*, op. cit., p. 70.
73. *Ibid.*
74. On se rappelle qu'Artaud exige de Paulhan que ce texte paraisse sans nom d'auteur en 1937.
75. Antonin Artaud, *Les nouvelles révélations de l'Être*, op. cit., p. 96.

cette question. Car il est aussi question de sexuation dans le discours du prophète juif qui, on le lit à chaque page, s'adresse à un peuple fiancée ou épouse de Dieu. Cette féminité du peuple d'Israël n'est pas gratuite, puisqu'elle situe le monothéisme dans ses conséquences directes : avènement du Nom propre avec ses effets imaginaires déclinés dans les attributs substantivés (l'Éternel, le Grand, l'Héroïque, l'Effrayant, le Redoutable, le Puissant, le Miséricordieux, le Patient, l'Indulgent), sa dimension symbolique que rappellent certains noms qui désignent une fonction ou un statut (*Chekhina*-Présence ou Séjour ; *Chaddaï* : Celui qui dit « Daï ! » assez ! Dieu qui limite ; *Adonaï* : Nom de l'Innommable), et son trou de réel (le tétragramme IHWH ou *Chem Hameforach*, nom explicite et imprononçable [76]). Cette nomination du Nom de Dieu a pour conséquence la sexualisation du rapport entretenu avec lui. La parole prophétique est entièrement vouée à la dimension féminine d'Israël, c'est-à-dire à sa part sexuelle ou éminemment différentielle. Écoutons Ézéchiel :

> Et c'est la parole de IHWH à moi pour dire :
> Fils d'humain, fais connaître à Ieroushalaîm ses abominations !
> Dis : Ainsi dit Adonaï Elohim à Ieroushalaîm :
> [...] Tes enfantements le jour où tu as été enfantée,
> ton ombilic n'a pas été tranché,
> [...] Je passe près de toi et te vois.
> Mais voici ton temps, le temps des effusions.
> Je déploie mon aile sur toi et couvre ton sexe.
> Je te fais un serment, je viens à toi en alliance.
> [...] Mais tu t'assures en ta beauté, tu putasses avec ton renom,
> tu répands tes putasseries sur tous les passants : « Qu'elle soit à lui [77] ! »

On sait par ailleurs comment le christianisme reprendra la question, rouvrant le féminin à une jouissance du verbe entée sur l'homosexualité masculine (consubstantialité du Père et du Fils). L'antisémitisme n'est jamais sans puiser à cette métaphysique de l'Autre-sexe particulière au judaïsme. Quant au Vierge d'Artaud, on doit rappeler qu'il prend aussi son sens du fait qu'il permet la rétroaction généalogique qui le refera père de ses « filles de cœur » qui sont entre autres ses deux grand-mères, sœurs issues toutes deux du même arrière-grand-père-mère, double grand-mère, donc, ou double ventre dont il inverse le vecteur d'engendrement, lui qui se veut « niveleur du périple imbécile où s'enferre l'engendrement,/ le périple papa-maman,/ et l'enfant,/ suie du cu de la grand-maman,/ beaucoup plus que du père-mère [78] ».

---

76. Voir Emmanuel Levinas, *L'au-delà du verset*, Paris, Minuit, coll. « Critique », 1982, p. 146-151.
77. Ez 16, 1-15.
78. Antonin Artaud, *Œuvres complètes*, t. XII, *op. cit.*, p. 77.

Inversion de la procréation par ce trou du Vierge qui indique aussi l'effectuation d'un ordre de la parole proposé en réponse à cette question : Comment devenir à la fois le rêve et son envers, le dire et le dit coïncidents dans le *je* ? « Je dis/ de par-dessus le temps [79]. » Ce travail obstiné, obsessionnellement ressassé, injecté dans le dire, constitue en quelque sorte l'accession à la signature : *moi Antonin Artaud*, et finit par ne plus désigner que cet acte de signer.

Le prophète juif a aussi sa manière de remettre en jeu la question du *Je* au lieu de l'énonciation radicale par la souffrance et la mort. On se souviendra de la vision hallucinée d'Ézéchiel contemplant le charnier... de ressuscités. « Les ossements se rapprochent, l'ossement vers son ossement. Je vois, et voici, sur eux des nerfs, la chair monte, la peau les gaine par en haut. Mais pas de souffle en eux ! Il me dit : Sois inspiré pour le souffle, sois inspiré, fils d'humain ! Dis au souffle : Ainsi parle Adonaï Elohim : Des quatre souffles, viens souffle ! Gonfle ces tués, et qu'ils vivent [80] ! »

Dès lors, le livre n'est pas celui de l'Autre mais bien celui du signataire. Et c'est, pour Jérémie et Artaud, un livre brûlé, c'est-à-dire récrit de mémoire, un livre dont le sens n'est pas arrêté mais porté par le vivant qui cherche sa voix dans la Voix et se redouble de cette structure qui travaille son origine séparée, divisée, dédoublée. Il y a dans Jérémie, au delà d'une généalogie de l'Histoire, une généalogie du sujet, de sa naissance, de sa provenance et de sa fonction de prêtre d'Anatot dont on peut reconstruire les dispositifs et les conséquences [81].

Parole d'Irmeyahou [Jérémie] bèn [fils de] Hilqyahou,
des desservants [kohanim : prêtres] d'Anatot, en terre de Biniamîn,
à qui était la parole de IHVH,
aux jours de Ioshyahou [Josias] bèn [fils de] Amôn, roi de Iehouda,
en l'an treize de son règne.
Et c'est aux jours de Yehoyaqîm bèn Ioshyahou, roi de Iehouda,
etc. (Jr 1, 1-3)

Et tout cela se raconte dans une généalogie de la signature.

---

79. *Ibid.*, p. 100.
80. Ez 37, 7-9.
81. « *L'un des prêtres d'Anatot !* Les quatre mots paraissent tout simples [...]. Anatot, bourgade lévitique du canton de Benjamin, à quatre lieues au nord de Jérusalem. [...] Or le terrible malheur, c'est que la famille sacerdotale d'Anatot avait une histoire [...]. Voyez Josué 21 et 1 R II, 26. [Ce sont les descendants d'Ébiatar qui vivent là, de ce Ébiatar ayant trempé, trois siècles auparavant, dans le complot contre l'accession au trône du roi Salomon.] Anatot n'était pas la résidence normalement « lévitique » de ce clan sacerdotal [auquel appartient Jérémie], mais son lieu d'exil [...]. C'était une branche déchue, et sa déchéance, prescrite par Salomon, était respectée à travers les siècles par les souverains de Iehouda. [...] la famille de Jérémie n'était pas seulement déchue mais maudite, et [...] ces excommuniés du Temple étaient des parias. » (André Néher, *Jérémie*, op. cit., p. 1-7)

On en arrive enfin à ce paradoxe qui, pour certains, devient nécessité : tous les livres sont brûlés ou flambants ; impératif non de destruction mais d'écriture[82]. Par cette disposition violente, peut-être Jérémie, dans sa désolation, nous permet-il d'entrevoir ce qu'il en est de l'écriture lorsqu'elle se résout enfin à répondre de l'Autre qu'elle sait perdu, brûlé, oublié. Il y a certes un versant pathétique à cette scène, mais au delà de l'endeuillement de Jérémie, le versant littéral révèle l'impossible dans l'acte même qui tend à le dépasser. Quelque chose est indiqué d'un pas au delà, d'un franchissement toujours en cours, en train de s'effectuer, jamais dernier.

Au delà... la Cruauté

> Le dieu caché quand il crée obéit à la nécessité cruelle de la création qui lui est imposée à lui-même, et il ne peut pas ne pas créer.
>
> ANTONIN ARTAUD

Quel est le sens de cet endeuillement au delà duquel il faut aller ? En quoi ne serait-il pas justement, la frappe de l'*au-delà*, son chiffre en même temps que son barrage ? On trouve dans Freud une « spéculation » admirable d'obscurité et de puissance qui permet, il me semble du moins, de rouvrir la question — et le concept — de l'écriture. Ce que Freud appelle lui-même, dans la foulée de ses avancées, « l'audace d'un pas de plus[83] » se présente comme la tentative de prendre en compte le surgissement d'une cruauté inhérente à l'avènement du sujet de la parole et à sa jouissance. La jouissance se produisant dans la texture orientée de la parole marquée d'une hâte à faire retour vers le site de son effraction. Cette « pulsion de mort », déduite d'observations cliniques des névroses de guerre et peut-être surtout des névroses de transfert, met en scène là aussi une « vocation » à la répétition et une hâte à « accomplir » un destin. « Là aussi », entendez : *dans l'écriture* de Freud aussi bien que dans ce qu'elle vise, et dont elle retarde de parler, différant, annonçant, préparant, « spéculant » cet au-delà du principe de plaisir qui est principe de liaison, d'association, de nouage. Il semble, en effet qu'il en aille dans l'écriture de ce texte, *là aussi*, d'un franchissement affirmé et pourtant suspendu, ni achevé ni accompli mais « spéculé », c'est-à-dire remontant pas à pas vers... ; allant « bien loin », suivant son *Weg*, *chemin*

---

82. On retrouve ici, bien sûr, Mallarmé et Blanchot, entre autres dans « L'absence de livre », *L'entretien infini*, Paris, Gallimard, 1969 ; de même que Marc-Alain Ouaknin, *Le livre brûlé. Philosophie du Talmud*, Paris, Seuil, coll. « Points », 1993.
83. Sigmund Freud, « Au-delà du principe de plaisir », *Essais de psychanalyse*, Paris, Payot, 1981, p. 97.

étrangement retors du fait qu'il indique et produit au futur son franchissement.

> Ce qui suit est spéculation, une spéculation qui remonte souvent bien loin et que chacun, selon ses dispositions personnelles, prendra ou non en considération. C'est aussi une tentative pour exploiter de façon conséquente une idée, avec la curiosité de voir où cela mènera[84].

Comme si l'on — qui ? — était mené, conduit, dirigé, comme s'il s'agissait bien de se laisser écrire, pour voir. J'en arrive à ce texte de Freud parce que tout ce qui précède en était d'une certaine façon l'abord. « D'une certaine façon », puisque l'acte prophétique n'a été pensable qu'à partir de ce texte auquel nous arrivons enfin. C'est dire comment la circularité travaille ici l'objet à définir qu'est l'écriture. Et l'écriture de ce texte de Freud a ceci de singulier que son objet, ce qu'elle cherche à décrire, à définir ou simplement à dire, elle le devient, se signalant finalement elle-même selon un principe qui n'est cependant pas d'autoréférence mais plutôt de mise à distance, de coupure et de déliaison. Cette scène de l'écriture est aussi une scène donnée à l'originaire, à l'antériorité de la Loi que constitue le principe de plaisir — dont Job nous a livré une part de lumière. Au delà de ce principe nous n'irons pas, toujours ramenés à la liaison et à son principe. Malgré tous les pas de franchissement que ne peut s'empêcher de marquer Freud, nous n'avançons pas, l'économie de la *Bildung* reprenant toujours la limite que nous allions franchir.

> Il y a une sorte de rythme-hésitation dans l'organisme ; un groupe de pulsions s'élance vers l'avant afin d'atteindre le plus tôt possible le but final de la vie, l'autre, à un moment donné de ce parcours, se hâte vers l'arrière pour recommencer ce même parcours, en partant d'un certain point, et en allonger ainsi la durée. Mais bien que la sexualité et la différence des sexes n'aient certainement pas existé aux origines de la vie, il n'en reste pas moins possible que les pulsions qui devaient plus tard se caractériser comme sexuelles soient entrées en action dès le tout premier début [...]. Eh bien nous aussi, faisons pour la première fois retour en arrière[85].

Le comique d'un tel rythme n'est pas sans signaler une cruauté — que Freud appelle « démoniaque » — remarquable parce qu'elle dispose « à un moment donné » du défilé qu'opère la liaison, un délié qui en est la fracture ET le dispositif causal. On reconnaît là une lutte reportée à la nuit des temps, une lutte pour retrouver la nuit des temps et le Temps lui-même. « Nuit obscure[86] », dit Freud, dont il produit la mesure dans ce récit fantastique de la vésicule-vessie-bulle, cette histoire de la *Bläschen* bombardée, puis recouverte d'une écorce « à force

---

84. *Ibid.*, début du chapitre 4, p. 65.
85. *Ibid.*, chap. 5, p. 83-84.
86. *Ibid.*, p. 106.

d'avoir été perforée par l'action, la brûlure pour ainsi dire, des excitations [87] ». Ce ravage désastreux de la surface psychique serait, au contraire d'une pure destruction, l'avènement d'une graphie propre à entraîner dans ses sillons toute la suite du monde. Le mythe, qui raconte la production de la chaîne signifiante, invoque toutefois un ordre extérieur, un commencement effractant dont la liaison s'inaugurerait à partir d'une impossible répétition. Ce retour, ce circuit vers l'arrière, serait l'effet d'une déliaison à reprendre, à ressaisir dans la chaîne, produisant la chaîne et laissant en reste, hors d'ordre, sa cause elle-même. Le mystère du texte freudien s'épaissit en voulant construire sa généalogie à l'aide d'une extraordinaire métaphore biologique, la vésicule-fiction servant ici de corps à ce théâtre de la création.

Car il s'agit bien d'une histoire de la création, quelque chose comme une Écriture de l'alliance et de son principe tel qu'il trouverait sa dimension psychique, qui n'est pas ici de croyance ni de religion — on connaît Freud — mais de jouissance, de parole et de mort. À ce titre d'ailleurs, je n'invente rien :

> La notion de pulsion de mort est une sublimation créationniste, liée à cet élément structural qui fait que, dès lors que nous avons affaire à quoi que ce soit dans le monde qui se présente sous la forme de la chaîne signifiante, il y a quelque part, mais assurément hors du monde de la nature, l'au-delà de cette chaîne, l'*ex nihilo* sur lequel elle se fonde et s'articule comme telle. [...] — la perspective créationniste est la seule qui permette d'entrevoir la possibilité de l'élimination radicale de Dieu. [...] C'est seulement dans la perspective d'un commencement absolu, qui marque l'origination de la chaîne signifiante comme un ordre distinct, et qui isole dans leur dimension propre le mémorable et le mémorisé, que nous ne nous trouvons pas impliqués perpétuellement l'être dans l'étant [...] [88].

L'intéressant est que, dans cette spéculation freudienne sur la liaison et sur son principe, on ne sache pas — c'est Freud qui le dit — *ce qui* se lie ou ne se lie pas. Des représentants de représentation, disait ailleurs Freud, des signifiants, pouvons-nous dire après Lacan, certes ce sont là les « morceaux » et les débris du ravage, de la « brûlure ». Mais on reste devant l'énigme de ce qui lie ces débris associatifs, ce qui s'y représente et qui est À LA FOIS un sujet et sa mort, un sujet en tant qu'effet de la *liance* et de l'alliance.

Dans la circularité qui va de l'Écriture à l'écriture de la psychanalyse — cette dernière, comme l'Écriture biblique, se rattachant incontournablement à une parole — peut se dégager, il me semble, une pratique

---

87. *Ibid.*, p. 68.
88. Jacques Lacan, *Le séminaire*, Livre VII « L'éthique de la psychanalyse », Paris, Seuil, 1986, p. 251-253.

d'écriture dont le principe est mémoire et transmission, autant dire liaison et effraction. Ce champ de l'*ex nihilo* que la Bible appelle Création et que Freud indique comme au-delà dont il maintient jusqu'au bout l'irrésolution, Lacan l'appelle celui de la Chose. On dira enfin qu'il est aussi celui de la sublimation à la condition que l'on soutienne l'articulation rigoureuse d'une alliance qui s'effectue à l'envers d'une croyance dont Freud, mais aussi un écrivain comme Artaud, se sont faits non seulement les penseurs mais les acteurs et les spectateurs.

> Ce qui ne peut aussi manquer de nous frapper, c'est que les pulsions de vie ont d'autant plus affaire à notre perception interne qu'elles se présentent comme des perturbateurs et apportent sans discontinuer des tensions dont la liquidation est ressentie comme plaisir; les pulsions de mort en revanche paraissent accomplir leur travail sans qu'on s'en aperçoive. [...] Seuls ces croyants qui demandent à la science de leur tenir lieu du catéchisme qu'ils ont abandonné en voudront au chercheur de prolonger ou même de transformer ses vues. [...]
> « Ce qu'on ne peut atteindre en volant, il faut l'atteindre en boitant.
> ....
> Boiter dit l'Écriture n'est pas un péché [89]. »

On peut penser que ce poème de Rückert, avec lequel Freud termine sa spéculation et la désigne d'un boitement qui en est la méthode assumée et à quelques reprises affirmée, n'est pas sans soutenir une « référence occultée », pour reprendre le terme d'Éliane Amado Lévy-Valensi [90]. Référence à Jacob, peut-on sous-entendre, et à sa lutte avec l'ange-Dieu qui au matin le renommera Israël. Car cette lutte avec l'ange se raconte aussi comme un commencement, une effraction dont Jacob sortira blessé à la hanche et frappé d'un boitement; lutte dont l'issue est une nomination. Ce corps à corps avec le Nom est précisément ce qu'on a pu lire dans l'acte du prophète et qui est, pour Freud, le mode de sa rencontre avec l'objet même dont il parle et qui a pour « quasi Nom propre [91] » un X. « Nous opérons donc toujours, dit Freud, avec un grand X que nous reportons dans chaque nouvelle formule. » C'est là l'enjeu de sa signature puisque *Au-delà du principe de plaisir* construit un sujet d'énonciation qui ne cesse de se déporter au delà du savoir. Et si le nom de Freud ne finit pas de s'imposer comme un sujet supposé savoir, l'écriture invente ici incontestablement un sujet hors champ : déporté vers sa nuit, il ne sait pas et procède de cette parole à venir dont la spéculation a donné l'indicatif futur.

---

89. Sigmund Freud, *op. cit.*, p. 114-115.
90. Éliane Amado Lévy-Valensi, *Le Moïse de Freud ou la référence occultée*, Paris, Éditions du Rocher, 1984.
91. Jacques Derrida, « Spéculer sur Freud », *La carte postale*, Paris, Flammarion, 1980.

Le clou

> La douleur est un vieux clou rouillé qui
> s'enfonce de plus en plus et n'a ni à dormir ni à
> veiller.
>
> [...] Car la parole doit créer des clous, les plus
> éloignés de tout l'être afin de toujours le ramener
> au général par l'extrême particulier et forcer de
> nouveau le général à se rendre particulier [...]
>
> ANTONIN ARTAUD[92]

Si nous n'avons pu lire l'acte prophétique sans Artaud, c'est qu'il
y a chez Artaud un registre de la parole qu'il a travaillé au prix de
l'« être » ; au prix d'avoir à en passer par l'Être — celui dont il se fera
le support (anonyme) des « Nouvelles révélations[93] » — et au prix de
l'être, la parole, de la devenir en son corps sur la scène d'un théâtre qui
n'est plus un espace consigné dont on pourrait sortir, mais qui est la
vie même, la vie qui requiert toutes les fonctions vitales dont la *pensée* est en quelque sorte la première. « Décrire la vie corporelle de la
pensée, c'est être de plain-pied avec le théâtre[94]. » Ce prix est une
souffrance jamais éteinte, ni endormie ni éveillée, mais portée, travaillée, *clouée*, sans possibilité de fuite. C'est là, en effet, ce qu'il en
coûte de devenir sujet de cette vocation ou de cette Voix que l'on
décide de faire entendre radicalement dans cette fiction du théâtre
total qui est théâtre du Total. Rapport *analytique* à la parole qui est
aussi, on a pu le voir, rapport *biblique* à la Loi.

> Les êtres humains naissent avec toutes sortes de dispositions extrê-
> mement hétérogènes. Mais quel que soit le lot fondamental, le lot
> biologique [anatomique, dirait Artaud], ce que l'analyse révèle au
> sujet c'est sa signification. Cette signification est fonction d'une cer-
> taine parole, qui est et qui n'est pas parole du sujet — cette parole, il
> la reçoit déjà toute faite, il en est le point de passage. Je ne sais pas si
> c'est le maître mot primitif du Livre du Jugement inscrit dans la tra-
> dition rabbinique. Nous ne regardons pas si loin, nous avons des pro-
> blèmes plus limités, mais où les termes de vocation et d'appel ont
> toute leur valeur[95].

C'est ce prix de l'« être » qui permet de relire la traversée du corps,
la traversée de la métaphysique du corps jusqu'à la résurrection d'une
nouvelle anatomie dont le clou est, dans toute l'œuvre d'Artaud, la

92. Antonin Artaud, *Cahiers de Rodez*, avril-25 mai 1946, *op. cit.*, p. 230 et 145-146.
93. *Id., Les nouvelles révélations de l'Être, op. cit.*
94. Philippe Sollers, « La pensée émet des signes », *L'écriture et l'expérience des limites*, Paris, Seuil, coll. « Points », 1968.
95. Jacques Lacan, *Le séminaire. Le moi dans la théorie de Freud et dans la technique
de la psychanalyse*, Paris, Seuil, 1978, p. 374.

figure certaine d'irruption, de récitation. Le clou est précisément la « taque » de l'envers sur l'endroit, le point de capiton de la conscience et de l'inconscient, du général et du particulier. « Le clou bien planté est une taque neuve/ avec un clou rouge de sang dardé,/ et une autre taque plus basse avec 2 clous l'un sur l'autre[96]. » Petite « chose » créée au delà de l'être, *la plus éloignée de l'être*, mais plantée dans le corps premier comme néant à refaire et comme Nom. Le clou est, dans Artaud, une logique du Temps fondée sur la répétition et qui n'est pas sans rapport avec le viol ; celui du Nom et du corps propre qu'il faudra éjecter, « chier » avec l'être même pour le reprendre, se le reclouer comme peau, comme viscères, afin de se refaire une anatomie, se recréer du néant une généalogie.

> je me souviendrai toujours que toutes mes filles se sont précipitées
> comme des enragées pour me permettre de ravaler mon corps par les
> excréments de mon corps —
> êtres sortis du feu et rentrés en feu en moi,
> et se souvenir de la bourboulette,
> la table cloutée
> et peau cloutée
> avec le 1er clou sur l'aine,
> puis le clou en bas,
> un 2e clou sur l'aine,
> le clou sur la tête et le clou dans le dos [...]
> car la réserve est là
> dans ce qui fut porté d'un secret de mon souffle dans mes poumons
> et que je remets en place peu à peu dans l'étendue entière de mon
> corps avec des clous et des marteaux en attendant que la poutre soit
> taillée pour la colonne centrale [...]
> ce n'est pas une formation
> mais une autre opération [...]
> elle appelle ce qui n'était pas à exister,
> c'est ce que je ne pense pas
> et que je fais[97].

Les *Écrits de Rodez* constituent cette « opération » minutieuse, obstinée. Aboutissement d'une Séparation, d'une disparition ponctuellement dédicacée à Hitler, substitut momentané du sujet en proie à une déportation secrètement désirée, attendue, effective. « C'est ainsi que j'ai eu beaucoup de mal à écrire et à publier *Le théâtre et son double*, qui en 1933 annonçait et désirait la guerre, la famine et la peste[98]. » Il faut prendre Artaud au sérieux lorsqu'il écrit à Anne Manson en 1937 : « Je ne sais pas ce que je suis mais je *sais que depuis*

---

96. Antonin Artaud, *Cahiers de Rodez*, avril-25 mai 1946, *op. cit.*, p. 151. La description se rapporte à deux dessins.
97. *Ibid.*, p. 451-453.
98. Antonin Artaud, *Œuvres complètes*, t. XIV*, *op. cit.*, p. 115.

22 ans je n'ai cessé de brûler et j'ai déjà dit qu'on avait fait de moi un bûcher. [...] Les drogues ont ajouté au foyer et j'ai consenti au foyer puisque le feu était venu avant l'œuvre, mais l'œuvre va détruire le feu qui brûle mon corps et en dégager un autre [99]. »

Ce consentement à la consumation est peut-être ce qui distingue le « délire religieux » de l'expérience religieuse effective, de toute expérience religieuse dont Artaud évoque « l'esprit de revendication d'une autre vie » qui la caractérise [100]. C'est encore ce qu'il dira en 1948 au sujet de Van Gogh, soulignant la décisive acuité du peintre, qui le situe au cœur de la Raison dont on ne fait jamais que refouler le vacillement, celui que suppose toute rencontre frontale avec la vérité. Car si ce cœur est vacillement, trouée, ouverture, il n'est pas délire qui, lui, indique la suture interprétative. S'il y a psychose, délire, folie, dans le parcours du sujet, on ne saurait, j'insiste, y reconnaître la structure de l'écrivain-acteur Artaud, puisque celui-ci se recompose, se réinvente dans la signature d'une œuvre dont il fait sa vie même. Autrement dit, la psychose, si elle peut se constater, est au service d'une autre action que celle du sujet parlant, elle sert de *clou* à la pensée du corps qui est le corps de l'œuvre. Corps créé, fabriqué, façonné, corps signature d'un *je* « sorti en lui ».

À relire les deux textes, qui sont en quelque sorte aux extrémités de cette traversée — extrémités du Nom, puisqu'elles coïncident avec une plongée-désagrégation et un re-surgissement — et concernent directement ce qu'il appelle l'« être », on peut cerner quelque chose comme un devoir-dire par lequel le sujet rencontre sa destitution irrévocable, sa destruction proprement dite puis son commencement. Entre *Les nouvelles révélations de l'Être* et *Pour en finir avec le jugement de Dieu* s'écoulent en effet plus de dix ans, de 1937 à 1948, entre lesquels l'internement, la profusion des écrits à Rodez, la catastrophe mondiale et la *Shoah* effectuent un avènement dont Artaud, le Mômo, ne pourra pas ne pas répondre. C'est en tant que sujet singulier, re-nommé, retourné qu'il répond en son nom de l'Histoire — de la sienne et de l'autre —, et qu'il peut enfin signer.

> Quant à moi qui avec mon corps ainsi placé me trouve au carrefour même de la bagarre, et à qui rien n'échappe de ce qui se passe autour de moi, sur moi, par-dessus moi, au-dessus de *moi* et contre moi, et

---

99. *Id.*, *Œuvres complètes*, t. VII, *op. cit.*, p. 197. C'est Artaud qui souligne.
100. *Id.*, *Nouveaux Écrits de Rodez*, *op. cit.*, p. 50 : « Tous les Saints étaient sur terre des êtres singuliers, et il aurait suffit que par erreur ils aient été enfermés dans un Asile au lieu de l'être dans un couvent pour que leur esprit de mortification, leur illuminisme, leur zèle prissent immédiatement dans l'esprit de certains médecins peu avertis ou mal intentionnés le caractère de certaines psychoses, dont ils eussent été absolument incapables de se justifier. Saint François d'Assise ou sainte Thérèse d'Avila seraient demeurés enfermés leur vie entière dans un asile d'aliénés. »

je dis que ce qui se passe est une sale et méphitique histoire où la police côtoie le prêtre, et le prêtre le psychiatre et le savant [...] [101].

Et maintenant, je demande aux hommes de me dire combien j'ai fait de morts chez les hommes depuis un certain jour du mois d'avril 1945,
combien j'ai fait tomber de maisons et de villes,
combien j'ai allumé d'inexplicables incendies,
combien j'ai fait éclater d'épidémies,
combien j'ai provoqué de maladies bizarres,
combien j'ai tailladé et déchiqueté de troncs humains,
combien j'ai couturé et sabré de sexes humains [102].

Ce « certain jour » d'avril 1945 est celui où Artaud revient de sa crise religieuse et jette « la communion, l'eucharistie, dieu et son christ par les fenêtres [103] », moment inaugural d'une violence inédite qui dit bien que ce rejet, ce reniement n'est pas un dépassement mais un retour sur soi d'une vérité nouée, « clouée » dans cette expérience religieuse. La véhémence blasphématoire des derniers temps d'Artaud procède directement d'un Golgotha indéniable dont le clou dit la séparation, la perforation et la *fixion*. Les « tués » d'Artaud sont aussi ceux qui reviennent du trou de l'Histoire à partir duquel le monde vient de se retourner comme un gant.

Les nouvelles révélations de l'Être concernaient l'imminence d'un désastre, portée par cette assomption prophétique de la fin. Assomption sur le mode impératif comme mémoire et futur actuel où l'on repère que c'est le statut même de l'écrivain, de sa vie, de son nom qui est en cause avec le sens du monde.

Il faut finir. Il faut enfin trancher avec ce monde qu'un Être en moi, cet Être que je ne peux plus appeler, puisque s'il vient, je tombe dans le Vide, cet Être a toujours refusé. [...]
Or, n'étant plus je vois ce qui est.
Je me suis vraiment identifié avec cet Être, cet Être qui a cessé d'exister.
Et cet Être m'a tout révélé.
Je le savais mais je ne pouvais pas le dire, et si je peux recommencer à le dire, c'est que j'ai quitté la réalité [104].

L'écriture sous injonction implique donc la désagrégation de l'écrivain, la nécessité de ne pas signer [105]. Ce texte étrangement crypté où le dépositaire de la Parole est un qualificatif, le « Révélé », se présente

101. *Id.*, « Histoire vécue d'Artaud-Mômo », *Œuvre complète*, t. XXVI, *op. cit.*, p. 186.
102. *Id.*, *Œuvres complètes*, t. XIV**, *op. cit.*, p. 153.
103. *Id.*, *Œuvres complètes*, t. XI, *op. cit.*, p. 120.
104. *Id.*, *Les nouvelles révélations de l'Être*, *op. cit.*, p. 120.
105. Voir entre autres l'analyse que fait Jean-Michel Rey dans *La naissance de la poésie. Antonin Artaud*, Paris, Métailié, 1991, où il montre le lien entre cet effacement du nom et l'amorce d'une autobiographie épistolaire qui trouvera dans les écrits de Rodez sa pleine élaboration.

comme un ensemble de dates, de nombres et de calculs apparemment kabbalistiques, de conjectures basées sur les Tarots, de fragments de discours péremptoires et prophétiques plutôt énigmatiques derrière lesquels disparaît Artaud. Mais cette perte du Nom est rythmée par une ponctuation qui ne cesse de renvoyer au sens, à son principe ; le livre résonne obstinément d'un « Qu'est-ce que cela veut dire ? » à partir duquel l'écriture se relance mais ne s'explicite pas. La destruction ici en jeu semble se dessiner comme une nécessité, une exigence cruelle mais sans issue, déjà avérée dans la séparation « qui vous parle » en personne ; elle est brûlure, bûcher, consumation radicale, qui a fini de prendre le sujet Artaud mais va maintenant occuper l'Histoire.

Ici aussi, le futur retour s'expose à surgir de la brûlure, à s'en faire la mémoire dans sa lutte pour ressusciter un corps de la pensée. Et cette vie corporelle de la pensée, ce corps du corps, ne pourra enfin se remettre en scène, j'entends publiquement, dans son nom, qu'en l'affirmation d'une méthode « pour en finir », non pas avec le feu et la Loi mais avec sa négation. En finir avec le Jugement de Dieu, c'est d'abord le finir, ce jugement, l'accomplir enfin, à sa place puisque cette place est maintenant vacante, à la disposition de celui qui s'incarne *en vérité*.

> On ne me croira pas
> et je vois d'ici les haussements d'épaules du public
> mais le nommé christ n'est autre que celui
> qui en face du morpion dieu
> a consenti à vivre sans corps
> alors qu'une armée d'hommes
> descendus d'une croix
> où dieu croyait l'avoir depuis longtemps clouée,
> s'est révoltée,
> et, bardée de fer,
> de sang,
> de feu, et d'ossements,
> avance, invectivant l'invisible
> afin d'y finir le JUGEMENT DE DIEU.

De là, Artaud ne cessera plus de dire que ce qu'on appelle *dieu* n'a plus rien à voir avec l'Autre et son extimité qui est cruauté, c'est-à-dire rigueur, anatomie recomposée, refaite, intransigeance d'une Loi intenable qu'il appelle aussi la « vie ». *Pour en finir avec le jugement de Dieu* s'ouvre sur l'annonce des manipulations génétiques, sur la fécondation artificielle, bref sur l'usurpation de la place de l'Autre par le Sperme et les Animalcules. « Moi, Antonin Artaud », l'extorqué, le râpé, celui à qui l'on a justement sucé le Sperme jusqu'à la lie, nous parlera en désespéré d'une histoire de Dieu qui se récite comme histoire de la défécation. « Là où ça sent la merde, ça sent l'être. » L'enfer de Rodez traversé telle une « longue et interminable bataille avec l'occulte » est aussi celui de la société européenne, de l'Occident frappé désormais d'une condamnation irrévocable, scatologique, et qui ne sait pas ce que vivre veut dire.

« Pour exister, il suffit de se laisser être, / Mais pour vivre/ il faut être quelqu'un / pour être quelqu'un / il faut avoir un OS / ne pas avoir peur de montrer l'os / et de perdre la viande en passant. » Ce que ne cesse de dénoncer Artaud, c'est la folie du monde mais surtout les pouvoirs occultes de la possession. Contre cette possession par autrui, dont nous sommes tous la proie, contre cette idolâtrie de la culture dans laquelle nous avons déjà sombré et ne cessons de poursuivre le naufrage, Artaud invente la démystification par la pensée faite corps, c'est-à-dire par le théâtre du corps comme brisure, rupture, cassure de l'envoûtement. Artaud, dans la brûlure et la destruction, dans l'éblouissante souffrance dont il a choisi de dire et de transmettre non seulement la lettre, mais la chair sublimée, a pu — le seul ou presque — parler de cet envoûtement universel.

« — Vous délirez, monsieur Artaud. Vous êtes fou. — Je ne délire pas. Je ne suis pas fou, je vous dis qu'on a réinventé les microbes afin d'imposer une nouvelle idée de Dieu. [...] — Que voulez-vous dire, monsieur Artaud ? — Je veux dire que j'ai trouvé le moyen d'en finir une fois pour toutes avec ce singe [106]. » C'est d'avoir perdu son Nom, puis écrit sous le dictame [107] qu'Artaud nous parle en Séparé (du même nom que les docteurs de la Loi à l'époque du second Temple — perouchim ; en grec : pharisaioi, « pharisiens » dont le Nouveau Testament a imposé une image méprisable et qui est, comme le reste, à revoir). Le Séparé est plus que ce gardien de la Loi pour les autres, il en est le corps d'énonciation en direct pour le peuple et la société à laquelle Artaud a marqué sa non-appartenance, non solidaire du refoulement qu'elle dénie et des exclusions qu'elle répète.

Saisit-on maintenant à quelle transcendance renvoie cette vocalisation de la Parole ? Dans une lettre du mois de juin 1945, à l'époque où il complète la traduction d'*Israfel* de Poe, Artaud écrit à René Solier : « J'ai en effet envoyé un texte à Paulhan : *Les mères à l'étable*,

---

106. Antonin Artaud, *Pour en finir avec le jugement de Dieu, op. cit.*, p. 103.
107. Le terme est d'Artaud. « La syntaxe du *spell* — le rendement du mot au delà de son usage, son gain poétique, ce qu'il sollicite dans le français — s'enrichit et se diversifie à mesure que s'effectue sa récriture. [...] Avec cet infléchissement du *spell* nous sommes au cœur de la *diction*, de cette opération qui consiste à rattacher *par* la parole, *dans* la parole, les éléments constituants du langage, les syllabes ou les lettres. [...] La diction poétique — le *spell*, la scansion, le dictame, et leurs suites — procède de la volonté de faire respirer la langue, de la reprendre dans son principe. » (Jean-Michel Rey, *op. cit.*, p. 124 ; c'est Rey qui souligne) Où l'on entend, là encore, le vecteur de cette « parole pour dire » propre au Dieu des prophètes, et le jeu de la lettre qu'elle recèle.

car je ne cesse pas d'écrire. C'est un rêve où j'ai essayé de traduire tout ce que je savais de ma conscience, mais à y regarder de plus près c'est l'infini et je crois qu'il n'y a pas de conscience éternelle, et qu'on en apprend de pires de jour en jour sur les capacités de notre inconscient : dieu [108] ! » Que Dieu se réduise ici, peut-être, à une exclamation importe peu ; il y a là un lien direct. Car c'est de traduction toujours qu'il s'agit ; comment, au delà de la brûlure du livre originaire, dans le Sans-Nom de son histoire, traduire l'impératif de dire ? Question de voix, à retrouver. L'au-delà « produit » et reconnu comme prescription vocale et corporelle, Artaud en renomme aussi la temporalité insistante et scandée, non plus éternelle mais « sempiternelle ».

Car je me veux sempiternel, c'est-à-dire un moi qui bouge et se crée lui-même à chaque instant, et non éternel, c'est-à-dire ayant un moi absolu et qui me commande toujours du haut de son éternité par l'esprit de tous les doubles qui ne veulent pas avancer, mais perdurer dans leur confiture inaliénable de bouddhas contemplatifs de je ne sais quel éternel esprit qui n'a jamais existé, quand c'est toujours le corps actuel de notre être immédiat dans le temps et l'espace sempi- ternel qui existe, et non les doubles du passé intitulé éternité [109].

C'est cette transcendance immédiate et son « corps actuel » que j'ai voulu entendre chez les prophètes hébreux, pour nous les redonner à lire hors de toute croyance et de toute religion (juive ou chrétienne). « Pousser la voix jusqu'à l'expiration du souffle non dans le cri mais jusqu'au roc naturel d'en dedans, dans le silence d'une incarnation d'être qui pour faire avorter les spectres, la naissance des purs esprits, et pour le mat qui est l'être du corps, ne craint pas la descente à pic jusqu'au refoulement de la puissance de forme dans la domination par internes formes des éclatements de volonté [110]. » Le livre brûlé à récrire de mémoire est somme toute ce corps Autre, perdu, dont on cherche toujours à déchiffrer la lettre désirante.

Il y a encore une autre définition de l'acte prophétique qu'il n'est pas sans intérêt d'évoquer pour finir, version à laquelle Samson Raphaël Hirsch s'attache principalement [111]. Hirsh développe une mé- thodologie linguistique qui prolonge et qui pousse à sa limite, si l'on peut dire, la méthode rabbinique de l'anagramme. Pour lui, les mots sont des structures dynamiques dont les lettres demeurent soustraites à toute solution de continuité. Analysant entre autres selon cette méthode un verset des Psaumes, il le déchiffre comme étant « la

108. Antonin Artaud, Œuvres complètes, t. XI, op. cit., p. 90.
109. Id., Lettres de Rodez, op. cit., p. 188-189.
110. Id., Œuvres complètes, t. IX, op. cit., p. 217-218.
111. Samson Raphaël Hirsch, rabbin allemand (1808-1888). Dans son Commentaire sur le Pentateuque, il développe une méthode d'exégèse biblique qui s'appuie sur une approche symbolique des mots hébraïques, de leur racine et des lettres.

projection scripturaire de la structure [...] de l'Alliance par excellence, celle que le *nabi*, lorsqu'il le faut, est chargé de défendre et de restituer, de reconstituer pour assurer la survie et la viabilité de son peuple engagé sur les voies de la destruction [112] ». Les versets qu'il retient sont ceux-ci :

> Le jour au jour en énonce le dire,
> la nuit à la nuit en transmet le savoir.
> (Ps 19, 3)

Où l'on apprend, en effet, que le temps du monde, celui de la liaison entre les jours, est un surgissement de vie (*nabâ*) qui ne s'introduit que par l'ordre du langage. Ainsi, *yom yabiâ omer leyom* [dont on vient de lire la traduction de Chouraqui] est retraduit à partir de la racine NBÂ et donne « le jour fait surgir (*yabiâ*) une parole au jour ». De là, le prophète (*nabi*) s'inscrit dans cette réciprocité du temps humain qui le fait à la fois interprète de l'Histoire et médiation dialogale entre Dieu et son peuple. C'est en ce sens, soutient Raphaël Draï, « que le cosmos est prophétique et que, pour le futur prophète, il a fonction et valeur de signification [113] ». En ce sens, aussi, que le cosmos est cruauté, si cruauté veut dire « vie » et « nécessité » ; cruauté du cosmos qui lie la Parole à ce dont elle ne peut parler.

---

112. Raphaël Draï, *op. cit.*, vol. 1, p. 172.
113. *Ibid.*, vol. 1, p. 189.

Chapitre cinq

Un saint, un gant, un mort.
Genet avec la Chose

L'atelier du livre : sortir

> Un regard — c'est peut-être de notre œil — à
> l'acuité soudaine, précise de l'extra-lucide, et
> l'ordre de ce monde — vu à l'envers — apparaît
> si parfait dans l'inéluctable, que ce monde n'a
> plus qu'à disparaître. C'est ce qu'il fait en un clin
> d'œil. Le monde est retourné comme un gant [1].

On trouve dans Genet l'invention d'un sujet légendaire, construit
à même la langue, le verbe, d'une chair singulière, sexuée, palpable,
odorante, saignante. Ce sujet est un héros toujours réversible, tragique
ET comique, moral ET immoral, athée ET mystique, écrivain ET personnage, politique ET désengagé. L'invention de ce sujet relève d'une
véritable *méthode*, d'un travail obstiné — à la fois désinvolte et pathétique — de désenfouissement du refoulé du monde : haine, sexe, honte,
nuit, envers des choses et des mots, abjection. Il s'agit, dirait-on, d'opérer une sortie dans le cadre d'une captivité assumée, indéniable, jamais
niée ; sortie du monde dans le monde. La méthode est terrible et ne se
donne jamais totalement : « Le cœur y [est], le corps y [est] ? Tout y [est]
à tour de rôle ; la foi jamais totale et moi jamais en entier [2]. » Il y a dans
cette rigueur la nécessité d'une distance, autant dire d'un masque ou
encore d'un espace de retournement propre aux conversions et aux travestissements qu'exige une telle pratique. Art du regard et de la description ; art du témoin, de l'espion, du chroniqueur et de l'évangéliste ;
art de la lettre. On ne saurait, en tout cas, lisant Genet, se passer de
reconnaître cette joute du paraître et de l'apparaître ; système des

---

1. Jean Genet, *Notre-Dame-des-Fleurs*, Paris Gallimard, 1949, p. 159. Dorénavant,
   les renvois à cet ouvrage seront identifiés dans le texte par le sigle *NDF*, suivi du
   folio.
2. *Id., Un captif amoureux*, Paris, Gallimard, 1986. Dorénavant, les renvois à cet
   ouvrage seront identifiés dans le texte par le sigle *CA*, suivi du folio.

miracles dont l'écriture dispose l'implacable miroitement. Ce que nous lisons, c'est la matière même du masque, texture de la mascarade jamais abandonnée mais sujette aux plis et aux dépliements, aux coutures, broderies et déchirures que le temps de la parole oblige. Ce masque, Genet l'a plus d'une fois nommé de son nom redoutable, sans jamais pour autant le lever tout à fait, cachant derrière lui ce qui ne peut se dire autrement qu'en mourant : la Honte.

> Travesti je pus une fois paraître avec Pedro, m'exhiber avec lui. Je vins un soir et nous fûmes invités par un groupe d'officiers français. À leur table était une dame d'une cinquantaine d'années. Elle me sourit gentiment, avec indulgence, et n'y tenant plus elle me demanda :
>
> — Vous aimez les hommes ?
>
> — Oui, madame.
>
> — Et... à quel moment ça a commencé ?
>
> Je ne giflai personne mais ma voix fut si bouleversée que par elle je compris ma colère et ma honte. Afin de m'en tirer, je dévalisais cette nuit même l'un des officiers.
>
> — Au moins, me dis-je, si ma honte est vraie, dissimule-t-elle un élément plus aigu, plus dangereux, une sorte de dard qui menacera toujours ceux qui la provoquent. Peut-être ne fut-elle pas tendue sur moi comme un piège, ne fut-elle pas voulue, mais étant ce qu'elle est je veux qu'elle me cache et que sous elle j'épie [3].

Démasqué, le visage dévoile sa matière qui est honte vraie, voile dernier cachant ce néant dangereux et dardant d'où *je nais*, voleur ou — ce qui revient au même — pur regard. Là, derrière, je suis ; indémontrable et pas montrable, manquant à toute lettre mais que la lettre, sa texture d'enchaînement et d'agglutination, invente, restaure et magnifie. Écrire c'est nommer, (se) renommer, surnommer, déployer à l'excès dans le voile de la langue, des mots, des sons, ce qui, du sujet, reste toujours à dire mais se donne à voir dans les drapés du signifiant. La « rengaine », comme l'appelle Derrida [4].

La méthode, on va s'en rendre compte, est un art du regard : trompe-l'œil, voyeurisme, exhibitionnisme, peinture, portrait, description, couleurs et pâte verbale ; invention du Saint en tableau, magie de la transsubstantiation : *Ceci est mon corps, ceci est mon sang*. Pour qui naît ce sujet ? Pour le livre dont on doit, bien sûr, reprendre le procès,

---

3. *Id.*, *Journal du voleur*, Paris, Gallimard, « Folio », 1949, p. 75-76. Dorénavant, les renvois à cet ouvrage seront identifiés dans le texte par le sigle *JV*, suivi du folio.
4. Jacques Derrida, *Glas*, Paris, Denoël/Gonthier, 1981, p. 7 : « Genet a souvent feint de définir l'opération " magnifiante " de son écriture par l'acte de nomination. L'allégation en paraît assez fréquente pour que nous puissions y suspecter quelque effet de rengaine. »

dans tous les sens du terme. D'où vient-il, ce sujet, héros infâme et saint ? Du livre, encore, qui l'accouche, l'élève, le révèle et fait de lui un mort selon la chaîne des Mystères : *Immaculée Conception, Incarnation, Baptême, Eucharistie, Mise à mort, Déposition, Pietà*. Résurrection ? Oui, mais à l'envers de l'histoire, à rebours de l'Origine, contre elle et contre la Nuit des temps ; travesti ou converti en phallus, corps glorieux de l'écrit, corps somptueux de la lettre « enfilée » sur la page en sa double sexuation, pour dire la mort du héros. « Je ne connaîtrai la paix que baisé par lui, mais de telle façon qu'enfilé il me gardera, allongé sur ses cuisses, comme une *Pietà* garde Jésus mort[5]. »

Qu'en est-il du sens dans le livre de Genet ? La question paraîtra sans doute incongrue. Pourtant, en retraversant les romans jusqu'au *Journal*, puis le théâtre, les textes « politiques », les entretiens, et parvenant au dernier livre du *Captif*, on est frappé d'entendre à quel point cette question est celle de Genet lui-même. Non pas que le sens se cherche, ni même qu'il en aille du monde et du livre comme d'une entreprise visant un sens à trouver ou à faire. Il semble au contraire que la méthode de Jean Genet insiste à le défaire, ce sens, sans pour autant viser le non-sens. L'entreprise n'est pas nihiliste et le pathétique ne relève pas d'une nostalgie du Sens perdu ni d'une Osmose rêvée entre les mots et les choses. Il faut lire à ce titre la légende de Sainte Hosmose[6] pour comprendre à quel point ce registre est l'occasion de « déconner ». Le pathétique de Genet est dans les blancs, les trous, les vides mis en scène qui font du sens un matériau, voire un « personnage », une facture tangible, corporelle qui est aussi la dette payée au Symbolique. Écriture en conglomérats et en morceaux, déchirée en petits morceaux, en séquences abouties l'une à l'autre, « puis », « ensuite », secousses, inductions, juxtaposition, collage, décollement, décollation. Guillotine, couteau, glaive, le corps compose sa sexuation, sa castration minutieuse, détournée, déportée plus loin, toujours déjà avérée, malgré l'histoire qui raconte la grand-messe à l'idole phallique, carnavalesque ou cérémonieuse. Peut-on parler d'écriture de la perversion, de désaveu de la Loi ou, comme Sartre, d'un « qui perd gagne », pour résumer la position de Genet[7] ? Il faudrait pour cela au moins trouver *où* est Genet, où le saisir dans la diffraction de la signature qui expose à la fois l'auteur, le prétendu narrateur, le voleur, le témoin, le destinataire, le lecteur, ou encore ce personnage dans lequel le « je » s'engouffre pour voir, connaître, regarder, jouir.

---

5. Jean Genet, *Querelle de Brest*, *Œuvres complètes*, t. III, Paris, Gallimard, 1953, p. 414.
6. Publié d'abord en italien dans *Il delator* en mars 1964 puis en français dans *Le Magazine littéraire* consacré à Genet, n° 313, septembre 1993, p. 58-60.
7. Je renvoie aux livres de Catherine Millot, *Gide Genet Mishima. L'intelligence de la perversion*, Paris, Gallimard, « L'Infini », 1996, et de Serge André, *L'imposture perverse*, Paris, Seuil, 1993, dans lequel il consacre un long chapitre à Genet.

> Dès la première fois que je le vis [Erik, le jeune hitlérien], au sortir de l'appartement je m'efforçai de remonter le courant de sa vie, et pour plus d'efficacité, je rentrai dans son uniforme dans ses bottes, dans sa peau. [...] Mon mollet vibra puis tout mon corps. Je redressai la tête et sortis les mains de mes poches. Je chaussai les bottes allemandes [8].

La suite du récit est troublante, puisque Erik est à la fois lui-même et ce « je » qui le cherche, selon un corps à corps vertigineux qui procède en quelque sorte d'une incorporation. Le deuil de l'amant mort passe directement par cette dévoration : « J'ai la bouche en sang, et les doigts. Avec les dents j'ai déchiqueté la chair. Habituellement, les cadavres ne saignent pas, le tien si » (*PF*, p. 14) ; et c'est toute l'écriture qui s'y trouve entraînée, associée. Le texte procède de ces invaginations « carnivores », et ce qui reste est précisément ce qui choit d'un tel parcours. Ce qui tombe du corps — étron, phallus postiche, rose coupée, tête décapitée, pisse, lait, sang, larmes, sperme, glaviaux, main ou jambe amputée, prothèses — revient au texte en autant de paragraphes recousus, de phrases qui brodent sur les ouvertures de fosses, de tinettes, de chiottes ou d'« œil de Gabès » (*PF*, p. 14-15), sur toutes ces blessures et ces trous qui regardent. Qui parle ici ? Et qui écrit ? Le texte raconte sans doute le désaveu de la castration que la jouissance homosexuelle exalte, amplifie, parodie. Mais il y a un reste à cette opération, « reste » dans lequel, entre autres, Derrida reconnaît la mère, cette Mère dont le texte ne peut se défaire même après avoir épuisé toutes ses déclinaisons. « La mère ne présenterait à l'analyse le terme d'une régression, un signifié de dernière instance, que si vous saviez ce que nomme ou veut dire la mère, ce dont elle est grosse. Or vous ne pourriez le savoir qu'après avoir épuisé tout le reste, tous les objets, tous les noms que le texte met à sa place [...]. Tant que vous n'aurez pas épelé à fond chacun de ces mots et chacune de ces choses, il restera quelque chose de la mère [9]. » Le reste est le livre lui-même, accomplissement de cette épellation, épuisement de la lettre pour dire la chose obscure, la Loi, le Réel, le Rien. C'est cet accomplissement comme reste qui indique non pas tant la « position de Genet » que le cadre, l'occasion d'un surgir et d'un voir qui sans être le sujet expose l'enjeu de sa facture.

Facture : de *factura*, fabrication, *facere*, faire. La manière, le style, la technique, mais aussi la signature. L'auteur ici est un facteur, *factor*, le créateur, l'inventeur, ou encore l'agent, le transmetteur, le porte-lettre à moins qu'il ne soit le coefficient, le multiplicateur. La *facture* désigne enfin l'addition, la note au bout du compte, qui attend

---

8. Jean Genet, *Pompes funèbres*, Paris, Gallimard, coll. « L'imaginaire », 1953, p. 32. Dorénavant, les renvois à cet ouvrage seront identifiés dans le texte par le sigle *PF*, suivi du folio.

9. Jacques Derrida, *op. cit.*, p. 163-164.

son paiement, détaillant ses fractions toujours divisibles, susceptible d'être recomptée, somme toute impayable.

On pourrait tenter la lecture de cette Dette qui est le livre de Genet, son paiement, et qui participe d'un déplacement constant et singulier, d'une scansion ou déchirure qui fonctionne dans l'œuvre comme un « effet d'interprétation ». Marge du texte, sortie du texte dans le texte, revenue au livre pour s'accomplir. On ne peut pas, dans ce cadre restreint — mais peut-être plus efficace pour cette raison même —, on ne peut pas ici tout relire, mais on peut désirer ne lire que le registre du reste, dette en souffrance, à payer, se payant ; scansion dont le temps se construit du premier livre au dernier, dans ces entre-deux-scènes où la mort se refait, hors scène, silencieuse pour mieux revenir dans les scènes qui la désirent, l'appellent, la jouent, la parlent, l'écrivent et l'accomplissent. Il y a chaque fois des sommets atteints, ou des bas-fonds — peu importe, chez Genet, les pôles de cette verticalité qui seule importe en ce qu'elle découpe la page autrement qu'en son phrasé linéaire et lui donne cet halètement expulsif et aspirant, vous jetant d'un seul coup hors du livre, hors du cadre pour aller racler ce qui, autour, le précède, lui succède, lui échappe. Une verticalité qui n'est plus spatiale, mais qui donne le temps, le tempo et le ton. Ces sommets de l'œuvre, on pourrait les dire datés, ce sont en somme des dates marquées de manière contingente par un texte qui devient du coup le dernier. *Journal du voleur* (1949) est un « dernier livre ». Repris après un long silence, déplacé, analysé, et déporté dans le théâtre, le projet sur *Rembrandt* et *L'atelier d'Alberto Giacometti*[10] (1958), il finit encore avec *Les paravents* (1961) livrant les derniers mots de l'auteur qui dit désormais se taire, renonce, annonce son retrait, dicte sa fin, parle encore mais pour dire qu'il ne dira plus rien. Puis, s'effectue un retour, une « dernière scène » constituée par « Quatre heures à Chatila » (1983) et *Un captif amoureux* (1986). La scansion est un silence, un retrait, une mort, un renoncement, une fin radicale dont l'écriture sonne le glas. Fin de quoi ? Fin du monde, toujours déjà « derrière » et pourtant promise, car le monde, en un clin d'œil, est retourné comme un gant. Comme cet embrassement magnifique qui affirme la division du sujet et sa faim en renversant d'un seul coup sa chair sur le masque du corps.

> Il m'est arrivé une aurore de porter d'amour sans objet mes lèvres sur la rampe glacée de la rue Berthe, une autre fois d'embrasser ma main, puis encore, n'en pouvant plus d'émotion, de désirer m'avaler moi-même en retournant ma bouche démesurément ouverte par-dessus ma tête, y faire passer tout mon corps, puis l'Univers, et n'être plus

---

10. Jean Genet, *L'atelier d'Alberto Giacometti*, *Œuvres complètes*, t. V, Paris, Gallimard, 1979. Dorénavant, les renvois à cet ouvrage seront identifiés dans le texte par le sigle *AAG*, suivi du folio.

qu'une boule de chose mangée qui peu à peu s'anéantirait : c'est ma façon de voir la fin du monde. (*NDF*, p. 57)

Apocalypse de Jean Genet qui est en même temps une eucharistie et une « façon de voir ». Le procès du sujet masqué par la lettre se paye de cette mort cannibale qui est une incarnation-incorporation. Ce sont les morts qui font écrire : la Mère morte, le Moi mort, l'amant assassiné de *Pompes funèbres*, la lettre morte, inhumée au ciel de Sartre, l'amant funambule suicidé, les cadavres de Chatila, les fedayin. Ce sont les morts qui forcent au silence, les mêmes, et qui ouvrent le gant du monde sur sa béance dévorante. Ce sont ces déplacements, inversions, conversions, parcours dont l'écriture ne cesse de prendre acte, qu'il me semble pouvoir lire comme étant à la fois « l'atelier » et le « livre » de Jean Genet, ce qui reste du livre dans le livre, ce qui reste de sa facture... à payer : méthode, accomplissement et « sortie ». Mais la sortie dont je parle ne signifie pas qu'on en sorte (de quoi, au juste ?), puisque l'extérieur et l'intérieur sont continus. La sortie est la possibilité que ce voile de la Honte, qui en est la matière même, la texture et le suaire, laisse passer le regard, un voir qui le traverse de part en part. La sortie n'est que « façon de voir » et donc de dire, oscillation entre le signe opaque et la chaîne ajourée des signifiants, jusqu'à ce qu'enfin les dépliements successifs permettent que les jeux d'envers-endroit ne s'opèrent plus que par « transparence ». Ce sont les derniers mots du dernier « dernier livre » : « Cette dernière page de mon livre est transparente. » (*CA*, p. 504) La politique de Genet ne se déchiffre qu'à cette condition de dire *d'où* le voir provient. « Le reste, tout le reste, me paraissait l'effet d'une erreur d'optique provoquée par mon apparence elle-même truquée. Rembrandt le premier me dénonça. Rembrandt ! Ce doigt sévère qui écarte les oripeaux et montre... quoi ? Une infinie, une infernale transparence [11]. »

Reste à dire ce que cette transparence fait voir qui jusque-là ne se montrait que dans les montages du faux et de l'apparence. Car la transparence dit encore le voile, mais quelque chose s'est déchiré et c'est la vie, la nature, l'ordre du monde. La transparence serait, selon Genet, l'accession au Faux suprême : Ordre premier et dernier de la Comédie. À Roger Blin :

Si vous réalisez les Paravents, vous devez aller toujours dans le sens de la fête unique, et très loin d'elle. Tout doit être réuni afin de crever ce qui nous sépare des morts. Tout faire pour que nous ayons le sentiment d'avoir travaillé pour eux et d'avoir réussi. [...] Si nous opposons la vie à la scène, c'est que nous pressentons que la scène est

---

11. « Ce qui est resté d'un Rembrandt déchiré en petits carrés bien réguliers, et foutu aux chiottes. » (*Œuvres complètes*, t. IV, Paris, Gallimard, 1968, p. 29) Dorénavant, les renvois à cet ouvrage seront identifiés dans le texte par le sigle *CRR*, suivi du folio.

un lieu voisin de la mort, où toutes les libertés sont possibles. [...] Les costumes ne vêtiront pas [les comédiens], les costumes de scène sont un moyen de parade, selon tous les sens. [...] C'est d'un harnachement qu'il s'agit donc [12].

Qu'est-ce que « le livre de Jean Genet » ? Supposons, justement, que ce soit ce harnachement, presque un sceau, l'invention d'une parade afin de « crever » la vie, et qui s'effectue dans l'écriture et ne s'effectue qu'en elle, l'ouverture d'un passage, l'aménagement d'une faille qui depuis toujours est là, à l'œuvre, cachée d'abord de manière ostentatoire, oblitérée par le « chant » qui ne cesse pourtant de l'invoquer... pour la couvrir, la colmater de choses à voir, à regarder impérativement.

Le livre serait aussi cette façon de filer sur les rails aboutés de l'écrit, en regardant, derrière le regard reflété, miroité par le texte, défiler les villages, les paysages, le monde déformé par la traversée, le souvenir obligé qui s'impose sur ce qui a déjà fui, la beauté du décor absent, perdu au détour de la voie. Une théorie du signe et du regard se compose là, s'élabore et se donne comme roman, portrait, mémoire. Une théorie qui est aussi procession sainte, ordonnée explicitement, « livrée », faite livre. Or il y a un reste à cette théorie. Le train de l'écrit fait de moi un mort, hors du livre dans le livre, débitant mes histoires d'au-delà, d'outre-train, d'outre-livre. Le moi construit, fictif, pompeux, funèbre, s'étale comme une chose lourde entre les lignes : façon de voir et de (se) faire voir. Comme ce pointillé dont parle Mignon à la toute fin de *Notre-Dame-des-Fleurs*, qui est la silhouette de sa queue bandée dont il a tracé le contour au bas de sa lettre d'amour. Ce qui reste est ce contour du corps dont on voudrait qu'il soit tout. « Tâche de reconnaître le pointillé. Et embrasse-le. » L'assomption de ce reste pour ce moi qui décrit le monde, ce serait d'un seul coup, dans le miroir du texte, voir ses yeux, immobiles, qui reviennent du dehors : au-delà absolu qui troue si bizarrement, si effroyablement « le *plein* du monde », tout cela sans que le train ne s'arrête, sans que l'écrit ne change ses figures, s'engouffrant seulement dans ce point de fuite obscur, blanc bordé par le pointillé de la lettre, pour arriver d'ailleurs, invaginé [13].

Le livre de Jean Genet est un déplacement de soi à soi, du regard au regard, avec, quelque part sur la voie, la rencontre répétée d'un voir catastrophique, d'un regard crevé et en train, là, de crever l'écran du

---

12. *Id.*, *Lettres à Roger Blin*, Paris, Gallimard, 1966, p. 12.
13. J'évoque ici, en la replaçant dans une logique d'écriture, l'expérience douloureuse que Genet a vécue lors d'un voyage en train au début des années cinquante, et qu'il a racontée assez longuement dans « Ce qui est resté d'un Rembrandt déchiré en petits carrés bien réguliers, et foutu aux chiottes » [1967], *Œuvres complètes*, t. IV, *op. cit.*

décor « entre Salon et Saint-Rambert-d'Albon », l'avènement d'une fracture comme d'une cécité révélée qui vient frapper d'une double négation toute la rame des mots écrits et à écrire : « Je ne pouvais plus ne pas avoir connu ce que j'avais connu dans le train. » (CRR, p. 26) Dans L'atelier d'Alberto Giacometti, Genet décrit une première fois cette rencontre effroyable avec lui-même que l'on a appelée entre autres la crise spirituelle de l'écrivain [14]. Dès cette épreuve, il est assuré que les prolongements en lui du « choc » éprouvé dans le train, cette « sorte d'identité universelle à tous les hommes » (CRR, p. 23), ne cesseraient plus jamais d'être perçus. Et de cela, de ce livre lancé sur sa voie, entre deux scènes d'écriture, chaque texte ferait l'épreuve.

Ce « précieux » objet du désir : le signe

D'abord, il y a le monde et moi « comme un héros de tragédie amusé d'attiser la colère des dieux, comme lui indestructible, fidèle à mon bonheur et fier » (JV, p. 23). Ce monde émet des signes avec lesquels le moi est aux prises d'une manière spécifique, harassante et tenace. Tout chez Genet semble concerné par un érotisme du signe ; un montage que l'écriture seule dispose, trame, tisse, ne cessant plus, de là, de se montrer elle-même, de s'exhiber en somptueuse tapisserie, légende brodée, toile d'exposition dont le déchiffrement, l'interprétation serait l'objet même. « Par l'écriture j'ai obtenu ce que je cherchais. »

> Ce qui, m'étant un enseignement, me guidera, ce n'est pas ce que j'ai vécu mais le ton sur lequel je le rapporte. Non les anecdotes mais l'œuvre d'art. Non ma vie mais son interprétation. C'est ce que m'offre le langage pour l'évoquer, pour parler d'elle, la traduire. Réussir ma légende. [...] (Par légende je n'entendais pas l'idée plus ou moins décorative que le public connaissant mon nom se fera de moi, mais l'identité de ma vie future avec l'idée la plus audacieuse que moi-même et les autres, après ce récit, s'en puissent former.) (JV, p. 232-233)

Écrire, c'est couvrir ce rien des anecdotes, traduire et donner le ton. Il n'y aura eu de vie future qu'écrite, que « formée » dans le langage qui parle d'autre chose que de la vie vécue, puisqu'il raconte précisément son revêtement ; une souffrance, une blessure, certes, mais bandée, habillée, déguisée ou déjà travestie, comme Weidmann qui ouvre Notre-Dame-des-Fleurs et qui « vous apparut dans une édition de cinq heures, la tête emmaillotée de bandelettes blanches, religieuse et encore aviateur blessé ».

> Ce journal que j'écris n'est pas qu'un délassement littéraire. [...] je me sens m'affirmer dans la volonté d'utiliser à des fins de vertus mes misères d'autrefois. J'en éprouve le pouvoir. (JV, p. 69)

---

14. Edmund White, Biographie de Jean Genet, Paris, Gallimard, 1993, p. 400-401.

Au commencement était le chant, l'impératif du chant. Et l'étrange jouissance qu'il procure a ceci de particulier qu'elle ne vous dispense plus de chanter. D'où ce dispositif acharné sur les signes pour soutenir la composition du *ton* qui, chez Genet, EST l'érotisme. Ici, à bien y regarder, c'est sur le signe que l'on bande, sur ce voile qui couvre et « sous lequel, dit le narrateur, je n'eusse ignoré la somptueuse musculature du meurtrier, la violence du sexe » (*JV*, p. 11). Il s'agit bien de regarder, parce que le texte vous impose ce chant du visible, parce qu'il vous dispose impérativement à cette place du regard d'où vous êtes en quelque sorte prévenus : « Pour me comprendre une complicité du lecteur sera nécessaire. Toutefois je l'avertirai dès que me fera mon lyrisme perdre pied. » (*JV*, p. 17) Imposition du phallus, qui risque, on nous prévient, de faire tomber celui qui l'élèverait un peu trop haut. Le phallus, en effet, est toujours ce « montage », voile du sexe, vêture réversible, dont le sens est chaque fois un dessus-dessous ; c'est en cela qu'il risque de faire écran et qu'il peut devenir à lui seul désirable infiniment, jouet à retourner sur son envers, « pour voir » ; et c'est à ce titre qu'il est, dans le livre de Genet, posé en travers de la page, planté sur tous les corps désirables et sans lequel il n'y aurait rien, surtout pas vous, lecteur convoqué là sans pouvoir entrer, pour regarder. Au commencement, il y aura donc cette gaze lyrique comme condition du moi et de ses plaisirs, voile de la beauté prise aux fils des mots. Opacité du signe qui est aussi sa théorie : *Dire que quelque chose est beau décide déjà qu'il le sera.* (*JV*, p. 24) Et le phallus devenu signe, chose dite, mot, est cette moire à laquelle on peut se prendre et à laquelle on se prend immanquablement de s'en éprendre jusqu'à *s'en faire* la dupe. Moire à tisser, à refaire en un travail obstiné et désespéré de Pénélope, puisque personne, au fond, n'est dupe, et parce que cela, cette duperie, cette légende, ne saurait s'achever qu'à seulement obstinément commencer.

Le *Journal* s'ouvre sur le vêtement rose et blanc des forçats, qui, avant même d'être une chose, est un sens, un rapport. « Il existe donc un étroit rapport entre les fleurs et les bagnards. » Voilà d'emblée le ton où se pose la voix : une oscillation entre deux pôles : fragilité-brutalité, délicatesse-insensibilité. C'est là, dit le narrateur, dans ce battement entre deux versions, entre deux mondes, que naît le signe et mon émoi. Ce vêtement sera donc « le signe du plus extrême avilissement ». Ainsi sont déchiffrées, dans une lucidité première, dans un savoir brut et prononcé en toutes lettres, *les conditions d'érotisme* qui disposent le « héros » à s'acharner dans le mal.

Les désirant chanter j'utilise ce que m'offre la forme de la plus exquise sensibilité naturelle, que suscite le costume des forçats. [...] à l'idée de force et de honte j'associe le plus naturellement précieux et fragile. Ce rapprochement qui me renseigne sur moi, à un autre esprit ne s'impose pas, le mien ne peut l'éviter. (*JV*, p. 10-11)

Que l'objet du désir soit un signe invite le moi « qui se renseigne sur lui-même » à cet acharnement dans le mal qui prend dès lors la forme d'un véritable acharnement sémiotique. Si, comme l'affirme l'auteur, l'écriture du *Journal* s'effectue comme un acte soutenu d'interprétation, l'opération a lieu, pourrait-on dire, dans le champ (et le chant) du signe. Chant de l'inversion dont le principe d'opposition forcené constitue ce que Bataille appelait la *frénésie* de Genet, cette « passion affectée mais vraie [15] ».

On pourrait suivre à la trace ce chant du signe. Ainsi, « les poux étaient le seul signe de notre prospérité, de l'envers même de la prospérité » ; ou encore, « le lourd cérémonial érotique (cérémonies figuratives menant au bagne et l'annonçant) [...] sera le signe du plus extrême avilissement » (*JV*, p. 28, 10) ; signe précis, toujours même et toujours autre, fondé imparablement sur l'inversion de sa valeur morale. Car le signe est moral, social, visible, il est, comme le dit fort justement Peirce, autre théoricien du signe, non seulement un substitut de l'objet mais, à l'occasion, son tenant-lieu. « Un signe, ou *representamen*, est quelque chose qui tient lieu pour quelqu'un de quelque chose sous quelque rapport ou à quelque titre [16]. » Quant à la dimension morale du signe, on peut relire en parallèle aux montages de Genet les développements du sémioticien à propos de l'*interprétant*, où on le voit chercher à rendre compte de la part prédicative et relationnelle du signe. L'interprétant, dit Peirce, est l'*idée*, le *signifié*, l'*action*, l'*effet*, bref : l'autre signe que produit un signe pour quelqu'un. « Appartient à l'interprétant tout ce qui décrit la qualité ou le caractère de l'information communiquée et à l'objet tout ce qui, sans décrire cette information, la distingue de toutes les autres [...] [17]. » Il faut donc reconnaître la dimension « morale » du signe dans le fait que le signe participe d'un champ de valeurs (Peirce parle d'*habitudes*) et produit des effets de sens à l'intérieur de ce champ.

La sainteté de Genet se joue sur cette arête du signe, confondue avec la beauté, la poésie, le chant et la liberté, elle est l'effet du livre, la légende dorée de cette ascèse verbale qui consiste à vouloir, obstinément, l'envers des « vertus communes » (*PF*, p. 120, 128). « Comme la beauté — et la poésie — avec laquelle je la confonds, la sainteté est singulière. Son expression est originale. Toutefois, il me semble qu'elle ait pour base le renoncement. Je la confondrai donc encore avec la liberté. » (*JV*, p. 237-238) La sainteté est le montage du livre, la rigueur de son accomplissement est dans la logique du verbe et de la

---

15. Dans « La littérature et le mal », *Œuvres complètes*, t. IX, Paris, Gallimard, 1979, p. 294.
16. Charles S. Peirce, *Écrits sur le signe*, Paris, Seuil, 1978, p. 121 (2.228).
17. *Ibid.*, p. 129 (5.473).

lettre entre toute réversible. La lettre, chez Genet, se distingue par sa fonction de support de cette inversion-conversion du signe, puisque c'est à une opération mathématique que l'écriture se réfère, dès lors qu'il s'agit de hausser le ton à la dignité d'une équation.

> Le ton de ce livre risque de scandaliser l'esprit le meilleur et non le pire. [...] Je groupe ces notes pour quelques jeunes gens. J'aimerais qu'ils les considérassent comme la consignation d'une ascèse entre toute délicate. [...] Que son point de départ soit une rêverie romanesque, il n'importe, si je la travaille avec la rigueur d'un problème mathématique ; si je tire d'elle les matériaux utiles à l'élaboration d'une œuvre d'art, ou à l'accomplissement d'une perfection morale [...] proche de cette sainteté qui est encore pour moi le plus beau mot du langage humain. (*JV*, p. 243)

C'est dire à quel point les vertus « communes » importent, à quel point « vous » aurez à les soutenir comme s'il s'agissait de tenir galamment un miroir pour ce narrateur étrange, le plantant entre vous-même et la grâce qui s'avance vers « vous ». Car ce miroir, en quelque sorte, vous l'êtes, vous, lecteur dont les yeux constituent la projection mathématique inversée des objets désirés. Et il faut voir comme ces objets « s'écartent de vos règles », car vous n'y êtes pas, vous n'y serez jamais, ne pouvant que refuser une incarnation aussi rebutante, aussi « à l'envers ». « Enfin, plus ma culpabilité serait grande à vos yeux, entière, totalement assumée, plus grande sera ma liberté. » (*JV*, p. 94) Les objets sont des faux, « ils ne sont pas fidèles, dit encore le narrateur. Ils possèdent surtout une tare, une plaie, comparable à la grappe de raisin dans la culotte de Stilitano. » Les objets sont des signes, des simulacres postiches que seul le livre met littéralement à disposition. D'où sa sainteté. Livre saint et livre d'un saint, l'écriture de Jean Genet est essentiellement cette médiation entre « vous » et l'au-delà que cette parole soutient. Au-delà qui est le réel brut, impossible à dire, irregardable, pur trou d'écoulement qui pulse dans la lettre et attend juste l'instant de l'engloutir en cette apocalypse imminente qu'elle annonce et qu'elle contient.

La « plaie », regardez bien, est un maquillage, un phallus d'apparat, une boursouflure du vêtement, un voile visible dont vous êtes, aveugle détenteur des vertus communes, le garant. Car la plaie réelle est une béance honnie, puante, haïe. Elle est au delà ; non pas *à l'envers* de l'Adoration perpétuelle que le signe permet, mais *au delà*. Théorie du signe mais aussi, on l'entend, singulière théologie. Voilà, nous dit Genet, l'origine de Dieu, du divin ou du Saint : chu de la lettre. D'où ce spectacle somptueux du littéral. C'est pour un regard aveugle, c'est-à-dire ébloui, que ce Genet fictif dresse son exception. « Ma stupeur fut grande, dit-il, quand je m'aperçus à quel point le vol était répandu. J'étais plongé au sein de la banalité. Pour en sortir, je n'eus besoin que de me glorifier de mon destin de voleur et de le vouloir. » (*JV*, p. 277)

Et cette « exception monstrueuse », recherchée et voulue, magnifie la blessure jusqu'à la rendre artificielle, démultiplie le sujet sur la scène d'une morale différentielle, où le signe n'opère plus que par sa valeur. Le dispositif n'est pas inconscient, ni maladroit, ni ignoré, il est une méthode, un programme, une ascèse dont l'écriture est l'accomplissement. Artifice interminablement « avoué », analysé, interprété par le *Journal*, ce système esthétique devient, en tant que tel, ce que le livre appelle « le renoncement ». L'objet du désir n'est donc plus obscur mais lucidement dressé au regard du monde, devenu « précieux » d'être exposé au mépris général, à « l'envers d'une Adoration Perpétuelle » (*JV*, p. 23). Rengaine du livre qui dit bien le moment où il faudra rengainer cette lettre-trique, par épuisement, écroulement ou simple déposition.

La mère la plus chérie

Au commencement était le signe et ce signe était avec Moi, et le signe était Moi, il était au commencement avec Moi. Évangile selon saint Jean Genet pour qui le verbe-signe sera, par exemple, un petit tube de vaseline, « misérable objet sale », « en plomb gris, terne, brisé, livide », « signe de l'abjection », « signe encore d'une grâce secrète » qui peut « sauver du mépris » (*JV*, p. 21).

La scène de l'arrestation au cours de laquelle les policiers trouvent dans les poches de Genet ce petit tube qui provoque « la consternation » est racontée comme une scène d'avant le livre. « Je parle d'une scène, dit Genet, qui précéda celle par quoi débute ce livre. » Ainsi renvoyée hors cadre, elle apparaît plus qu'inaugurale et se dispose artificiellement comme un originaire reconstruit là, hors temps, dans le voile même de l'écrit. Pseudo-origine dont on verra plus loin les déploiements et les dépliements au bord du Jourdain qui sépare le *captif* de ce qu'il appelle alors, avec une sorte de révulsion, « l'Origine [18] ». Ainsi s'opère la magie d'un originaire artificieux, érotique et chaste, dont la mère est l'écran et l'écrin, la stèle sur laquelle s'écrit en lettre de g... (glaire, glaviaux, gomme, giclure gluante) l'histoire inventée d'une grâce et d'une gloire.

Ce qu'on remarque d'abord, c'est le surgissement de l'objet, son repérage et sa mise en scène, son entrée dans le champ des regards qui sont ici « légion », « vous », les policiers, le monde ; *voici que ce misérable objet sale paraissait au monde.* Ce champ du visible est propre au signe et c'est d'ailleurs le sens de tout ce passage dans lequel l'objet

---

18. Dans *Un captif amoureux*, Genet qualifie ainsi le peuple juif : « Le plus ténébreux, celui dont l'origine se voulait à l'Origine, qui proclamait avoir été et vouloir demeurer l'Origine, le peuple qui se désignait Nuit des Temps. » (p. 198)

est à la fois signe de l'abjection et signe d'une grâce secrète qui sauve du mépris [19]. Plus précisément, il est *pour moi* signe d'une grâce PARCE QU'IL est *pour l'autre* signe d'abjection, il sauve du mépris parce qu'il est supposé méprisable. Il devient donc *objet précieux* — *condition du bonheur*, métaphore et voile d'un sujet restauré en moi-chose au point où le texte se met à rêver sa prise par des mains et des doigts beaux, forts et solides qui pourraient en le serrant à peine « faire surgir, avec d'abord un léger pet, bref et sale, un lacet de gomme qui continuerait à sortir dans un silence ridicule » (*JV*, p. 23). C'est là tout le bonheur métamorphique du signe, d'être tenant-lieu du moi lui-même livré aux mains de l'autre. Le signe est bien ici reconnu, adoré comme substitut de *moi-même* pour *quelqu'un*. Ainsi, par quelque bout que l'on prenne le signe, on en trouve l'effectuation chez Genet qui en tire l'essence, la quintessence, c'est-à-dire son statut : de n'être signe qu'au regard d'un moi, d'un autre, d'*être*, enfin, et de n'*être* jamais que pour quelqu'un, ce quelqu'un pouvant, comme c'est le cas ici, se dédoubler en moi et eux, en vous et moi. Il n'y a d'ailleurs de signe qu'à soutenir cette scission. Schize du signe qui fonde le sem-blant, le semblable, le contraire et le même ; division du signe qui per-met sa projection à l'envers de lui-même, à la condition de ne pas dévoiler le néant ou le sujet qu'il revêt, sauf à le dire, à le signifier encore. La légende signée ne « prend » qu'à la condition d'épuiser le signe, ses combinatoires, dans la parure du voile, dans sa réversibilité. Réversibilité qui implique, comme on le verra mieux plus loin, trois termes : un signe, son objet et son interprétant. La matérialité de cet objet est en somme sa valeur, son sens, sa texture vocale et littérale, dont on ne recevrait que la charge, la révulsion qu'il suscite, l'envie ou l'extase. La réversibilité implique ce jeu, cette mobilité du signe, son action acharnée sur l'autre à travers l'objet qui est aussi le trou, disons « l'en-trou », l'en-trop, le reste de l'opération. Si l'objet est le reste, comme je voudrais le soutenir ici, c'est à son statut qu'il faudra reve-nir : objet non spéculaire mais dans lequel tous se reflètent. Restons-en encore un peu à son mirage.

---

19. Le signe relève du visible, c'est-à-dire de la *présentation*, de l'observable et de l'observation, ou encore du connu et du reconnaissable, ce que Peirce quant à lui pose comme étant « présent à l'esprit » (1.284). En ce sens, l'aveugle n'échappe pas à cette logique du signe (1.313) qui relève de la « faculté d'observation abstractive » (2.227) si ce n'est de l'« idée » dans son sens platonicien (2.228) : « Le signe s'adresse à quelqu'un, c'est-à-dire crée dans l'esprit de cette personne un signe équivalent ou peut-être un signe plus développé. Ce signe qu'il crée, je l'appelle l'*interprétant* du premier signe. Ce signe tient lieu de quelque chose : de son *objet*. Il tient lieu de cet objet, non sous tous rapports, mais par référence à une sorte d'idée que j'ai appelée quelque fois le *fondement* du representamen. Il faut comprendre « Idée » ici dans une sorte de sens platonicien [...]. » Le texte de Genet élabore toutes les versions de cette adresse, disséminant le « sujet » dans les éclats, les morceaux d'objets-signes partagés.

On s'aperçoit vite que la scène de l'arrestation, scène d'avant le livre, n'est pas donnée dans sa version anecdotique ; ni authentique ni vécue, elle est d'abord la scène du livre, de son écriture, scène d'avant le livre, écrivant le livre, chantant l'objet pour, *aujourd'hui*, devenir Dieu.

> Nous savons que notre langage est incapable de se rappeler même le reflet de ces états défunts, étrangers. Il en serait de même pour tout ce journal s'il devait être la notation de qui je fus. Je préciserai donc qu'il doit renseigner sur qui je suis, aujourd'hui que je l'écris [...]. Il sera un présent fixé à l'aide du passé, non l'inverse. Qu'on sache donc que les faits furent ce que je les dis, mais l'interprétation que j'en tire c'est ce que je suis — devenu. (*JV*, p. 80)

« Devenant fort, je suis mon propre dieu. Je dicte. » Or voici que le procès de cette sémiotisation en acte fait surgir une parenthèse, artificielle mais vraie, affectée mais sincère, d'où jaillit, comme le génie de la lampe d'Aladin, *la mère la plus chérie*, surgie du tube de vaseline dont le caractère onctueux, en évoquant une lampe à huile, fait songer, dit le narrateur, à une « veilleuse funéraire ». Le signe, dirait-on, n'oscille plus mais vacille, se vide de sa substance avant de redevenir jouet entre les mains des policiers. C'est bien la mère qui sort du tube avant le pet bref et sale, la mère qui n'est là que la figure blafarde, triste, hypocrite et pâle de l'écriture elle-même, expulsée de la description du petit tube de vaseline. « (En le décrivant, je recrée ce petit objet, mais voici qu'intervient une image : sous un réverbère, dans une rue de la ville où j'écris, le visage blafard d'une petite vieille, un visage plat et rond comme la lune, très pâle, dont je ne saurais dire s'il était triste ou hypocrite.) » La lune en argot des prisons, c'est le cul. Le destin du signe ne saurait mieux nous sauter au yeux : dedans-dehors, cul-visage, phallus-mort, la frénésie des retournements est plus qu'une ascèse, c'est une privation, un renoncement, dit Genet. À quoi ? À sortir de la Honte dont on ne cesse pourtant de dire l'au-delà. « Elle m'aborda, me dit qu'elle était très pauvre et me demanda un peu d'argent. La douceur de ce visage de poisson-lune me renseigna tout de suite : la vieille sortait de prison. » (*JV*, p. 22)

La rencontre de cette vieille est interrompue par la fuite du héros, mais elle se prolonge par une rêverie autour du personnage de la « voleuse », double féminin du moi dont ce *Journal* est le « livre de la Genèse » (*JV*, p. 306). C'était peut-être ma mère, est-il écrit. « Je ne sais rien d'elle qui m'abandonna au berceau, mais j'espérai que c'était cette vieille voleuse qui mendiait la nuit. » Le plus important est que, à partir du désir soudain que ce soit « elle », l'écriture la place au centre d'un cérémonial funéraire par lequel l'écrivain-officiant la couvre successivement de baisers et de glaïeuls puis de bave et de glaviaux, la proximité des derniers signifiants étant peut-être, souligne-t-il, ce qui permet de remplacer, au bout d'un certain temps, les marques de la tendresse par les gestes « les plus vils » qu'il charge de « signifier autant que les baisers, ou les larmes, ou les fleurs ». De cette exposition rigoureuse, l'objet « réel » apparaît brutalement en reste, chu d'une récitation qui décrit les processus alchimiques de la signification. La mascarade est bien un harnachement de la lettre, ostensiblement — *physiquement* — donnée à voir. Le *je* y parade dans ses travestissements, masque du masque derrière lequel il y a la mère, un mythe, sous lequel se cache une origine perdue, une matrice qui fait encore écran à ce qui pourrait sortir, allait sortir. Les plis et les replis de la voilure abritent faussement la véritable entame qui déjà s'expose à la surface du livre dans les objets du texte-rêve-fantasme-légende.

« Le tube de vaseline, dont la destination vous est assez connue, aura fait surgir le visage de celle qui durant une rêverie se poursuivant le long des ruelles noires de la ville fut la mère la plus chérie. » Cet objet « condition du bonheur » et signe certain de la jouissance de celui qui écrit n'est pas sans faire surgir sur le blanc de la page cette mère-chose, déchue, cette face ronde et sotte, double du « héros » à l'instar du léger pet bref et sale qui s'y substitue. Cette mère « onctueuse », lacet de gomme sorti dans le silence ridicule du monde, cette mère-sperme-merde-vent revient à la fin de ce « morceau » couvrir le corps des amants de sa transparente beauté ; rêverie qui, là encore, joue du visible et du voilé en tant que l'écrit seul, la page en train de s'écrire, en est le site. « Maintenant que j'écris je songe à mes amants. Je les voudrais enduits de ma vaseline, de cette douce matière, un peu menthée ; je voudrais que baignent leurs muscles dans cette délicate transparence sans quoi leurs plus chers attributs sont moins beaux. »

La mère-déchet, chue de l'objet-signe, ne survient dans le texte qu'en se projetant artificiellement hors de lui, hors de propos, hors de la mémoire et du récit-prétexte de ce *Journal*. Déportée dans ce « maintenant que j'écris », elle est chose rêvée couverte de pleurs et de crachats, ensevelie sous les fleurs et le vomi, adorée ainsi, fondue à l'huile des veilleuses funéraires pour revenir couvrir, embellir et exhiber le sexe dressé sur la page d'écriture, le membre érigé, « matraqueur et solide » des amants, exposé aux regards. Cette mère chérie a le même destin que l'écriture : sur elle opère en accéléré l'oscillation du signe par laquelle le sujet mesure son émoi. Si les crachats et les gestes les plus vils ont pour fonction de *signifier* autant que les baisers, la tendresse et l'amour, c'est qu'il y a dans le signe quelque chose à la fois d'immuable, d'intouchable voire d'inatteignable et d'extraordinairement mobile, que son retournement, tel celui d'un voile, a pour fonction de mimer. La mère ensevelie sous la doublure du signe ressemble étrangement à l'écriture de Genet : couverte, contenue, expulsée puis reprise, enrobée des signes de sa beauté. Car la poésie du *Journal* est toute rhétorique, toute esthétique, toute « verbale ». Et cette victoire verbale commence avec ce que Genet appelle la « volonté ».

Ce qui toujours s'écrit, ne cesse pas de s'écrire, c'est l'oscillation entre promotion et destitution, entre brillance phallique et déchet, glue. « Ma victoire est verbale », dit Genet; non pas seulement parce que le poète chante l'horreur de la grâce et les splendeurs de la dépravation, mais parce que l'opération qui agit sur le signe pour en produire l'envers, parce que la « décision » qui permet le chant et lui donne le ton factice et faux dont le héros se pare, réside dans le système même de la signification, dans l'artifice qui est aussi la logique de la langue. L'exemple de Pierrôt dans *Pompes funèbres*, qui recueille des vers de terre pour appâter les poissons, est à ce titre éblouissant.

> Un soir, il ramassa dans sa poche quelque chose de dur et sec et le mit dans sa bouche. La chaleur et l'humidité redonnèrent très vite sa mollesse à ce vers recroquevillé demeuré dans sa poche où il avait séché et que l'obscurité ne lui avait pas permis de reconnaître. Il se trouva pris entre s'évanouir d'écœurement ou dominer sa situation en la voulant. Il la voulut. Il obligea sa langue et son palais à éprouver savamment, patiemment le contact hideux. Cette volonté fut sa première attitude de poète, que l'orgueil dirige. Il avait dix ans. (*PF*, p. 78)

L'inversion est bien une opération radicalement et exclusivement langagière, d'où cette révélation de la poésie comme métamorphose de l'être par retournement du signe. Il y a ici une logique propre au miroir, propre à la réversibilité du regard.

Si l'objet-tube est le signe du moi — qui le fait « héros de tragédie » ou mieux : son propre dieu —, c'est dans la mesure où il est le signe de son désir, et que, comme signe, il place ce désir au regard de quelqu'un. Écrit, lisible, connu, il nécessite un témoin à la place duquel le lecteur est constamment interpellé. Cette demande vocalisée, chantée, de reconnaissance est perçue par le narrateur comme une fin. Le commencement, en effet, ne peut être que dernier, parce qu'il a épuisé toutes les ressources de sa poésie, dans l'attente que « le ciel me tombe sur le coin de la gueule ». « À moins que ne survienne, d'une telle gravité, un événement qu'en face de lui mon art littéraire soit imbécile et qu'il me faille pour dompter ce malheur un nouveau langage, ce livre est le dernier. » (*JV*, p. 232)

Ce dernier livre est dernier parce qu'il vise à dire l'impossible, ce qui, au delà, ne s'écrit pas. D'où cette volonté d'épuiser le signe, au risque d'y parvenir... presque. Il y aurait dans l'apparition de la mère poisson-lune, un combat muet avec la Chose qui, elle, ne s'écrit pas, ne cesse pas de ne pas s'écrire, comme l'écriture qui se raconte et démonte ces montages ne s'écrit pas non plus, ne se signifie pas. L'appel de l'au-delà qui est Rien se joue dans cette rencontre effective

168

et fictive ; que cet appel soit vain est indissociable de la somptueuse réussite du livre[20]. « Ce livre : *Journal du voleur* : poursuite de l'Impossible Nullité. » (*JV*, p. 232) Vanité prise au corps de cet acharnement à choisir, à signifier le mal. Car c'est le dispositif des signes qui produit l'érotisme, le récit des signes, l'enchaînement nécessaire à leur inversion et à leur présentation.

> À corps perdu je me suis jeté dans une vie misérable qui était la réelle apparence des palais détruits, des jardins saccagés, des splendeurs mortes. Elle en était les ruines, mais plus ces ruines étaient mutilées, et ce dont elles devaient être le signe visible me paraissait lointain, plus enfoui dans un passé sacré, de sorte que je ne sais plus si j'habitais de somptueuses misères ou si mon abjection était magnifique. (*JV*, p. 99-100)

De là, la scène de l'écriture insiste à faire trou, à revenir dans le contrecoup du surgissement de la mère voleuse, à faire *retombée* dans le texte. Le livre s'écrit bien plus que le passé ne se raconte. « La vie dont j'ai parlé plus haut, c'est entre 1932 et [19]40 que je l'aurai vécue. Cependant que je l'écrivais pour vous, voici de quelles amours je suis préoccupé. Les ayant notées, je les utilise. Qu'elles servent à ce livre. » (*JV*, p. 162) L'atelier du livre est déjà cette stratification du temps, cet étrange présent scindé en plusieurs couches de présents par la notation des « amours ». « Ma solitude en prison était totale. Elle l'est moins maintenant que j'en parle. »

Si la Chose immonde et désirable, chue de la dialectique des signes, fait retour en eux dans un simulacre de sépulture, si la Chose fait encore signe pour moi en ce sens qu'il y a toujours vous et eux qui m'indiquez qu'il s'agit bien du déchet, du chu, du déjeté, c'est que le ciel n'est pas encore tombé, que le voile ne s'est pas encore déchiré et que l'appel du sacre n'est pas sans prononcer des commandements certains qui impliquent que « vous » et « vos honneurs » soyez respectés. C'est aussi que cette Chose-mère rêvée est parée, comme le texte, du vêtement des forçats et que je reste, moi, l'enfant abandonné. L'attachement dévorant voué aux signes, cette complaisance à l'humiliation apparaît comme un salut premier, comme une véritable méthode des plaisirs devenue finalement « but en soi ». « Sans me croire né magnifiquement, l'indécision de mon origine me permettait de l'interpréter. J'y ajoutais la singularité de mes misères. Abandonné par ma

---

20. *JV*, p. 189-190 : « Pour obtenir ici la poésie, c'est-à-dire communiquer au lecteur une émotion que j'ignorais alors — que j'ignore encore — mes mots en appellent à la somptuosité charnelle, à l'apparat des cérémonies d'ici-bas [...]. J'ai cru en l'exprimant, la débarrasser de ce pouvoir qu'exercent les objets [...] et me défaire du monde qu'ils signifient [...], ma tentative reste vaine. C'est toujours à eux que j'ai recours. Ils prolifèrent et me happent. Par leur faute je traverse les couches généalogiques [...] afin de parvenir à la Fable où toute création est possible. »

famille il me semblait déjà naturel d'aggraver cela par l'amour des gar-
çons et cet amour par le vol, et le vol par le crime ou la complaisance
au crime. » (JV, p. 97) Que l'origine soit indécidable décide de la voie
que prend le train de l'écrit.

Le bestiaire de la lettre

Dans *La littérature et le mal*, Bataille relisant Genet à travers le
livre de Sartre [21] écrit :

> La volonté de Genet [...] exige une négation généralisée des interdits,
> une recherche du Mal poursuivie sans limitation, jusqu'au moment
> où, toutes barrières brisées, nous parvenons à l'entière déchéance.
> [...] L'attrait du péché est le sens de sa frénésie, mais s'il nie la légiti-
> mité de l'interdit, si le péché lui fait défaut ? S'il fait défaut [...] ce qui
> se voulut Mal n'est plus qu'une sorte de Bien [...]. En d'autres mots,
> le Mal est devenu un devoir, ce qu'est le Bien [22].

Bataille arrive très vite à cette conclusion : « Rien ne lui resterait
s'il ne mentait, si un artifice littéraire ne lui permettait de faire valoir
à d'autres yeux ce dont il a reconnu le mensonge. Dans l'horreur de
n'être plus dupe, il glisse à ce dernier recours, duper autrui afin de
pouvoir, s'il se peut, se duper lui-même un instant [23]. » De Bataille, on
retiendra « l'échec de Jean Genet ». Que pour lui, cette duperie soit
ratage c'est entre autres parce qu'il n'entrevoit pas la sortie de ce que
Genet appelle le signe. Échec à communiquer, affirme Bataille, échec
à rejoindre le lecteur, à le *passionner* : « Ses récits intéressent, mais ne
passionnent pas. » Bataille, après Sartre, bute sur le corps du signe ; cet
érotisme de Genet ne le concerne pas, le phallique gainé, rengainé,
dégainé, invaginé est un refoulé qui obstrue la communication.
Bataille a raison et c'est justement parce qu'il a raison qu'il est aussi
dupé par la fausseté du crime. Le signe ici n'est pas signe de quelque
chose mais chose en soi, texture de la honte qui s'expose comme
refoulé de la langue dont la splendeur est sans cesse chantée à même
l'abjection qu'elle libère.

Le livre de Sartre est en ce sens, pour Genet, une violence d'effraction radicale. Il n'est pas nécessaire de croire au mensonge pour qu'il
fonctionne. Si le *Journal* est duperie et mensonge, ce mensonge se présente d'abord comme son sens le plus vrai, une « aggravation » de l'origine, de l'indécidabilité de l'origine qui a fait de l'enfant abandonné
par sa mère un rejeté, un voleur... de sens. Quel est donc l'acte produit

---

21. Georges Bataille, *Œuvres complètes*, t. IX, Paris, Gallimard, 1979, et Jean-Paul
Sartre, *Saint Genet comédien et martyr*, Paris, Gallimard, 1952.
22. Georges Bataille, *op. cit.*, p. 300.
23. *Ibid.*

par le livre de Sartre ? Acte de sacralisation tant invoqué par le voleur, acte de sanctification et de canonisation dont la violence s'effectue à prendre les signes pour la signature ? Sans doute. À prendre l'écriture à l'écrit, à raturer l'*Impossible Nullité* qui en est la poursuite et le support, on nie le masque de la honte, on ignore le rien d'où le sujet s'arrache.

Si l'analyse de Sartre, dans sa minutieuse lecture, reste captée par le miroir du verbe, en dépit — ou plutôt à cause — du déchiffrement explicitement élaboré du jeu et de la comédie genétienne, il faudra à Genet le temps pour comprendre que l'exigence dernière d'un art littéraire devenu « imbécile » demeure l'invention d'un nouveau langage « pour dompter ce malheur » : il lui faudra en quelque sorte passer de l'Autre côté du miroir. Comme il l'expliquera dans un entretien à *Playboy* en 1964 : « Il m'a fallu du temps pour me remettre de la lecture de son livre. Je me suis retrouvé dans une quasi-impossibilité d'écrire [...]. Le livre de Sartre a créé en moi un vide qui a joué comme une sorte de détérioration psychologique [...]. J'ai vécu dans cet état épouvantable pendant six ans[24]. »

« J'aspire, disait le voleur à la fin de son *Journal*, à votre reconnaissance, à votre sacre. » Il reste à demander de quelle étoffe est tissée cette aspiration, quelle transparence elle fabrique, à quel regard elle propose son enduit. Car il y a bien un reste à cette demande — à toute demande, d'ailleurs — comme il y a un reste à cette entreprise de totalisation sémiotique que constitue l'écriture du *Journal*, un reste qui est encore l'écriture en tant, justement, qu'elle n'appartient pas à l'ensemble infini et fermé des signes puisqu'elle en signe précisément le Nom, qu'elle en est la signature. À Cocteau, dès 1950 : « Toi et Sartre, vous m'avez statufié. Je suis un autre, il faut que cet autre trouve quelque chose à dire. » Ce qui reste c'est cet autre que « je suis », hors chant, hors livre mais promis à lui et qu'il reste à trouver pour dire, encore, mais « autre chose ». Il fallait, je pense, que la duperie fonctionne, que le chant appelle et reçoive réponse, il fallait que la sainteté soit octroyée du dehors pour que l'impuissance frappe le sujet du signe, que la mort tant célébrée, tant signifiée, prévenue, relancée, revienne à l'envoyeur[25].

C'est d'un déplacement qu'il doit s'agir, d'une échappée du champ lumineux des signes et des savoirs, d'une reconnaissance de la mort en ce qu'elle ne saurait se savoir, ni se voir, ni même se dire. Le glissement s'effectuera donc vers le théâtre, celui que Genet remettra à sa place dans le cimetière. « Si je parle d'un théâtre parmi les tombes

---

24. *Playboy*, n° 4, avril 1964. Traduction française dans le *Magazine littéraire*, n° 174, juin 1981, p. 31.
25. Voir l'analyse qu'en fait Serge André au chapitre qu'il consacre à Genet dans *L'imposture perverse*, Paris, Seuil, 1993, p. 209-212.

c'est parce que le mot de mort est aujourd'hui ténébreux, et dans un monde qui semble aller si gaillardement vers la luminosité analyste [...] je crois qu'il faut ajouter un peu de ténèbre. [...] Il nous faut nous réfugier [...] Non, je me trompe : pas nous réfugier, mais découvrir une ombre fraîche et torride, qui sera notre œuvre [26]. »

Quelque chose a eu lieu, est en train d'avoir lieu, qui concerne la vérité, le dire, le théâtre et la mort. Quelque chose a lieu pour Genet le *facteur* d'un livre où la vie s'est perdue, s'est offerte plutôt, comme perdue, légendaire ; et toute la vie devenue signe a trouvé sa reconnaissance sourde dans le livre de Sartre. Effet du livre d'engendrer du livre, effet de signe d'engendrer du signe, « *ad infinitum* » dit Peirce : piège du signe [27]. Effet de sémiose généralisée, effet de mort réelle pour celui qui s'était ainsi donné à lire, simulé dans les mots du livre, tissé en eux pour et par l'autre.

Quelque chose a lieu dans les mots même, dans la langue, celle dont le voleur a fait sa marque, son signe distinctif, son chant. Ce que n'a pas vu ni lu Sartre, c'est que les mots sont des choses, des sexes, que le texte grouille d'un bestiaire qui dévore ou baise le Mort qui parle. Sartre n'a pas vu que le sens est ailleurs.

> [...] cette langue comme les autres permet que se chevauchent les mots comme des bêtes en chaleur et ce qui sort de notre bouche c'est une partouze de mots qui s'accouplent innocemment ou non, et qui donnent au discours français l'air salubre d'une campagne forestière où toutes les bêtes égarées s'emmanchent. (*ÉM*, p. 17)

Voilà bien pourquoi, écrivant dans une telle langue et quoi que l'on dise, « on ne dit rien ». La sainteté ? Oui, mais pas là où vous avez bien cru la reconnaître, pas dans cette soumission aux signes, à leur principe, à leur valeur, à leur imposture. « Un peu trop de soumission et Dieu vous expédie la grâce : on est foutu. » (*ÉM*, p. 13)

Que reste-t-il dès lors que vous m'avez pris au mot ? Que reste-t-il dès lors que vous m'avez sacré, moi qui vivais d'inventer ce sacre, de le réclamer, de l'exiger ? Il reste à faire que rien n'ait été dit et que rien jamais plus ne se dise. Se taire ? Surtout pas ! Cela serait encore se soumettre. Ne pas se taire, justement, pour parler encore plus fort le vide des mots, « une architecture verbale — c'est-à-dire grammaticale et cérémoniale — indiquant sournoisement que de ce vide s'arrache une apparence qui montre le vide » (*ÉM*, p. 13).

---

26. « L'étrange mot d'... », *Œuvres complètes*, t. IV, *op. cit.*, p. 16. Dorénavant, les renvois à cet ouvrage seront identifiés dans le texte par le sigle *ÉM*, suivi du folio.
27. Charles S. Peirce, *op. cit.*, p. 123 (2.230) : « Or, le signe et l'explication forment un autre signe et puisque l'explication sera un signe, elle requerra probablement une autre explication qui, ajoutée au signe déjà plus étendu, formera un signe encore plus vaste [...]. »

Qu'est-ce qui a changé ? Peut-être rien, somme toute. Une toute petite révélation qui a permis de voir le voir... ou l'aveugle qu'on n'attendait pas.

> Quand on est malin, on peut faire semblant de s'y retrouver, on peut faire semblant de croire que les mots ne bougent pas, que leur sens est fixe ou qu'il a bougé grâce à nous qui, volontairement, feint-on de croire, si l'on en modifie un peu l'apparence, devenons des dieux. Moi, devant ce troupeau enragé, encagé dans le dictionnaire, je sais que je n'ai rien dit et que je ne dirai jamais rien : et les mots s'en foutent. (*ÉM*, p. 18)

Ce qui reste, c'est le jeu de la lettre, du verbe, de la voix, du ton, du dire. Ce qui reste, c'est le livre à faire, sa facture, son futur radical. Rien à voir avec la croyance, la foi, la religion, rien à voir non plus avec les signes, les interprétants et ce qu'ils affirment, et cela, bien qu'il faille immanquablement en passer par eux. De Rembrandt, Genet écrit : « S'il croyait en Dieu ? Pas quand il peint. Il connaît la Bible et il s'en sert. » De Genet, on peut dire la même chose : S'il croyait aux mots ? Pas quand il écrit. Il connaît le Verbe et il s'en sert. « Il va de soi que tout ce que je viens de dire n'a un peu d'importance que si l'on accepte que tout était à peu près faux. L'œuvre d'art, si elle est achevée, ne permet pas, à partir d'elle, les aperçus, les jeux intellectuels. Elle semblerait même brouiller l'intelligence, ou la ligoter. Or j'ai joué ». (*CRR*, p. 23-25)

1950. Détérioration psychique, début d'un silence de six ans. Le retour au livre se fera par le théâtre et par Rembrandt, Giacometti. À lire ainsi les interruptions puis les reprises du rapport à l'écriture, ce ne sont pas les arrêts qui frappent ni les retours mais ce que le livre s'entête, en ces scansions, à analyser : une lutte voire un combat métaphysique avec la mort.

Nous sommes en 1967. Écoutons la phrase : « Tout ce que je viens de dire n'a un peu d'importance que si l'on accepte que tout était à peu près faux. » Il ne s'agit pas d'échapper au signe, à sa défaite ni au semblant qu'il façonne à même nos paroles, nos voix, nos corps. Les signes ne sont jamais qu'à peu près faux, ce qui n'est pas sans laisser entendre qu'il y a toujours un bout par où la vérité fait signe. On n'en sort pas. De quoi s'agit-il donc ? La question semble insister sans jamais se résoudre. Disons qu'il s'agit toujours de *vous* et *moi* et du rapport qu'il y a entre *vous* et *moi* ; qu'il s'agit de parler, de dire, d'écrire, mais qu'il s'agit d'« autre chose », d'autre chose que du visible, d'autre chose que du dicible, d'autre chose, enfin, que ce que j'ai dit et que vous avez entendu, d'autre chose que ce tableau légendaire et si beau que vous avez pris pour ma légende, pour mon tableau. Prenons ce tableau et déchirons-le en petits carrés bien réguliers, jetons-le aux chiottes. Que reste-t-il ? Il reste *vous* et *moi*, le souvenir du tableau, les mots pour le dire, le décrire, et puis il reste cette expérience d'avoir pris le tableau, de l'avoir déchiré en petits carrés et de l'avoir jeté aux chiottes. Il reste cette expérience, qui a bien eu lieu, entre *vous* et *moi*.

D'une déchirure

Cela se passe en 1953 et est raconté dans ce petit texte consacré à la peinture de Rembrandt ; texte scindé en deux colonnes tels deux éclats d'un miroir dont la brisure saute aux yeux, bien avant le reflet, ou en lui. Qu'est-ce qui se passe ? Genet dira lui-même que l'épreuve a été terrible, terrifiante. Elle est en tout cas génératrice d'une perte et d'un travail de deuil dont l'écriture va s'attarder à ressaisir, à accomplir l'effet : « Quelque chose, dira Genet, qui me paraissait ressembler à une pourriture était en train de gangrener toute mon ancienne vision du monde. »

> Quand un jour, dans un wagon, en regardant le voyageur assis en face de moi j'eus la révélation que tout homme en vaut un autre, je ne soupçonnais pas — ou plutôt si, obscurément je le sus, car soudain une nappe de tristesse s'abattit sur moi, et plus ou moins supportable, mais sensible, elle ne me quitta plus — que cette connaissance entraînerait une si méthodique désintégration. (*CRR*, p. 21-23)

C'est de voir qu'il s'agit. Du regard et de la rencontre du regard : « Son regard n'était pas d'un autre : c'était le mien que je rencontrais dans une glace, *par inadvertance et dans la solitude et l'oubli de moi*. Ce que j'éprouvais je ne pus le traduire que sous cette forme : je m'écoulais de mon corps, et par les yeux, dans celui du voyageur *en même temps que le voyageur s'écoulait dans le mien.* » Stade du miroir genétien, rencontre de son propre regard comme tout autre, épreuve de déréalisation. Est donc éprouvée, brutalement et sans préavis, l'équivalence. *Un homme était identique à tout autre, voilà ce qui m'avait giflé.* Le voile du signe se déchire, le visible se troue et l'œil s'ouvre pour happer les deux corps qui se regardent. L'épreuve est la rencontre depuis toujours « montée », « jouée » de la béance du regard ; épreuve saisissante de ce qui ne saurait être vu par quiconque, épreuve d'un effacement, celui du signe distinctif, de l'être regardé en ce qu'il indique son exception, sa valeur : retrait du sujet pris au signe ; terme, fin, butée de sa signification. L'expérience est fulgurante, inénarrable au présent mais « je ne pouvais plus ne pas avoir connu ce que j'avais connu dans le train ». Il en restera donc quelque chose dont il faudra tenir compte. Découverte d'une loi qui interdit que, entre *vous* et *moi*, il y ait un épuisement du signe pour dire qui je suis au sens moral, rien de significatif entre *vous* et *moi* que ce non-sens certain : Vous = Moi = Lui. Comment rendre compte de cette aberrante révélation, de cette évidence, de cette vérité commune ? Que s'est-il passé pour que le dégoût envahisse toute la scène et que s'abatte la tristesse ? Un « pur et insipide regard » venait d'avoir lieu entre deux voyageurs et leur volonté n'y avait été pour rien. Pire, tout le monde venait de s'engouffrer dans cet appel d'air, dans cet impouvoir où quelque chose du désir, de l'érotisme semblait devoir se perdre.

Si l'abjection n'est le signe de personne, *où* suis-je ? Ai-je seulement joui ?

« La recherche érotique, me disais-je, est possible seulement quand on suppose que chaque être a son individualité, qu'elle est irréductible et que la forme physique en rend compte, et ne rend compte que d'elle. » (*CRR*, p. 30) Voilà bien le monde des signes tel qu'il vous assigne à l'autre, à sa reconnaissance, à sa demande d'amour ou de jouissance, mais à sa demande seulement. L'érotisme ne serait donc pas une *semiosis* ni une adresse de signes à signes, même infinie, même relancée ?

> Que savais-je de la signification érotique ? Mais l'idée que je circulais dans chaque homme, que chaque homme était en moi-même me causait du dégoût. Pendant encore un peu de temps si toute forme humaine assez belle, — de la beauté conventionnelle — et mâle, conserva un peu de pouvoir sur moi, c'était, pourrait-on dire, par réverbération.

Un choc a bien eu lieu, une violence qui atteint le corps dans sa jouissance et semble frapper les signes de nullité. Depuis Sartre et sa reconnaissance, le moi s'éprouve comme impuissant, « statufié ». Le jeu entre les signes a été pris pour le tout, et ce tout est un savoir. Sartre aurait fait en sorte qu'il ne reste rien. Violence de l'interprétation qui visait à « rendre compte d'une personne dans sa totalité[28] ». Or, il y a un reste à cette « totalité », qui insiste et fait retour aussi violemment, déchire le sujet pris à la lettre qui s'écoule, se déjette, s'échappe et, avec lui, le champ du signe, du visible, du connu. Le mort, parti en eau avec l'autre homme, il reste un *Je*, pur signifiant, non plus signe érigé, huilé, voilé de sa transparence onctueuse barrant la page, mais trace de sa disparition à peine constatée, inconstatable ; trace d'une disparition à la fois imminente et passée. « D'ici peu, me dis-je, rien ne comptera de ce qui eut tant de prix : les amours, les amitiés, les formes, la vanité, rien de ce qui relève de la séduction. »

> Pourtant, j'écrivais ce qui précède sans cesser d'être inquiété, travaillé par les thèmes érotiques qui m'étaient familiers et qui dominaient ma vie. J'étais sincère quand je parlais d'une recherche à partir de cette révélation « que tout homme est tout autre homme et moi comme les autres » — mais je savais que j'écrivais cela aussi afin de me défaire de l'érotisme, pour tenter de le déloger de moi, pour

---

28. Quatrième de couverture du *Saint Genet...*

l'éloigner en tout cas. Un sexe érigé, congestionné et vibrant, dressé dans un fourré de poils noirs et bouclés [...] tout cela luttant contre le si fragile regard capable peut-être de détruire cette Toute-Puissance ? (*CRR*, p. 27-31)

Le déplacement est infime parce qu'il a (eu) lieu, pourrait-on dire, dans l'étrange torsion qui lie le signe au signifiant, les mots à leur matière, le moi au *je*, la fiction au réel. Torsion brutalement révélée pour dire l'équivalence qui rend les hommes et les signes interchangeables, infiniment remplaçables. C'est d'une déchirure qu'il s'agit. Entre le visible et l'invisible. Les mots ont un sens, certes, mais il y a des sens qui n'ont pas de mots. Voilà peut-être la révélation. Passant par la matière des mots, ils ne sauraient dire. Quelque chose en effet peut choir des mots et peut, à l'instar du signe mais autrement et sur une autre scène, vous représenter. Hypothèse de Freud qui vient soutenir que l'imposture et l'authenticité du signe gardent toujours en réserve une jouissance du signifiant ; décision d'entendre ce qui choit des mots, ce qui échappe à la légende que le sujet ne cesse d'écrire, de raconter, de proférer, invention d'une logique, d'une topique qu'il appelle, faute de mieux, l'inconscient. Ce faisant nous avons changé de plan. Nous ne sommes plus sur la scène publique où l'émission d'une parole, d'un dire, d'un écrit viendrait là « pour quelqu'un ». S'il y a bien encore quelqu'un à qui l'on parle, à qui l'on dise l'expérience, le destinataire réel est ailleurs, au delà de cet autre projeté ou reconnu dans l'expérience elle-même et ses dérivés, là où le signifiant porte. Il s'agit certes de répondre encore à l'impératif d'écrire, mais pour dire autre chose que l'apparence et l'apparat. « À l'égard de ce moi hors de ma particulière apparence, je n'éprouvais nulle tendresse, aucune affection. Ni à l'égard de cette forme prise par l'autre — ou sa prison. Ou sa tombe ? Au contraire j'avais tendance à me montrer avec elle aussi impitoyable que je l'étais avec cette forme qui répondait à mon nom et qui écrivait ces lignes. » (*CRR*, p. 27)

Les signifiants sont des restes, des riens qui ne disent rien à proprement parler. Hors les signes, ils ne cessent pourtant de se prendre en eux comme par erreur, débris flottants, fils coupés, nœuds insécables, tissés à même le voile des signes, le rompant ou le rendant irrégulier par des amalgames incongrus ou discrets.

Cette « forme » en réserve ne se repère pas dans le regard de l'autre — Genet dit qu'il s'y perd car l'Autre regard le désintègre — mais dans la chaîne des signifiants qui le dispose à sa jouissance. Si le signe, à un moment, peut se déchirer comme un voile, un vêtement, pour la déréalisation de celui qui avait souhaité s'y identifier, ce qu'il va soudain révéler c'est le trou qui *me* happe et *me* lie différemment à l'objet du désir. Le voile du signe se déchire et livre le rien du *je*, non plus la somptuosité des revers propre à la logique du signe mais une fuite, une béance *où je m'éc...*; écoulement, écœurement, écroulement, écriture, circulation d'autant plus terrifiante que le sujet ne se trouve qu'à y éprouver son étrangeté.

L'expérience du train est reprise, remise à l'épreuve dans *L'atelier d'Alberto Giacometti*. Comme dans *Ce qui est resté d'un Rembrandt...*, le récit participe d'une recherche et d'une analyse du voir, du regard, de l'art en tant qu'il nécessite le visible et se tient à sa frontière. « Il y a quatre ans environ, j'étais dans le train. » Ainsi va le livre de Jean Genet : l'éprouvé se remet en chantier, refait son commencement à partir de cette rencontre d'un homme laid et sot avec qui il refuse de poursuivre une conversation et par qui, pourrait-on dire, il va perdre la vue.

> Il y quatre ans environ, j'étais dans le train. En face de moi, dans le compartiment un épouvantable petit vieux était assis. Sale et, manifestement, méchant, certaines de ses réflexions me le prouvèrent. [...] Son regard croisa, comme on dit, le mien, et, ce fut bref et appuyé, je ne sais plus, mais je connus soudain le douloureux — oui douloureux sentiment que n'importe quel homme en « valait » exactement — qu'on m'excuse mais c'est sur « exactement » que je veux mettre l'accent — n'importe quel autre. [...] Le regard de Giacometti a vu cela depuis longtemps, et il nous le restitue. Je dis ce que j'éprouve : cette parenté manifestée par ses figures me semble être ce point précieux où l'être humain serait ramené à ce qu'il a de plus irréductible : sa solitude d'être exactement équivalent à tout autre. (*AAG*, p. 50-51)

C'est l'invisible qui vient là saisir le livre de Genet, sa phrase, son chant, son imposture et sa « beauté ». La beauté du commencement était à dire. « Dire que quelque chose est beau décide déjà qu'il le sera », était-il affirmé dans le *Journal*. Décision et volonté, royaume du signe et de sa valeur. L'atelier de Giacometti permet que soit restitué le vif d'une expérience douloureuse dans laquelle toute cette beauté dite et à dire s'est perdue d'un seul coup, emportant son sujet comme son « précieux objet » dans la brisure du miroir. Mort radicale du moi à laquelle un autre « je suis » assiste comme pour la première fois, lui qui, depuis toujours, s'était paré d'un corps déjà-mort, d'un cadavre chéri, lui qui s'était *décidé* mort pour ne pas mourir, abandonné sans amour, disait-il. Voilà qu'il meurt sans décision ni volonté, sans effort, comme pour la première fois, découvrant que le deuil, sa tristesse, sa solitude, n'est pas du semblant puisqu'il advient au point le plus irréductible, sans signifié particulier. Douleur d'une annihilation poétique, d'autant plus radicale qu'elle était poétique.

Écoutons comme les mots sont les mêmes : le « précieux », la « laideur », la « beauté », et pourtant tout a changé, a bougé, a fui et fait retour disposé autrement. Le *Journal* s'ouvrait sur le vêtement des forçats, *L'atelier* parle de la nudité, le *Journal* disait et redisait l'immuabilité des signes — « et les signes les plus sordides me devinrent signes de grandeur » —, *L'atelier* ouvre sa porte à l'épreuve d'un « inéluctable mouvement » dans le visible et hors de lui.

> Ce monde visible est ce qu'il est et notre action sur lui ne pourra faire qu'il soit absolument autre. On songe donc avec nostalgie à un univers où l'homme, au lieu d'agir aussi furieusement sur l'apparence visible, se serait employé à s'en défaire [...], à se dénuder assez pour découvrir ce lieu secret, en nous-même, à partir de quoi eut été possible une aventure humaine toute différente. (*AAG*, p. 41)

L'origine de la beauté et de l'art n'est donc plus dans le dit mais dans la « blessure », singulière, différente pour chacun. Voilà que la distinction fait retour, mais où ? Cette différence dès l'ouverture affirmée, à quoi se repère-t-elle si la solitude est universelle et frappée d'une équivalence générale ?

Il faut repartir d'ailleurs, comme Genet, avec Genet, et cet ailleurs est justement dans la matière, dans l'Un du Nom, son intimité flagrante et partagée. L'expérience du train d'où le livre de Genet ne cesse plus de s'écrire au point d'opérer sa relecture depuis le commencement — car l'épreuve de l'équivalence serait demeurée sans effet s'il n'y avait eu d'abord la légende des signes —, l'expérience du train vécue dans la solitude, en tant que solitude, n'est pas sans pouvoir passer d'un sujet à un autre. « Certaines statues de Giacometti me causent une émotion bien proche de cette terreur, et une fascination presque aussi grande. » De là, écrire, décrire les sculptures de Giacometti joue le rôle d'interprétation de cette scène étrange, et s'effectue comme un travail de deuil.

Giacometti a vu l'invisible et c'est ce qu'il sculpte. L'objet du désir est ici devenu insignifiable parce que livré, pour Genet, à l'invisible, absent de la scène des regards. « Joie très connue et sans cesse nouvelle de mes doigts quand je les promène — mes yeux fermés — sur une statue. [...] Giacometti ou le sculpteur pour aveugles. [...] Ce sont bien les mains, non les yeux de Giacometti, qui fabriquent ces objets, ces figures. Il ne les rêve pas. Il les éprouve. »

Cette joie témoigne, on dirait, d'une rencontre avec l'objet-cause du désir, et non plus avec l'objet-condition qui n'en était que l'écrin. Objet-cause toujours déjà perdu et pourtant aussi présent qu'un mort, cher disparu, objet non pas préhensible, pouvant semer la « consternation » au vu et au su de tous, mais objet imparable parce qu'il provoque le sujet à son désir, objet-trou enfin démasqué-remasqué autrement. Serge Leclaire en donne assez précisément le statut :

> L'objet [cause-du-désir] se caractérise partiellement comme un reste déjeté de la mesure (*ratio*, raison) des lettres. Le produit, ou reste de l'opération d'articulation littérale, tombé hors de l'ordre intrinsèque

du système des lettres, peut être considéré de ce point de vue comme « perdu » [29].

Ne pourrait-on pas dire que le déchet, la chose chue voire la mère morte, ce poisson-lune couvert de crachats et dont Genet drapait dans un cérémonial d'apparat sa demande d'amour et de reconnaissance, se trouve ici déplacé, remis à sa place, hors la lettre qui ne fait plus qu'en chercher éperdument le contour, entendant le laisser résonner hors du champ imaginaire et de la représentation, hors signe. C'est donc toute l'écriture qui s'en trouve remodelée, déplaçant ses assertions, ses déclarations, son chant dans une recherche, un mouvement, une question, un désir plus certain et plus violent d'approcher l'inapprochable.

> Que mon regard essaye de les apprivoiser [les sculptures], de les approcher et — mais sans fureur, sans colère ni foudres, simplement à cause d'une distance entre elles et moi que je n'avais pas remarquée tant elle était comprimée et réduite au point de les faire croire toutes proches — elles s'éloignent à perte de vue : c'est que cette distance entre elles et moi soudain s'est dépliée. (*AAG*, p. 43)

Il s'agit désormais, et dans ce qui reste d'avenir du livre, de témoigner d'une disparition dans le visible. Le théâtre ne sera rien d'autre que cela : une réserve du voir, une suspension interrogative que le jeu, l'écriture de Genet ne cesse plus d'enlacer. Le monde et les autres sont comme les sculptures de Giacometti : à la fois présents, ici, et partis, en allés. « Où vont-elles ? Encore que leur image reste visible, où sont-elles ? »

Écrire pour les morts

Les objets de Giacometti, affirme Jean Genet, parlent pour les morts, pour « l'innombrable peuple des morts ». Qui sont-ils ces spectateurs d'outre-monde ? « Ils n'ont jamais été vivants. Ou je l'oublie. Ils le furent assez pour qu'on l'oublie. » Où se tiennent ces êtres « que leur vie avait pour fonction de les faire passer ce tranquille rivage où ils attendent un signe — venu d'ici — et qu'ils reconnaissent » ? Il s'agit de dire et de faire pour un dehors certain, pour des hors-la-vie, des hors-la-mémoire, pour ceux qui sont peut-être passés par l'être mais ne sont plus, restant pourtant en attente, en reste... d'un signe venu d'ici mais s'adressant à eux, qu'eux *aussi* puissent reconnaître. Les signes étaient — et sont toujours — destinés aux vivants. De quel signe s'agit-il donc qui puisse parler aux morts qui l'attendent. Autant demander : quel signe ne serait plus là « pour quelqu'un » mais pour

---

29. Serge Leclaire, *Démasquer le réel. Un essai sur l'objet en psychanalyse*, Paris, Seuil, coll. « Points », 1971, p. 76.

l'Autre ? Il doit s'agir d'un trait — lettre, dessin, tableau, sculpture — qui ne soit plus du semblant mais se fasse ressemblance : « Je ne connais pas de bras plus intensément, plus expressément bras que celui-là. » Genet regardant son portrait, son visage-objet dessiné par Giacometti : « Cette ressemblance, il me semble, n'est pas due à la " manière " de l'auteur. C'est que chaque figure a la même origine, nocturne sans doute, mais bien située dans le monde. Où ? »

De là s'organise toute une hésitation à dire. Non plus volonté de dire ni décision mais impératif de n'avoir jamais dit qui procède par hésitation systématique, dérapage recherché, travail incessant, encore à dire : « J'ai dit *modelé* mais c'est quelque chose d'autre. » Ou encore : « Si je regarde l'armoire afin de savoir enfin ce qu'elle est, j'élimine tout ce qui n'est pas elle. Et l'effort que j'accomplis fait de moi un être curieux. » Ou bien : « Je me trompe ? C'est possible. »

Au croisement des regards, ce qui s'est éprouvé et que poursuit l'écriture, ce n'est plus le signe, le moi-signe dressé au regard de l'autre comme son envers et son enfer, mais c'est l'enfer d'un je-forme dans son extrême nudité, dans sa solitude et son insigne « désêtre ». Le texte ne représente plus le héros pour quelqu'un mais à la place et à l'adresse d'un autre texte, à venir, déjà écrit, une chaîne de substitutions dans laquelle une forme répondant d'un nom se reconnaît non pas *être* mais *où*[30]. La déréliction ressentie dans l'expérience de Genet et prolongée dans *L'atelier* semble provenir du fait qu'il s'aperçoit soudain dériver — que cela se passe dans un train n'est pas indifférent —, ÉQUIVALENT, sans inversion possible puisque happé par la faille du signe qui lui permettait jusque-là de se retourner comme un gant. Le retournement ici happe le corps, qui disparaît dans le trou *d'où* il faut écrire et *où* l'écriture va. « L'objet invisible » non spéculaire dans tous ces éclats est produit, déjeté par l'écriture qui s'offre à lui. Cela ne s'effectue pas sans que soient soutenues les figures immémoriales de Genet : l'homme-déchet et la clocharde. « Au café. Cependant que Giacometti lit, un Arabe misérable, presque aveugle, cause un peu de scandale en traitant d'enculé un client, un autre... [...] J'offre à l'Arabe une cigarette. » Cet homme, personnage, revient là pour réaffirmer non plus l'abjection et la consternation mais le retrait en soi-même, le fait que tout homme quel qu'il soit puisse, comme la mer, se retirer et abandonner le rivage. « J'ai

---

30. Au sens de Dante qui, parvenu au Paradis, tente de percer les mystères de l'Incarnation, du Corps et du Verbe : « *Veder volea come si convenne/ l'imago al cerchio e come vi s'indova.* » (Par., XXXIII, 136-137) Ce que Jacqueline Risset traduit par : « *(Je voulais voir comment s'unit/ l'image au cercle, comment elle y prend lieu)* », avec ce commentaire : « C'est un verbe inventé qui exprime la notion de " prendre lieu " : " *indovarsi* " (composé de la préposition *in* et de l'adverbe de lieu *dove*), *se mettre dans le où.* » (*Dante écrivain ou l'intelletto d'amore*, Paris, Seuil, 1982, p. 70)

cité cette anecdote parce qu'il me semble que les statues de Giacometti se sont retirées — abandonnant le rivage — à cet endroit secret, que je ne puis ni décrire ni préciser mais qui fait que chaque homme, quand il s'y retranche, est plus précieux que le reste de monde. » Et le texte enchaîne immédiatement sur cette association qui n'est pas sans rappeler la vieille voleuse sortie du tube de vaseline.

> Bien avant cela, Giacometti m'avait raconté ses amours avec une vieille clocharde, charmante et déguenillée, sale probablement et dont il pouvait voir quand elle le distrayait, les loupes bosseler son crâne presque dégarni. [...]
>
> — MOI — Vous auriez pu l'épouser, et la présenter comme Mme Giacometti. (*AAG*, p. 69)

Quelque chose a eu lieu qui dispense la mère, dirait-on, d'être enterrée et pleurée. Le rêve œdipien est plutôt clair, mais il a surtout pour effet de rouvrir la question du *qui suis-je ?* Chaque homme peut, comme la mer, se retirer, abandonner le rivage. Et de là, peut-être est-il donné au fils la possibilité d'un abandon dont il ne puisse s'autoriser. Dans le *Journal*, « mener le deuil [était] d'abord me soumettre à une douleur à quoi j'échapperai car je la transforme en une force nécessaire pour sortir de la morale habituelle » (*JV*, p. 253). Dans *L'atelier...*, le deuil est pris en charge par l'objet d'art et ne cesse de s'adresser aux morts que je suis aussi, car je ne cesse désormais d'oublier qui je suis. « Les statues (ces femmes) de Giacometti veillent un mort. » Dans *L'atelier*, on assiste à une transmission, l'objet du désir vient vers nous et le langage n'est plus un chant triomphant mais un manque à dire. « Je l'ai bien mal dit, n'est-ce pas ? Essayez autrement. » Où le lecteur est invité à dire et non à voir.

> L'art de Giacometti n'est donc pas un art social parce qu'il rétablirait entre les objets un lien social — l'homme et ses sécrétions — il serait plutôt un art de clochards supérieurs, à ce point purs que ce qui pourrait les unir serait une reconnaissance de la solitude de tout être et de tout objet. « Je suis seul, semble dire l'objet, donc pris dans une nécessité contre laquelle vous ne pouvez rien. Si je ne suis pas ce que je suis, je suis indestructible. Étant ce que je suis, et sans réserve, ma solitude connaît la vôtre. (*AAG*, p. 73)

Le « livre de Jean Genet », c'est cet atelier du dire où le moi « indestructible comme un héros de tragédie » s'est perdu puis retrouvé seul, déchiré, endeuillé et mortel, exhumé par un « voir » si brutal que lui-même, innommable, a le devoir de hausser le monde à sa dignité. « La tragédie il faut la vivre pas la jouer. » Et le théâtre ? Une mort et une résurrection... pour la mort.

> Et le Théâtre au cimetière ? Avant qu'on enterre le mort, qu'on porte jusqu'au devant de la scène le cadavre dans son cercueil ; que les amis, les ennemis et les curieux se rangent dans la partie réservée au

public; que le mime funèbre qui précède le cortège se dédouble, se multiplie; qu'il devienne troupe théâtrale et qu'il fasse, devant le mort et le public, revivre et remourir le mort. (*ÉM*, p. 17)

Politique de l'Origine : le miroir de la lettre hébraïque

> Écrire, c'est le dernier recours que l'on a quand on a trahi.
>
> JEAN GENET

L'invention de la solitude se révèle, de tout temps, être l'acte privilégié par l'écriture de Jean Genet. Après le suicide d'Abdallah (1964), l'écrivain renonce une fois encore à écrire, se retirant de l'œuvre à faire, abandonnant sa poursuite de la lettre destinée par un réel sans voix. Comme si c'était la lettre qui tuait, trahissait, blessait l'autre en le nommant, épaississant l'espace entre le mort et le vivant. Les derniers mots du *Funambule* (1958), dédié et adressé à Abdallah, rappellent à sa visée première la fonction de l'écrit. « Ce sont de vains, de maladroits conseils que je t'adresse. Personne ne saurait les suivre. Mais je ne voulais pas autre chose : qu'écrire à propos de cet art un poème dont la chaleur montera à tes joues. Il s'agissait de t'enflammer, non de t'enseigner[31]. » L'art du funambule comme spectacle de la mise à mort ne saurait souffrir quelque enseignement. Genet, à la fin de ce petit texte-poème dans lequel la rigueur de « s'apparaître à soi-même » a pu se dire en termes d'exigence, de perfection et d'extase, avoue la vanité de vouloir accéder à cette loi. La parole ici adressée à l'artiste funambule est désir, voie du désir, dévoilement d'un érotisme singulier du verbe, d'un verbe-pour-la mort.

> Dehors, c'est le bruit discordant, c'est le désordre; dedans c'est la certitude généalogique qui vient des millénaires, la sécurité de se savoir lié dans une sorte d'usine où se forgent les jeux précis qui servent l'exposition solennelle de vous-mêmes, qui préparent la Fête. [...] Obscurément, dans les flancs du monstre, vous avez compris que chacun de nous doit tendre à cela : tâcher d'apparaître à soi-même dans son apothéose. C'est en toi-même enfin que durant quelques minutes le spectacle te change[32].

Abdallah, délaissé après son accident, se suicide, et Genet semble éprouver ce passage à l'acte comme une parole qui impose le silence. L'écrivain disparaît, voyage, n'écrit plus. Il y aura pourtant, plus de vingt-cinq ans plus tard, un autre « dernier » livre qui ressemble à une naissance, à une mise au monde. *Un captif amoureux* (1986) s'ouvre avec ces mots, ajoutés en exergue sur les dernières épreuves : « Mettre

---

31. Jean Genet, *Le funambule*, *Œuvres complètes*, t. V, *op. cit.*, p. 27.
32. *Ibid.*, p. 25-26.

à l'abri toutes les images du langage et se servir d'elles, car elles sont dans le désert, où il faut aller les chercher. » La parole est au désert. Page blanche, corps muet, mort. Chair blafarde du cadavre sur laquelle tracer la lettre, le trait du mot qui n'en dit rien et se donne à lire, et déposé à la surface pour témoigner. Non pas du mort ni du désert, mais de soi-même qui en revient. Le dernier livre s'ouvre sur la lettre, son corps, et sur le dégoût lointain qui l'entoure.

> La page qui fut d'abord blanche, est maintenant parcourue du haut en bas de minuscules signes noirs, les lettres, les mots, les virgules, les points d'exclamation, et c'est grâce à eux qu'on dit que cette page est lisible. Cependant à une sorte d'inquiétude dans l'esprit, à ce haut-le-cœur très proche de la nausée, au flottement qui me fait hésiter à écrire... la réalité est-elle cette totalité des signes noirs ? Le blanc, ici, est un artifice qui remplace la translucidité du parchemin, l'ocre griffé des tablettes de glaise et cet ocre en relief, comme la transluci- dité et le blanc ont peut-être une réalité plus forte que les signes qui les défigurent. (*CA*, p. 11)

On sait que ce ne sont pas les Palestiniens qui ont fait reprendre à Genet la plume ; du moins pas directement, puisque son séjour chez les fedayin dans les camps de Jordanie a eu lieu d'octobre 1970 à avril 1971 et que le livre, qui en rapporte le témoignage, date de seize ans plus tard, rédigé dans les derniers mois de la vie de l'écrivain. Ce sont, de manière assez brutale, les quatre heures passées à Chatila qui semblent marquer le retour de Genet à l'écriture [33]. Cet événement qu'est la marche d'un vieillard sous le soleil brûlant, parmi les cada- vres et sur le site du massacre, est étrange et troublant, comme d'ail- leurs les textes qui en découlent et qui nous redonnent une fois de plus à lire le livre depuis son commencement, suivant sa « politique » scandaleuse, outrageante pour certains, et dont la prise en compte relève littéralement d'une retrouvaille avec le « dire » : avec ce corps mort pour le dire [34]. Il y a, à Chatila, comme une extase, une vision

---

33. Jean Genet, « Quatre heures à Chatila (1982) » repris dans *L'ennemi déclaré*, Paris, Gallimard, 1991, p. 243-264. Ce retour à l'écriture, Jérôme Hanskins entre autres le commente dans le collectif qu'il compose autour de cet article dans *Genet à Chatila*, Paris, Solin, 1992/Babel, 1994, p. 16-17 : « Les quatre heures passées à Chatila ont permis [à Genet] de relier les strates successives de son existence, et, dans une maturation accélérée de ses pouvoirs, ce vieillard pâle et boiteux décide de se remettre à écrire, c'est-à-dire à survivre. » Il faut lire aussi le très bel entre- tien avec Leila Shahid (*ibid.*, p. 31, 52) : « Il m'avait dit tant de fois qu'il n'écrivait plus. Et, de fait, jamais je ne le voyais écrire. [...] Maintenant, je pense que pen- dant toute cette année où il avait été tellement malade, où il avait frôlé la mort, ce livre était en gestation. C'était physique. Et je crois que *Quatre heures à Cha- tila* est le prologue qui s'est presque imposé à lui [...] Et donc l'écriture s'était imposée. »
34. L'outrage provoqué par l'écriture et le témoignage de Genet est sensible, entre autres, dans l'article de S. Blumenfeld, « Antisionisme et antisémitisme de Jean Genet : analyse critique d'*Un captif amoureux* », *Pardès*, n° 6, 1987, p. 117-125.

hallucinée qui est à la fois pour Genet un effondrement, une horreur et l'occasion d'une révélation comme d'une résurrection. Quelque chose, là, renaît de la connexion entre un désastre et un autre désastre, selon une mémoire qui ressemble à une jouissance au sens où Freud parle d'une répétition inaugurale, d'un retour de l'originaire inédit, frappé de cette doublure première qui est reconnaissance catastrophique. Genet à Chatila prend, dirait-on, la mesure et la charge de ce recouvrement, de cet empilement des temps ; il en radicalise le sens au point de témoigner d'abord de cette loi elle-même.

> L'amour et la mort. Ces deux termes s'associent très vite quand l'un est écrit. Il m'a fallu aller à Chatila pour percevoir l'obscénité de l'amour et l'obscénité de la mort. Les corps, dans les deux cas, n'ont plus rien à cacher : postures, contorsions, gestes, signes, silences même appartiennent à un monde et à l'autre [35].

Étonnante, aussi, cette esthétique du monde bombardé :

> Les immeubles de Beyrouth sont à peu près tous touchés, dans ce qu'on appelle encore Beyrouth-Ouest. Ils s'affaissent de différentes façons : comme un mille-feuilles serré dans les doigts d'un King Kong géant, indifférent et vorace, d'autres fois, les trois ou quatre derniers étages s'inclinent délicieusement selon un plissé très élégant, une sorte de drapé libanais de l'immeuble [36].

On doit, de là, relire *Pompes funèbres*, l'apologie de l'assassinat comme art, l'érotisme et l'héroïsme des miliciens de la Gestapo française, pour retrouver ce principe d'écriture qui expose aux regards des lecteurs la logique étonnante du témoin-interprète. Dans *Pompes funèbres*, ce principe associait une certaine sexualité au fascisme, un coït anal ou l'accouplement d'une vieille folle et d'un voyou à la terrifiante machine hitlérienne. Ici, l'écriture noue entre eux deux corps : les cadavres massacrés, mutilés et gonflés de Chatila, et la beauté des fedayin, ressurgie sur cette scène de mort. Où est Genet dans cette Histoire qui est aussi celle de son siècle ? En plein milieu, pourrait-on dire, au centre, imparable et indémontable malgré les abandons, malgré la solitude ou plutôt plongé dans l'Histoire, dans l'écriture de l'Histoire par cette solitude même, intensément ressentie, indépassable et universelle. Genet semble porté par l'exigence, la rigueur d'une lucidité dont je voudrais, pour finir, montrer la dimension éthique.

Genet à Chatila est lui-même le corps qui fusionne l'une dans l'autre les deux scènes palestiniennes : massacre et révolution. Il est ce corps mort et vivant, corps marchant, regardant, écrivant et pourtant déjà mort. « L'odeur et les mouches avaient, me semblait-il, l'habitude de moi. Je ne dérangeais plus rien de ces ruines et de ce calme. [...]

---

35. Jean Genet, « Quatre heures à Chatila », *op. cit.*, p. 243.
36. *Ibid.*, p. 254.

L'odeur cadavérique ne sortait ni d'une maison ni d'un supplicié : mon corps, mon être semblait l'émettre [37]. » Il n'y a pour Genet de témoignage que depuis cette place qui est aussi scansion, répétition, retour d'un originaire en creux, blanc, sans image. Cette origine non plus mythique mais proprement analytique, Genet exige de s'y tenir contre toute autre « certitude généalogique », honnissant, méprisant, détestant brusquement quelque invention de l'Origine qui ne soit pas « désertée ». Son amour des Palestiniens, son lien à eux, il le sait provenir de là : un « rien » d'où écrire.

> [...] les bases devaient être ce lieu interdit où personne n'entre, tous devinant peut-être, sans oser le dire, qu'il n'y avait rien à voir. Et ce livre que j'écris, remontée dans mon souvenir d'instants délicieux est, mais le dirai-je ? l'accumulation de ces instants afin de dissimuler ce grand prodige : « il n'y avait rien à voir ni à entendre ». (CA, p. 104)

S'agit-il de racheter, de disculper, de rétablir dans le « bien » celui que Hadrien Laroche appelle le « dernier Genet », c'est-à-dire l'écrivain des derniers textes mais aussi le dernier des derniers, infâme et traître [38] ? L'auteur de ce très beau livre ne prétend pas le faire, soutenant plutôt que c'est d'un déchiffrage et d'une lecture qu'il s'agit pour entendre d'où parle celui qui, avec les Palestiniens, décrit une résistance qui est d'abord la sienne.

La résistance de Genet prend les noms de l'Histoire dont, dit-il, il se fait le témoin. Mais c'est un témoin singulier parce que les armes du témoignage — et ce sont des armes —, c'est-à-dire les mots, les lettres, la poésie, l'écriture, ne sauraient, pour Genet, témoigner d'autre chose que d'un regard. Perpétuation de l'autobiographie en tant qu'elle est précisément le site d'assomption d'un corps à la fois érotique et politique. Et c'est cet « à la fois » qui est troublant, inusité, scandaleux. Genet n'y renoncera jamais, même si sa démarche le mène parfois à dire des « horreurs », même si l'érotisme chaste et littéral — érotisme de la lettre et avec la lettre — échappe et impose un malentendu tenace. Il n'y aura pas d'autre « engagement » pour Genet que celui-là. Primauté du Symbole sur la foi. L'écrivain ne saurait écrire en militant parce que sa « cause » est dans le livre, elle est celle du livre à faire. La vie est à écrire et cet impératif impose d'autres lois. L'Histoire ne sera donc pas racontée ni rapportée mais remontée comme un souvenir, tirée d'un désert traversé [39]. « On écrit toujours sur le corps mort du monde pour en consigner le désert par lui laissé », écrivait Michel de Certeau. Il y a de cela dans Genet, avec en plus une esthétique de la

---

37. *Ibid.*, p. 249, 259.
38. Hadrien Laroche, *Le dernier Genet*, Paris, Seuil, 1987.
39. On se souviendra, justement, que les deux parties qui divisent *Un captif amoureux* sont titrées « Souvenirs I » et « Souvenirs II ».

lettre devenue trace de ce qui a disparu. « Lire entre les lignes est un art étale, entre les mots aussi, un art à pic. Si elle demeurait en un lieu la réalité du temps passé auprès — et non avec eux — des Palestiniens se conserverait, et je le dis mal, entre chaque mot prétendant rendre compte de cette réalité alors qu'elle se blottit, jusqu'à s'épouser elle-même, mortaisée ou plutôt si exactement prise entre les mots, sur cet espace blanc de la feuille de papier, mais non dans les mots eux-mêmes qui furent écrits afin que disparaissent cette réalité. » (CA, p. 11)

Depuis cette réalité du temps passé jusqu'à son écriture, quelque chose a eu lieu. L'expérience du train subit, vingt ans après, un second tour, une réinterprétation qui dit bien la « manière » de témoigner au nom d'une transmission et non, comme le souhaitait Bataille, d'une Communication. Le témoin est l'enjeu, le lieu de cette transmission ; c'est dire qu'il en reçoit le fardeau ou qu'il l'invente pour le déporter au delà. Au delà de lui-même mais aussi, on l'a vu, au delà des vivants. Il en est du témoignage comme du destinataire, ce qui sera dit reste encore à dire et ne saurait être reçu comme un compte rendu de faits. C'est de langage et d'images qu'il est question et ceci concerne une esthétique précise. « Ces personnes que je crois faire vivre ou revivre en tendant l'oreille pour entendre ce qu'elles disent, restent mortes. » (CA, p. 414) Les hommes, Genet l'a éprouvé, sont équivalents. L'écœurement de cette révélation n'empêche pas qu'elle soit. Elle a surtout imposé son irréversibilité, forçant l'écrivain à « utiliser cette découverte nouvelle pour lui, [...] laissant à découvert... quoi ? un vide solide qui ne cessait de me perpétuer » (CRR, p. 29). Dans son article « Les Palestiniens », Genet présente l'expérience de son premier voyage sur les bases des fedayin, dans les montagnes de Jerash et d'Ajloun au bord du Jourdain, comme la « raison » de son soutien à la révolution palestinienne. Expérience ni catastrophique ni déréalisante mais tout de même cause d'un changement qui rejoue autrement l'expérience du train.

> Si l'on me demandait pourquoi je soutiens la révolution palesti-
> nienne, je rappellerais tout d'abord que les représentants de l'OLP en
> France m'invitèrent à visiter les camps palestiniens et les bases de
> Jordanie. Voici ce qui m'arriva sur ces bases : alors que la révolution
> palestinienne m'était encore dans une certaine mesure abstraite et
> étrange, je me rendis compte qu'elle n'avait pas changé seulement les
> Palestiniens, mais moi aussi avec eux. Je m'explique : en Europe, par
> une paresse innée, j'avais l'habitude de considérer la fonction plutôt
> que l'homme. Le serveur était nécessaire pour poser l'assiette et le
> verre sur la table [...]. Ceci à tous les niveaux pour toutes les fonc-
> tions : chaque homme était interchangeable à l'intérieur de la struc-
> ture où se définissait sa fonction [...]. Sur les bases palestiniennes, ce
> fut le contraire qui arriva : je changeai en ce sens que mes relations

changèrent, parce que chaque relation était différente. Aucun homme n'était interchangeable en tant qu'homme; on ne remarquait que l'homme, indépendamment de sa fonction, et cette fonction ne servait pas à maintenir en place un système, mais à lutter pour en détruire un. (*CA*, p. 281)

Le texte est mystérieux, se donnant indirectement pour cause d'un engagement, il raconte une métamorphose dont on voit mal sur quoi elle repose. Quelque chose a changé mais d'où cela vient-il ? De ceci, peut-être, que Genet est porté à l'extérieur... de l'Europe. Échappé de la France et de ce qui, autour et en elle, a permis l'invention mythique d'une origine, Genet se retrouve, interpellé comme écrivain, au dehors, ayant sans doute, comme il le dira ailleurs, à reconsidérer le statut même du livre et de sa fiction. Mais c'est Chatila qui provoquera l'écriture, son retour, précisément sur la « base » de ce changement opéré sourdement dans son rapport avec les hommes. Comme si l'horreur des massacres accomplissait le retour d'une singularité momentanément perdue. Ce qui fait retour, c'est le temps lui-même, sa stratification qui, remise en mouvement, en fusion, ordonne de nouveau la lettre — son rébus — et, avec elle, l'interprétation de l'Histoire comme un rêve.

Ce qui a changé tient du symbole, de sa fonction, et si l'homme peut être remarqué indépendamment de « sa fonction », c'est que le symbole s'est déplacé, qu'il manque à sa place et laisse voir non pas l'exception, mais ce que Genet appelle ici la relation, c'est-à-dire la fonction symbolique en ce qu'elle ne dit pas autre chose que le lien, le partage de chaque « un » dans la chaîne des symboles. L'extériorité qui s'impose sur le plan géographique implique immédiatement une autre extériorité que l'écrivain ne peut pas ne pas saisir, s'approprier, parce que ce qui lui arrive est directement l'effet d'une transmission. De là, il faudra faire un pas de plus pour rendre à la lettre sa part de réel, toujours évoquée dans le livre de Genet, obstinément invoquée, montrée, racontée mais à la fin « restituée » comme la part maudite du livre, la seule soutenable parce que sans elle rien n'aurait eu lieu. Le réel de la lettre, c'est sa matérialité relationnelle, sa matière première qui est agencement, combinatoire, permutation, jeu infini d'assemblage, discontinuité, relation. Moment où l'écrivain crève le mur du livre et le répand sur le monde. Les hommes sont, à l'avance pour l'écrivain, des lettres, des caractères d'imprimerie dont on peut reconnaître la singularité avec le sens. Cet acte, difficilement compréhensible pour qui refuse de prendre au sérieux l'engagement de l'écrivain — engagement, dette envers la lettre —, donne à la présence de Genet auprès des Palestiniens sa portée particulière. Nul doute que Genet fut pro-Palestinien et anti-Israélien, nul doute qu'il dit à chaque page ce qu'il pense, ce qu'il voit. Mais cette « position » de Genet — position dans l'écrit qui est aussi position dans le réel — n'est pas lisible sans le dispositif qui la donne, véritable principe d'écriture devenu art du réel. « L'étrangeté de ma situation m'apparaît maintenant ou de trois quarts, de profil ou de dos, car je ne me revois, avec mon âge et ma taille, jamais de face, mais de dos ou de profil, mes dimensions m'étant précisées par la direction de mes gestes ou par les gestes des feddayin, la cigarette venait du haut vers le bas, le briquet du bas vers le haut, et les lignes écrites par la direction des gestes restituaient ma taille et ma position dans le groupe. » (*CA*, p. 281) L'extériorité rendue à l'écrivain, ce dehors qui l'a changé, a changé son regard, est toujours le lieu d'où parler.

> Est-ce par la grâce de mon âge ou par la faute de posséder la faculté, quand j'évoque un événement, de m'y voir non tel que je suis mais tel que j'étais ? Et hors de moi, étranger que je regarde, examine plutôt, avec la curiosité même dont on regarde en soi, ceux qui étant morts à tel âge, c'est à cet âge ou à l'âge qu'ils avaient lors de l'événement évoqué. Est-ce le privilège de mon âge ou le malheur de toute une vie de me voir de dos quand, à chaque instant, je fus le dos au mur. (*CA*, p. 45)

Le dernier livre s'ouvre sur cet ultime retournement du monde qui est une « vue de dos », prise à partir du mur où le corps, depuis toujours, est acculé. Face à l'ennemi, le dos au mur, voici la position du vivant, protégé ou traqué par ce mur, ou les deux à la fois. L'écrivain, lui, est ailleurs. Le regard est une échappée, il est peut-être ce mur lui-même dressé contre l'impossible à voir ou à dire, il est en tout cas l'espace où la lettre s'écrit à rebours du vivant, par-derrière, comme une trahison.

Genet s'est d'ailleurs toujours vanté d'avoir trahi ses amis ; la trahison se révèle être un art, un devoir. Si l'écriture « est le dernier recours quand on a trahi », ce n'est pas parce que l'écriture répare la faute ni qu'elle demande ou désire le pardon, mais parce qu'elle est la seule trahison qui se donne enfin pour ce qu'elle est. Trahison avouée mais surtout révélée dans sa loi et, de ce fait, *transmise* comme vérité, indéniable.

Reconnaissant cette logique, il devient extrêmement signifiant de relire les passages de Genet sur la lettre hébraïque dont on suit le parcours selon les butées du *Captif* qui la pose d'abord comme trait, figure, insigne de l'ennemi. Pour le Captif amoureux de la révolution palestinienne, de sa lutte métaphysique « sur fond de Nuit des Commencements » (*CA*, p. 198), Israël devient l'incarnation de ce réel maudit de la lettre. Et l'incarnation, selon Genet, se prendrait pour la Chose qu'elle a mission de dire sans pouvoir la nommer. Israël est l'ennemi, non seulement parce que État envahisseur et sourd aux appels du peuple qu'il ignore, mais parce que rivé au corps de sa lettre au mépris de ce qu'elle recouvre et de ce qu'elle inter-dit. Pour Genet, depuis qu'il écrit, la lettre ne saurait mythifier sans dévoiler en même temps son imposture, son crime. C'est à ce titre que la politique de Genet en est une de la mémoire et du Temps, une politique de la lettre qu'il reproche à Israël de ne pas avoir soutenu et qu'il traite, lui, le chrétien « arabe », en véritable talmudiste. Ce qui frappe Genet dans cette langue qu'il rencontre, semble-t-il, de front, c'est ce que David Banon appelle sa « structure intersticielle », autrement dit, la réserve de sens que l'absence de vocalisation propre à la morphologie de l'hébreu, langue à racines bi et trilitères, confère aux mots, aux textes. « Le blanc n'est pas simple espacement immédiatement sensible. [...] L'interstice, c'est le *pouvoir-dire* de la langue hébraïque et du texte biblique. [...] Car il y a toute une interprétation de l'*espacement*, de la *génération textuelle* et de la polysémie, comme on sait, autour de la Torah. [...] Aucun sens, fût-il total, ne sera assez exhaustif pour parvenir à effacer ce blanc, à éliminer cet appel lancinant à l'interprétation [40]. » C'est ce blanc que le Talmud exploite et libère, justement, pour ouvrir la Torah à ses impératifs éthiques, narratifs, humoristiques, autant dire interprétatifs. Si Genet ne convoque pas le Talmud, il ne cesse pourtant de croiser sa lettre dans sa « puissance » ressuscitée. Israël devient pour lui le mésusage de la lettre, l'enflure prétentieuse d'un recouvrement qui se voudrait total. Mais à bien lire la description répétée qu'il fait de l'inscription hébraïque, quelque chose résonne qui rappelle de manière saisissante l'écriture genétienne. Comme quoi l'État d'Israël ne saurait être confondu avec la Torah sur laquelle il fonde pourtant son droit, et encore moins avec la logique de sa langue qu'il brandit cependant comme étendard de véridiction. La politique des états ne saurait être un art de l'interprétation ouverte, et Genet, il faut bien le dire, s'égare un peu en plaquant l'un sur l'autre les usages de l'hébreu. Mais cet égarement n'empêche pas la vigile de l'écrivain, ce mort, ce faussaire ; et à le prendre à la lettre — la sienne — on remarque une complicité avec ce qui, chez l'ennemi, est donné pour infamie : *langue morte* ressuscitée.

Que Genet fonctionne en talmudiste, cela est lisible à chaque page où l'écrit ne cesse de disposer de ses interstices, de les élargir de

---

40. David Banon, *La lecture infinie. Les voies de l'interprétation midrachique*, Paris, Seuil, 1987, p. 200-202. On se rappellera la Torah déroulée comme un corps dénudé et tatoué dans *Notre-Dame-des-Fleurs*, p. 241 : « La grande occupation nocturne, celle qui est bien faite pour enchanter la nuit, c'est la fabrication des tatouages. Mille et mille petits coups d'une fine aiguille frappent jusqu'au sang la peau, et les figures les plus extravagantes pour vous s'étalent aux endroits les plus inattendus. Le rabbin déroule lentement la Thora, un mystère saisit de frisson tout l'épiderme, ainsi quand on voit se déshabiller un colon. Tout le bleu grimaçant sur une peau blanche revêt d'un prestige obscur mais puissant l'enfant qui en est couvert, comme une colonne indifférente et pure devient sacrée sous les entailles des hiéroglyphes. »

manière insistante et ostentatoire. Principe de la trahison avérée, assumée.

> Mais s'il est vrai que l'écriture est un mensonge ? Elle permettrait de dissimuler ce qui fut, le témoignage n'étant qu'un trompe-l'œil ? Sans dire exactement le contraire de ce qui fut, l'écriture n'en donne que la face visible, acceptable pour ainsi dire muette car elle n'a pas les moyens de montrer, en vérité, ce qui la double. [...] Or, comme toutes les voix la mienne est truquée, et si l'on devine les truquages aucun lecteur n'est averti de leur nature. Les seules choses assez vraies qui me firent écrire ce livre : les noisettes que je cueillis dans les haies d'Ajloun. Mais cette phrase voudrait cacher le livre comme chaque phrase la précédente et ne laisser sur la page qu'une erreur [...]. (CA, p. 43)

Car la lettre est à elle seule la matière de la pensée et sa loi. Non pas qu'il y ait réification de son statut comme primauté de l'être — ce que Genet semble reprocher à Israël d'instituer — mais au contraire trace d'une absence, souvenir dont la trahison, la contradiction, bref la faute, s'expie dans le prix à payer qui est la disparition. « Le souvenir arrive par *éclats d'images*, et l'homme qui écrit ce livre voit sa propre image, très loin, dans les très petites mensurations d'un nain devenant de plus en plus difficile à reconnaître, puisque toujours plus âgé. [...] je vois venir à toute vitesse la ligne d'horizon derrière laquelle j'aurai disparu en me confondant avec elle. Je ne reviendrai pas. » (CA, p. 160) C'est à ce titre que la pratique de Genet relève de l'analytique : ouverte sur la Chose, corps mort, désastre parlant qu'il s'agit d'attacher à la lettre pour le voir revenir. « Peut-être ce livre est-il sorti de moi sans que je puisse le contrôler. Il a trop d'irrégularité dans son cours et l'on y sent probablement le soulagement d'y lever des vannes de souvenirs fermés. Après quinze ans, malgré mes retenues, ma bouche cousue, des fissures laissent passer ce refoulé. » (CA, p. 255-256) La lettre est fissure, déchirure, comme elle est, on s'en souvient, bestiaire de dévorations et de fornications. De là, j'insiste, il faut relire les longs passages de Genet sur l'hébreu ; une « étrange familiarité » nous saisit.

> Pièces détachées est l'expression dont se servaient les Libanais pour désigner les lettres hébraïques. [...] Dessiné plutôt qu'écrit, sculpté plutôt que dessiné, l'hébreu [sur les panneaux routiers entre Damas et Beyrouth] causait un malaise comparable à celui qu'eût donné un troupeau tranquille de dinosaures. Non seulement cette écriture appartenait à l'ennemi, elle était, parmi d'autres, une sentinelle en armes, menaçant le peuple du Liban ; mon enfance se souvenait d'avoir vu ces caractères, sans connaître leur sens, ciselés dans deux pierres oblongues collées l'une à l'autre par les tranches, et nommées Tables de la Loi. Sculptées car le creux de ces lettres était simulé par un clair et par une ombre, illusion d'un relief. La plupart des caractères étaient carrés, à angles droits, se lisant de droite à gauche et pré-

190

sentant tous une ligne horizontale mais discontinue. Un ou deux caractères étaient coiffés de l'aigrette, celle des grues ; trois minces pistils soutenant trois stigmates antés sur les trois pistils attendant les abeilles qui poudraient le monde d'un pollen plusieurs fois millénaire, ou mieux, original ; et ces aigrettes de la lettre qui se dit à peu près ch en français, n'ajoutaient aux mots ni à l'injonction quelque légèreté, elles disaient le triomphe cynique de Tsahal et les trois pointes de l'aigrette avaient la majesté un peu sotte de la tête du paon, un peu sotte aussi de la bécasse espérant le sperme. En écrivain légèreté j'étais parti pour les mots « légèrement menaçant ».

Le sommet de certains bambous très élevés donne l'impression de bouger parce qu'il bouge vraiment, la tour Effeil bouge ; la tige de ces lettres donnait le même mal de cœur car aucune ne bougeait. Remontée, cette écriture ne l'était pas seulement de l'enfance, mais bien qu'elle fût présentée au monde au sommet d'une montagne elle remontait d'une caverne, profonde et sombre, où étaient emprisonnés Dieu, Moïse, Abraham, les Tables, la Thora, les Ordres, revenus ici, à ce carrefour d'une préhistoire avant la préhistoire, et sans rien savoir de précis sur Freud, nous éprouvâmes tous l'énormité de la pression qui, en deux mille ans, avait réussi ce Retour du Refoulé. Mais surtout notre surprise, notre dégoût restaient marqués de ce terrifiant discontinu, chaque lettre épaississant entre elles un espace non mesurable et un temps si tassé que cet espace résultait d'un empilement de plusieurs épaisseurs de temps ; espace si éloigné entre chaque lettre qu'il méritait le nom de « temps mort », car il était impossible à mesurer autant que l'« espace » — mais est-ce l'espace ? — séparant un cadavre de l'œil du vivant qui le regarde. Dans cet espace incommensurable séparant chaque lettre hébraïque, des générations sont nées, ont essaimé. Et dans cet espace, plus que le fracas des balles et des obus, le silence nous brisait. (*CA*, p. 364-365)

Ce qui frappe dans cette très longue description de la lettre hébraïque, c'est le dégoût qu'elle provoque ; effet de corps qui rappelle étrangement celui, déréalisant, du train de 1953. Effet, à bien lire, de miroir dans lequel ce qui est entrevu — non dit mais incontestablement écrit — est un surgir brutal et irrecevable du « même », non plus dans le corps propre mais dans celui de la lettre. Ce sont en tout cas les marques de l'écriture genétienne que l'on reconnaît, étonné, dans cette description minutieuse, attentive, obsédée. Le « nous » inusité, inattendu, a l'effet d'un masque qui noie le sujet dans un collectif sans doute plus propice à tromper la reconnaissance. Mais le Retour du Refoulé est aussi bien cette écriture du livre, elle-même, en tant qu'elle empile, comme la lettre hébraïque selon Genet, le temps, ses strates discontinues comme autant de cadavres. La lettre comme Chose, parade abjecte, métamorphose — troupeau de dinosaures, grue, paon, bécasse en attente de sperme — ne rappelle-t-elle pas le bestaire de la langue de *L'étrange mot d'...* ? Et cet « espace », ce « temps mort » entre le cadavre et l'œil du vivant, n'est-il pas précisément la place où se tient l'écrivain pour témoigner ? L'engagement de Genet ne saurait se déchiffrer sans cette disposition singulière à surgir précisément là, dans le discontinu de la lettre qui est à la fois brisure, disparition, nausée. Le « transport » en effet se poursuit depuis le voyage inaugural « entre Salon et Saint-Rambert-d'Albon ». « Aussi agile que je pu l'être, ou plutôt que le devinrent les transports — avions, trains, bateaux, voitures, hélicoptères — et facilement découvert l'argent des voyages, à l'intérieur de moi reposait le mort que j'étais depuis longtemps. [...] Les souvenirs que je rapporte sont peut-être les ornements dont on pare encore mon cadavre [...]. » (CA, p. 260) L'accélération ne fait que rendre encore plus prégnante la place du mort. Et le dégoût qui provenait de l'équivalence entre les hommes accède à la fin à sa révélation dernière : d'être un effet de la lettre comme Chose perdue, remontée, chose morte et chue qui fait retour sur la scène des images.

Cette révélation est un reste, en reste d'une équation constamment reposée, récrite, qui établit le rapport entre l'Origine et l'amour, la Mère et la mort, la béance et le phallus, pour produire dans l'histoire l'archéologie du sujet — captif — amoureux. Car ce témoignage de la révolution palestinienne s'écrit comme un enchaînement pour retrouver Hamza et sa mère. Véritable principe d'association d'« images », le livre trace les lettres discontinues de cette mathématique d'une retrouvaille. La figure de la pietà n'aura, en effet, jamais été aussi lumineuse que dans le dernier livre. Il faut lire dans quelle mesure littérale cette « fable » se construit contre — tout contre — le mythe supposé de la Nuit des Temps. Hamza, figure inaugurale du retour de l'écriture vers l'expérience palestinienne, semble, selon la juste expression d'Hadrien Laroche, « débarrassé de la nuit des temps [41] ».

Lutter contre Israël du lieu de sa « doublure fantomatique [42] », c'est lutter contre la Nuit des Temps, c'est-à-dire contre un Originaire rival qui affirme sa souveraineté. Pour Genet, l'originaire est un voile posé sur le néant, une « image » revenue du désert. Toute la causalité du livre est captée par la quête du couple Hamza et sa mère qui fait figure d'écran à la Nuit des Temps. De cette poursuite et de la rencontre-retrouvaille qui s'accomplit, Genet dira, dans les dernières

---

41. Hadrien Laroche, op. cit., p. 184. Et p. 183 : « Avec la pietà de Genet, il s'agit du détournement de la fonction fabulatrice au profit de la fable, de l'incarnation, au cours d'une longue querelle de l'écrivain avec lui-même, de l'idée mythologique de nuit des temps, de l'apparition d'une figure qui n'est pas neuve, faite d'un fils, sacré homme nouveau, et d'une mère, devenue douloureuse, couple noué sur un bois. Elle appelle une archéologiqe et veut réparer le défaut d'une origine. »

42. Jean Genet, Un captif amoureux, op. cit., p. 410 : « Ainsi l'État bien réel d'Israël se connaît doublé d'une survie fantomatique. » Et p. 407 : « D'être ainsi, spectres apparaissant, disparaissant, donnait [aux fedayin] cette force convaincante d'une existence plus forte que les objets dont l'image demeure [...]. »

lignes du livre que c'est « tout ce qui [lui] reste de *profond* de la révolution palestinienne ». Son dégoût de la lettre hébraïque s'inverse en cette composition phallique somptueuse et pleine : « Je sais que les première *pietà* furent sculptées dans un bois noueux et dur, supposé imputrescible » ; « La Vierge noire exhibant son gosse — un voyou montre ainsi son phallus qui serait noir, donc la Vierge noire brandissant son voyou noir. » (*CA*, p. 250, 51) Ce corps, qui « hante » le texte et le sujet, en constitue aussi l'énigme, le mystère, l'inconnue de l'équation et le « sceau de la Révolution palestinienne [43] ». Cette hantise dit bien, une fois de plus, le statut réversible de ce phallus-trou, spectre ou fantôme de la lettre.

Et ce qui reste, pour nous, de l'œuvre, du livre de Jean Genet, c'est cela : non pas le couple, ni l'image, ni l'ensemble des images du langage mais la réserve de cette écriture ; non le corps mort du Fils-Dieu sur les genoux de la Vierge-Mère éplorée, mais la Chose qui est son au-delà sans nom, blanc qui donne à la lettre son incommensurable discontinu. Blanc toujours susceptible de faire retour sous le corps d'abjection ou d'apparition qui en est la figuration — réel dernier dans le miroir du littéral « déserté ».

---

43. *Ibid.*, p. 242 : « Le sceau de la Révolution palestinienne ne me fut jamais un héros palestinien, une victoire (celle de Karameh par exemple) mais l'apparition presque incongrue de ce couple : Hamza et sa mère [...]. »

Chapitre six

La fabrique du Nom.
Rabbi Meïr avec Lacan

Qu'est-ce qu'un nom ? Qu'y a-t-il dans un nom ? Les talmudistes abordent la question par des jeux de mots. On en trouve un, entre autres, dans le *Talmud de Babylone*, au traité « Berakhot » consacré, comme son titre l'indique, aux bénédictions. Le mot sur lequel on joue peut se translittérer dans notre alphabet : CH M O T. Suivant que l'on mette sous le *chine* (CH) la voyelle *a* ou la voyelle *é*, le sens du mot s'en trouve aussitôt changé. Voici le passage :

> Comment sait-on que tout nom propre porte en lui une significa-tion ? Grâce au passage que cite Rabbi Éléazar : « Venez contempler les œuvres de l'Éternel, les ruines [les ravages] (CHaMOT) qu'il a opé-rées sur la terre » (Ps. 46, 9) ; il ne faut pas lire CHaMOT mais CHé-MOT, les « noms » [1].

La vocalisation en hébreu ne fait pas partie de la littéralité du mot, et demeure, même en hébreu moderne, facultative et transmise orale-ment. Dans la Torah, la possibilité des jeux de mots devient infinie et les talmudistes ne ratent jamais une occasion de jouer avec les lettres pour démultiplier le sens et la portée de la Loi. La Loi orale se caracté-rise précisément en faisant éclater la lecture de la Loi écrite. Les voyel-les, en hébreu, s'inscrivent en fait, si nécessaire, par un système de points placés sous — ou à côté de — la lettre [2]. Les éditions actuelles de la Bible hébraïque correspondent en général à la version dite « mas-sorétique » qui représente un choix particulier de signes-points placés sous les consonnes, et permettant de vocaliser les mots. Cette combi-naison donne un sens aux ensembles de lettres et constitue la version

---

1. *Aggadoth du Talmud de Babylone*, traduction d'Arlette Elkaïm-Sartre, Paris, Verdier, 1982, traité « Berakhot », p. 60.
2. « [Dans la vieille tradition juive], seules les consonnes ont été primitivement transcri-tes, les voyelles étaient " sous-entendues " et non manifestes comme dans les éditions vocalisées de la Bible, même si elles se transmettaient oralement. » (David Banon, *La lecture infinie. Les voies de l'interprétation midrachique*, Paris, Seuil, 1987, p. 42)

« transmise », celle qui fait l'objet des traductions. Mais « on peut dire que le texte réellement original est celui des consonnes [seules]. Avec d'autres points-voyelles, on peut obtenir d'autres significations et les sages juifs ne se sont pas privés de le faire, selon des règles très codifiées, pour dégager plusieurs éclairages d'un même passage [3] ». On a pu voir d'ailleurs, dans les pages précédentes, que cette particularité de la lettre hébraïque donnait à la langue une réserve de sens.

Le jeu de Rabbi Éléazar n'est donc ni hasardeux ni accidentel. Il participe directement de la tradition du midrach. « Une des techniques d'interprétation des maîtres du midrach [est] d'affecter d'ignorer la lecture traditionnelle et de lire autrement le passage proposé. [...]. C'est à une lecture polyphonique faite de contorsions phonétiques et syntaxiques que le midrach nous invite. Cette lecture plurielle injecte dans le texte et dans l'intelligence du lecteur de nouveaux réseaux de compréhension et d'échanges mobiles [4]. » Dans l'exemple précédent, le jeu de mots pourrait bien laisser entendre que le nom est toujours pris dans une violence qui l'invoque, le brise, le « ruine » sur le corps qui en renaît. À replacer dans son contexte le passage cité par le talmudiste, on arrive presque à reconnaître dans ce jeu de mots la fonction désirante du nom, celle dont la psychanalyse nous apprend qu'elle marque le corps des ravages de la jouissance.

Par Rabbi Éléazar, le Talmud établit en effet l'équivalence entre les noms et les ravages, selon le principe rabbinique du *kéri-kétiv* (lu-écrit). CHaMOT-CHéMOT, en hébreu, c'est un seul mot de quatre lettres que la lecture, suivant la vocalisation qu'elle adopte, départage en deux. « Comment sait-on que tout nom propre porte en lui une signification ? » Il n'y a, répond Rabbi Éléazar, qu'à relire le psaume dans toutes ses ouvertures vocaliques pour entendre que les noms sont œuvres de Dieu et ruines de la terre. Ce qu'il faudra ici démontrer. La polyphonie du Talmud invite à ces lectures « fautives » ; on peut donc à notre tour proposer un commentaire inédit qui sera, si l'on veut bien, un petit midrach personnel.

La signification du nom n'est sans doute jamais autre chose que ces « ravages » qu'il opère sur la terre, ravages particuliers que le psaume ici convoqué place à la fin des temps, époque, dit-on, de l'avènement du Messie. Il faut lire la fin du Psaume 46, qui parle de ce temps messianique toujours futur où s'affirmera la vérité du Jugement dernier, pour saisir un peu mieux le sens de ces ravages [5]. Selon la tra-

---

3. Jean Vassal, *Les Églises, diaspora d'Israël ?*, Paris, Albin Michel, 1993, p. 42-43.
4. David Banon, *op. cit.*, p. 55.
5. « Le livre d'Isaïe dépeint l'ère messianique sous un double aspect, à la fois catastrophique et utopique, qui associe le Jour de l'Éternel, qui sera le jour du bouleversement et du chaos total, et la fin des temps, lorsque la Maison du Seigneur s'élèvera

dition, l'arrivée du Messie sera précédée d'une période appelée « douleur de l'enfantement du Messie », identifiée à l'exil. Mais si l'on traverse et dépasse cette douleur, la restauration est promise et apparaît comme un au-delà de la pulsion de mort. Le texte du Psaume se lit ainsi :

> Venez contempler les œuvres de IHVH, les désolations [CHaMOT] qu'il a opérées sur la terre.
> Il fait chômer les guerres jusqu'au confin de la terre.
> Il brise l'arc, cisaille la lance, incinère les chars au feu.
> Cessez, et sachez que je suis moi-même Élohim.
> (Ps 46, 9-11)

Dans ce passage, les ravages — qui sont aussi les noms de l'Éternel — mettent un terme aux guerres fratricides de notre humaine condition. Utopie du nom qui est aussi son atopie. Si l'on poursuit un peu la pensée de Rabbi Éléazar qui substitue un mot à l'autre, on peut supposer que, au temps futur de la rédemption-résurrection, les ruines du monde seront les noms pour dire la révélation de Dieu. Car la substitution n'efface au fond jamais le signifiant substitué qui continue en quelque sorte de résonner dans l'autre lecture, CHaMOT et CHéMOT demeurant en présence dans les deux versions du texte. Ainsi nous est-il donné à entendre que le nom serait toujours hors du temps ; rappelé ici à la fin des temps d'où l'Histoire se raconte et s'enclenche. Le nom serait cette ruine de langage qui n'opère jamais que la dévastation d'où ça — le monde, le corps — *aura été*, au futur antérieur, pour commencer. La création du monde était nomination ; désolation dernière, le nom ne dit jamais rien que son acte, le *il y a* (*Fiat* en latin) inaugurant le monde à venir. (CHéM : *nom* et CHaM : *là* s'écrivent en hébreu non vocalisé exactement de la même façon.)

Le Talmud, on le voit, nous plonge directement dans les effets de la question. Tombant sur ce passage, le lecteur, même laïque, ne saurait être dispensé d'une rencontre avec le réel du Nom — cette transcendance qui nous est *propre* —, ne pouvant dès lors s'empêcher d'entendre cette vérité toute freudienne qu'il recèle, à savoir que la parole procède de cette ruine, de ce désert du nom. Écrire, ne serait-ce pas la tentative de faire entendre ce nom dévasté qui est le mien et qui est aussi le ravage de l'écrit. Car l'écriture semble bien traversée par cette fin des temps où nous entrons dès que nous sommes à l'écoute du signifiant.

« Un peu de temps à l'état pur », avançait Proust pour décrire la métaphore, son procès, son effet. Le nom se révèle à lui seul une

---

au sommet d'une montagne et que tous les peuples de la terre afflueront vers ce lieu d'accomplissement spirituel. » (Guy Schoeller (dir.), *Dictionnaire encyclopédique du judaïsme*, Paris, Cerf/Laffont, coll. « Bouquins », 1996, article « Messie »)

métaphore irréductible. Si Dieu, nous dit encore la Bible, est le Nom, les rédacteurs du Livre insistent sur cette fonction métaphorique, eux qui s'interdisent, pour l'avoir oubliée, la prononciation du tétragramme IHWH, et qui, de là, ne cessent de le renommer : *Élohim*, *Chaddaï, Tsébahot, Adonaï, El, Je suis,* ou tout bonnement *HaCHeM,* le Nom. Ce que les traducteurs ont rendu par *Yahvé* ou *Jéhova* n'est en fait que le tétragramme vocalisé au hasard et dont les consonnes sont celles du verbe *être* conjugué à la fois au passé, au présent et au futur : mot imprononçable parce qu'il n'est que traces et ruines du Temps [6].

Il y a encore dans le Talmud une histoire amusante pour parler de la signification des noms propres ; histoire toute empreinte de cette logique rabbinique si proche somme toute de la logique du rêve. Cette histoire se trouve dans le traité « Yoma » consacré à la fête de Yom Kippour, jour du Grand Pardon, chapitre qui traite des jeûnes et des sacrifices faits en ce jour :

Rabbi Meïr, Rabbi Juda et Rabbi Yossi voyageaient de compagnie. Rabbi Meïr avait l'habitude de chercher la signification des noms propres, contrairement à ses compagnons. Comme ils arrivaient à une auberge, ils demandèrent à l'hôte :
— Quel est ton nom ?
— Kidor, répondit-il.
— Ce nom me fait augurer que c'est un méchant homme, dit rabbi Meïr à ses compagnons, car il est écrit : « Ki dor tapoukhot hema » [car c'est une génération perverse] (Deut. 32 20).
Rabbi Juda et Rabbi Yossi confièrent leur bourse à l'hôte [pour le Chabbat où il est interdit d'avoir de l'argent sur soi]. Mais Rabbi Meïr s'en abstint. Il mit la sienne dans une cruche et alla l'enterrer devant la tombe du père de cet homme, près de la tête. La nuit, l'hôte dénommé Kidor eut un rêve. Son père lui apparut et lui dit :
— Viens prendre cette bourse qui se trouve près de ma tête.
Le lendemain, Kidor vint voir Rabbi Meïr au moment où il se levait et lui raconta ce qu'il avait rêvé.
— Ce qu'on rêve la veille du Chabbat n'a aucune signification, lui dit Rabbi Meïr.
Cependant, il surveilla tout le jour le lieu où il avait caché sa bourse, et le soir venu [à la fin du Chabbat], il l'en retira. Le lendemain lorsque Rabbi Juda et Rabbi Yossi demandèrent à Kidor de leur rendre leurs bourses, il leur répondit :
— Vous ne m'avez rien confié de tel.
— Pourquoi ne prêtez-vous aucune attention aux noms des gens ? leur dit Rabbi Meïr.
— Et toi, pourquoi ne nous as-tu pas avertis, maître ? demandèrent les deux rabbis.

---

6. En lettres hébraïques le tétragramme s'écrit *yod, hé, vav, hé,* et constitue une sorte de conjugaison combinée du verbe *être* au passé et au futur.

— Tout ce que je pouvais vous dire, c'est que je craignais bien que son nom ne révèle sa méchanceté, mais comment pouvais-je le dire avec certitude ?

[...]

Rabbi Juda et Rabbi Yossi finirent par croire à la signification des noms propres. Lorsqu'ils arrivèrent à une auberge dont l'hôte avait nom Bala, ils ne s'y arrêtèrent pas. Ils se dirent qu'il y avait des chances que ce Bala soit un malhonnête homme, car il est écrit *Et je dis de celle qui est flétrie (bala) par son inconduite* [: *Encore maintenant on se livre avec elle aux débauches habituelles*]... (Ez 23, 43 [7])

Où l'on apprend que notre nom peut toujours s'attacher à un morceau de texte et nous destiner ainsi à accomplir ce qui était écrit bien avant nous. Où l'on apprend aussi que l'Écriture est une fabrique de noms propres qui fonctionne comme un infini déplacement, selon un principe de substitutions qui vous prend et vous déporte dans l'histoire suivant une chaîne de dérivés dont vous ne faites jamais qu'entrapercevoir quelque maillon, celui qui vous dispose là où vous êtes, aveugle et sourd à cette parole intarissable qui vous pousse à faire ce que vous faites, à dire ce que vous dites. Propriété de la métaphore qui réside justement en ce transfert singulier.

Le Talmud raconte somme toute que le nom est un destin, ce que, bien sûr, les Écritures confirment. Caïn, Jacob-Israël, Moché (Moïse), chaque nom s'inscrit dans une causalité que l'histoire du porteur du nom travaille à assumer, à parcourir, à contredire ou à défendre, quand on ne le renomme pas en cours de route. Car le nom se porte. Et ce faisant, il vous entraîne de tout son poids et vous déporte vers le site de sa fabrication. Quoi qu'on en pense, il n'est peut-être pas si fou de prétendre que le nom est toujours, à l'avance, un jeu de mots. Ainsi, Ève, comme presque toutes les mères de la Bible, choisit le nom de son fils, en l'occurrence le premier fils du monde, Caïn, en en donnant dans le même souffle les raisons — que les traductions, bien évidemment, ne peuvent conserver. Littéralement, le texte s'énonce comme suit : « Elle enfanta Caïn et elle dit (quelque chose comme) : j'ai *caïné* un homme avec Dieu [8] (*qaniti ich eth-hachem*). » Ce qui signifie « j'ai acquis un homme avec le Nom ». Le nom propre, Caïn (Qaïn), découle directement du verbe *qanah* : *acquérir*. Voici donc un fils chéri et béni, un enfant de la possession dont on sait que la bénédiction s'inversera en malédiction après le meurtre de son frère, Abel (*Hével* ou *buée*). Tout cela parce que Caïn, par un autre jeu sur la racine du mot, signifie aussi *jaloux*, *impur* et *se lamenter*. C'est du moins ce que le Talmud et la Cabale déclinent en interprétant l'histoire.

---

7. *Aggadoth du Talmud de Babylone*, *op. cit.*, traité « Yoma », p. 381.
8. Voir à ce sujet l'analyse exhaustive qu'en fait Daniel Sibony dans *L'autre incastrable*, Paris, Seuil, 1978.

Dans cette logique, il n'est pas indifférent que la première femme *enfante* et *dise* d'un seul et même mouvement. Nous en sommes encore là aujourd'hui. Non seulement issus d'un corps mais aussi d'une parole dont nous cherchons la résonance sans savoir qu'elle est notre corps même, marqué par le tranchant des signifiants premiers, inaudibles et pourtant criants. À commenter ainsi la Bible et le Talmud comme des dispositifs narratifs et complexes de la lettre, on ne s'éloigne jamais vraiment de la littérature ni de la logique du roman, c'est-à-dire d'une logique selon laquelle le savoir inconscient déployé, révélé comme « récit » et « histoire » obéit aux lois du littéral, du signifiant.

Les noms bibliques, mais aussi les noms fictifs que choisissent les romanciers, s'offrent obstinément comme les signes d'une invocation (étymologique, littérale, historique, autobiographique) que le travail du texte et de l'écriture déplie, détourne, déroute ou fait tourner court. Abel Beauchemin, Pierre X. Magnant, Bottom, Bérénice Einberg, Marcel, Guermantes, Ferdinand, Emma Bovary, Malone, Vautrin, Joseph K., Divine, le nom propre est déjà une scène surchargée de signifiants dont la fonction n'est pas tant de désigner ni de distinguer mais de briser l'écriture sur son arête, de la soumettre au programme que ces noms recèlent. Car s'il est vrai que le nom est un destin, le Talmud raconte bien comment ce destin n'est jamais immédiatement déchiffrable dans la lettre du nom. Au contraire, ce destin vous revient par débris, par la bande d'un autre texte que celui de votre histoire. Les noms propres des romans agissent à l'instar de Rabbi Meïr sur le seuil de l'auberge, ils ouvrent la porte sur une autre écriture qui a pour fonction d'en révéler l'accomplissement, ici, maintenant, de façon détournée ou directe. Ils n'ont de sens que déportés dans les réseaux qu'ils charrient.

C'est dire aussi que le statut du nom ne relève pas d'une prédestination. Si le destin se définit du fait de pointer la place qui vous est assignée et dont vous ne pouvez changer radicalement sans dommage, il est aussi ce qui vous fait sujet, la destinée se forgeant à partir d'une matière qui n'est jamais n'importe laquelle, mais qui est aussi le *propre* à la fois d'un assujettissement et d'une liberté. D'où ce terme de « fabrique », volé à Francis Ponge, pour dire qu'il y a dans le nom une réserve de travail et de sublimation[9].

Comment sait-on que tout nom propre porte en lui une signification ? En reconnaissant que le nom vient toujours d'ailleurs, de l'Autre, et qu'il vous y renvoie, histoire de voir si vous y êtes, dans cette zone d'ombre de votre mort, au delà de vous-même ; en relisant les écrivains les plus divers pour voir comment l'écriture, le roman,

---

9. Voir Francis Ponge, *La fabrique du pré*, Paris, Skira, 1990.

court au-devant de cette mort annoncée, accomplie. Écrire revient sans doute aussi à se projeter dès maintenant sur la scène dévastée de sa propre disparition.

Le nom, disait Rabbi Éléazar, est une ruine ; ruine dont les débris constituent la densité de l'écriture. Incertain et pourtant assuré, opaque et infiniment ouvert, il reste la double énigme d'une mémoire à construire et d'une promesse suspendue. « — Pourquoi ne nous as-tu pas prévenus ? reprochent Rabbi Juda et Rabbi Yossi à Rabbi Meïr. — Comment pouvais-je le dire avec certitude ? » Une petite vérification s'imposait en effet, pour le bonheur de la démonstration. C'est la bourse enterrée à la tête du père Kidor qui provoque un rêve chez le fils aubergiste, rêve dont Rabbi Meïr ne rate pas l'interprétation bien qu'il en esquive l'énoncé [10]. La vérification était simple. Puisque le nom — le patronyme — vous vient du père, autant remettre sa bourse au père mort, pour voir. Car on est au moins assuré que les morts ne volent pas ; au mieux, ils parlent, ce qui est un avantage pour les vivants. Rabbi Meïr est un fin psychanalyste. Il laisse au rêveur la chance d'entrevoir seul la vérité du nom : « Ce qu'on rêve la veille du Chabbat n'a aucune signification », dit-il. Mais la boutade tombe dans l'oreille d'un sourd. L'histoire nous apprend que Kidor est comme nous tous, un rêveur « qui dort », si l'on peut dire, un rêveur qui dort et qui continue de dormir sur son nom. Ce qui, l'histoire le montre, est un avantage pour le psychanalyste qui, on le sait, retrouve pour ainsi dire toujours sa bourse pleine.

On retiendra, quoi qu'il en soit, que d'un aubergiste à l'autre, de Kidor à Bala, la bourse et la débauche demeurent subtilement associées. Dans les livres saints, on ne s'éloigne jamais du bordel, et l'histoire d'Israël n'est tout compte fait que l'histoire de ses prostitutions (znounim) ou « putasseries », selon le terme de Chouraqui, qui traverse toute la Bible. Les rabbins, c'est connu, ont le sens de l'humour et le sens pratique. Si le nom vous destine à quelque chose, affirment-ils, c'est à la sexualité (désir, débauche, perversion, prostitution, jouissance) et à la dette qui s'y rattache (argent, vol, rapine, usure, rachat en sont les matériaux incontournables). On ne pouvait mieux le dire que par cette histoire d'aubergiste. La fin de l'épisode avec Kidor est à

---

10. De Rabbi Meïr (110-175 env. è.c.) on peut dire ceci, qui provient des nombreux témoignages entourant sa personne et dont le Talmud nous donne un vivant portrait : c'était « un homme doué dont les brusques éclairs de génie étonnaient ses contemporains qui ne pouvaient saisir ce qu'il voulait dire. [...] Interprète fascinant et écrivain exceptionnellement doué, il posa les fondations de la rédaction de la Michnah » (Adin Steinsaltz, *Introduction au Talmud*, Paris, Albin Michel, 1987, p. 40). Il avait épousé une femme aussi érudite que lui, du nom de Berouryah, et les histoires du Talmud nous le montre d'un grand réalisme politique à l'époque de la domination romaine, et d'un libéralisme certain.

ce titre encore éloquente. Si Rabbi Meïr, qui croit aux noms propres, retrouve sa bourse intacte, les deux autres qui l'ont perdue procèdent à une petite réparation. Ils entraînent l'aubergiste Kidor à la taverne et le soûlent. C'est alors qu'ils découvrent des lentilles dans les poils de sa barbe. Ils courent donc chez la femme de Kidor et la prient, au nom de son mari, de rendre les bourses. Pour prouver que cette demande provient de la bouche même du mari voleur, les rabbis ajoutent que ce dernier leur a dit du même souffle avoir mangé pour dîner des lentilles. Cette petite ruse s'appuie sur une logique bien singulière selon laquelle une vérité supposément prononcée, avouée, par Kidor — littéralement *sortie de sa bouche* — permet de soutenir la réalité d'un autre aveu (qui lui, n'a jamais eu lieu). La femme, dupe de la ruse, restitue donc les bourses. À la suite de quoi, l'aubergiste, apprenant le subterfuge, tuera sa femme.

Tout ce détour est nécessaire pour aboutir à deux lois morales. Le Talmud affirme en effet à la fin de cette histoire : si tu ne te laves ni les mains ni la bouche avant de manger, tu risques de manger du porc. Mais si tu ne te laves ni les mains ni la bouche après avoir mangé, tu risques de commettre un meurtre. Le nom est donc ici, à l'instar du sang sur les mains de Lady Macbeth, ce qui tache ou fait résidu et vous enchaîne à une faute immémoriale et indélébile ; ce qui vous trahit toujours et vous entraîne dans la répétition (du vol, au mensonge, au meurtre). Car s'il y a des lentilles dans la barbe de Kidor, ce qui donne aux rabbis l'occasion d'un petit subterfuge, c'est que son nom est déjà entaché d'une causalité fort claire : « *ki dor tapoukhot hema* : car c'est une génération perverse. »

Signalons en passant que cette *génération perverse*, dont parle le Deutéronome et d'où provient le nom de Kidor, est encore Israël. Comme quoi un nom en cache toujours un autre. Comme quoi aussi, la sainteté du peuple et du nom n'empêche aucunement la perversion. Bien au contraire. C'est une jolie façon de raconter la signification du nom qui fait de vous, à tout moment, une proie facile pour qui est à l'écoute.

Le nom n'est jamais sûr, dit Rabbi Meïr, comme le père, aurait dit Freud. Voilà sans doute pourquoi on n'en finit plus de l'inventer, de le désirer, de vouloir le faire résonner dans cette entreprise folle qu'est l'écriture d'une fiction. Ainsi, ce sont bien les noms propres qui lancent l'écriture pour la rassembler et la recouper. Il y aurait là comme un acte qui viserait à *produire du père* et qui échouerait, bien entendu. Mais cet acte n'aurait rien du simulacre ni du semblant ; il serait plutôt la tentative-tentation nécessaire à l'écriture. « Tentation pour sortir de la sphère paternelle », écrivait Kafka ; tentative pour sortir de la gangue du nom afin de se renommer dans tous les noms de la fiction et dans la dérive qu'ils promettent, qu'ils assurent. On ne s'appelle pas

Bala, comme le second aubergiste, sans annoncer la débauche de cette fille « flétrie » qu'est devenue Israël. On ne s'appelle pas Bala sans avoir à repasser par cet ensemble de signifiants qui vous a fabriqué ; faute de quoi, vous n'aurez qu'à porter jusqu'au bout le texte dont vous ignorez tout et qui, lui, ne vous ignore jamais.

On retrouve ainsi, par ce long détour, ce que Lacan appelle quant à lui les « noms-du-père » ou la « métaphore paternelle ». Le pluriel des noms vient soutenir que si le patronyme est un don du père qui vous assure la filiation, ce père n'existe, lui, qu'à passer par les noms qui vous le désignent. Les noms-du-père sont ces petits cailloux qui conduisent à lui selon la chaîne ou le parcours d'un désir dont la mère est fonction. Le pluriel dit aussi le principe métaphorique régissant ces paroles qui vous précèdent, courent au-devant de vous et vous attachent comme un jeu de mots au milieu d'une phrase.

Les noms-du-père : sonorités frappées au bord de la jouissance de l'Autre, et qui marquent le désir de celle qui vous parle, dans le meilleur des cas, d'un autre — du père, cet imposteur, ou de qui en tient lieu — pour en déposer les lettres sur votre peau, à la racine de votre jouissance. « J'ai *caïné* un homme avec Dieu », dit à peu près Ève. Ce *caïnage* est déjà un versant du père, un nom pour la jouissance de cette première femme — où est Adam, n'est-ce pas, dans cette histoire ? Tout se passe comme s'il n'était pour rien dans l'affaire. Voilà pour nos jouissances qui s'attachent chaque fois à ces petites choses dites « en l'air » et aux ruines desquelles nous nous dressons. Ces noms-du-père reviennent dans l'écriture, pris au corps du texte, à ce que certains appellent le style et qui est, tout compte fait, la signature : rythme, découpage, débits, sonorités, figures, enchaînements, circuits, halètements, personnages ; tous ces débris qui font le livre et l'histoire et qui sont, ces noms avérés du livre, fabriqués.

Un signifiant s'apparenterait ainsi à un ensemble de ruines qui fait nom ; un ensemble de sons différenciés, heurtés qui sont aussi les ruines de l'objet de la pulsion, lui, retiré, perdu. D'où ce plaisir de bouche que peut produire l'écriture, plaisir des noms dont Proust, on s'en souvient, a longuement goûté l'extase.

Ce midrach n'a sans doute pas d'autre objet que de rappeler la part motivée du signe, par le déterminisme du nom. Il reprend à sa manière la question de Barthes qui demandait « s'il est vraiment possible d'être écrivain sans croire, d'une certaine manière, au rapport naturel des noms et des essences [11] ». C'est que l'écriture ne commence jamais que directement là où vous finissez. Ce *là* — CHaM — est un centre

---

11. Roland Barthes, « Proust et les noms », *Le degré zéro de l'écriture*, Paris, Seuil, coll. « Points », 1953 et 1972, p. 134.

précis, inconnaissable, que l'on ne saurait, à l'instar de Rabbi Meïr, prouver à qui nous enjoint de le prévenir. *Là où vous finissez*, c'est-à-dire, sur le roc de votre engendrement, roc-ruine que vous ne reconnaissez qu'à la certitude de pouvoir enfin commencer à dire qui vous êtes... sous un autre nom.

La fiction invente, trouve sa structure directement de cette logique du nom, autant dire d'autre chose que de l'impasse éprouvée sur le mode existentiel d'une identité imaginaire, d'autre chose encore que du *moi* toujours prêt à nier le lien pourtant étroit entre les noms et les choses, entre le nom et les actes ravageurs qu'il entraîne. Si Kidor savait lire les textes dont son père et lui, bref sa génération — *dor* — est issue, s'il en suivait le parcours « à la lettre », il pourrait mieux faire. Non pas, je suppose, échapper à son nom, ni peut-être à la scène sur laquelle il vient obstinément l'accomplir ; sans doute ne pourrait-il qu'en jouer autrement. « La métamorphose d'un fait en mots, signes, série de mots, série de signes et de mots », écrit Genet parlant de sa présence parmi les révolutionnaires palestiniens, « sont d'autres faits qui ne restituent jamais le premier à partir duquel je vais transcrire. [...] Je vivais un rêve duquel je deviens le maître aujourd'hui, en reconstituant les images qu'on lit, en les assemblant. »

De même, Proust, Céline, Flaubert, Beckett, Aquin, Ducharme, Kafka, tous ces noms cachés derrière ceux des personnages évoqués tout à l'heure, n'ont-ils pas échappé au destin et aux ravages du nom. Seulement ont-ils « fabriqué » ces ruines pour se les donner à vivre autrement, faisant, selon une causalité inédite, entrer les contradictions du réel dans l'ordre d'une parole qui en signe ultimement l'agencement, l'effectuation : logique du rêve et de l'écriture qui ordonne le monde depuis le livre. « À ce point du reste, poursuit Genet, que je me demande parfois si je n'ai pas vécu cette vie de telle façon que j'en ordonnerais les épisodes selon le désordre apparent des images du rêve [12]. » Futur du livre qui prend la vie de vitesse et s'en fait à l'avance la mémoire.

---

12. Jean Genet, *Un captif amoureux*, Paris, Gallimard, 1986, p. 416.

Chapitre sept

La vérité est dans la jarre. Rab et Rabbi Isaac Louria avec Beckett

À la question, qu'est-ce que la vérité ? le livre, l'écriture du livre propose une réponse plurielle, contradictoire, divisée, scandée par les retours et les détours de l'écrit qui excède toujours le sens. On pourra donc s'amuser du cliché qui montre avec une naïveté certaine la vérité sortant toute nue d'un puits où, semble-t-il, elle sommeillait. Que le titre de ce chapitre la replace dans une jarre paraîtra sans doute loufoque, du moins tant que nous n'aurons pas parlé de la jarre en question. C'est donc de cette jarre qu'il faut partir, jarre dont on verra les dérivés dans la chaîne associative qui ramène à l'esprit aussi bien un vase, une cruche, un pot, qu'un quelconque récipient propre à la contenir. On remarquera par ailleurs assez vite que le « dedans », qui semble renvoyer à une intériorité étanche — de laquelle on pourrait supposer devoir extraire la vérité cachée ou prisonnière —, peut lui aussi subir certains déplacements. Autrement dit, si la vérité est dans la jarre, on ne saurait être assuré de l'y trouver. Premier paradoxe.

La jarre en question provient d'une *aggadah*, petit récit talmudique, fortement préoccupé du savoir et de l'insu, du vrai et du faux serment.

Rabbi Juda, citant Rab, raconte : C'était dans une période de famine. Un homme avait confié un dinar d'or à une veuve, qui l'avait mis au fond d'une jarre où elle gardait sa farine. En pétrissant du pain, elle y mit par mégarde le dinar, puis elle donna ce pain à un pauvre. Un jour le propriétaire du dépôt vint lui réclamer sa pièce.
— Si j'ai profité de ce dinar le moins du monde, qu'un de mes enfants soit foudroyé par le poison ! lui dit-elle.
On dit que quelques jours plus tard un de ses enfants mourut empoisonné. Ce récit fit dire aux sages : « Si un serment véridique entraîne une telle punition, combien plus sera puni celui qui fait un faux serment ! » Mais pourquoi cette femme fut-elle punie ? Parce qu'en mettant le dinar dans sa pâte, elle avait pu garder pour elle un volume de farine égal à celui du dinar. Dans ce cas, pourquoi les sages

considèrent-ils que son serment était véridique ? Parce qu'elle pensait dire la vérité [1].

*
* *

Avant d'analyser cette histoire, je voudrais en raconter une autre, qui entoure l'écriture de ce chapitre lui-même dont le titre fut, pour un temps, le seul trait déterminé, promesse d'un texte encore à venir. Posant la question de la vérité, de son statut dans l'écriture et dans la subjectivité, le midrach invitait incontournablement à une réflexion plus générale. Différant le moment d'écrire cette réflexion, laissant sommeiller la question et ses figures, quelle ne fut pas ma surprise de voir surgir, au hasard de diverses lectures, des jarres, cruches, jattes, pots et autres contenants du même ordre, jusqu'à ce godet lacanien dont nul n'a sans doute gardé le souvenir. Le voici, à la fin de *Lituraterre*, figurant le vide creusé par l'écriture, la lettre-bord : « Rien de plus distinct du vide creusé par l'écriture, écrit Lacan, que le semblant. Le premier est godet prêt toujours à faire accueil à la jouissance, ou tout au moins à l'invoquer de son artifice [2]. »

Premier constat : il avait suffi de mettre la vérité dans une jarre, celle du titre, pour retrouver cette jarre partout comme une question, une sorte d'énigme de plus en plus provocante, disséminant ses débris et ses tessons sur tous les textes où je posais les yeux. De cette jarre, je ne savais encore rien, sinon qu'elle était déjà devenue le nom d'autre chose. Comme si cette infime expérience, que constitue la décision — reportée — d'écrire à propos d'une vérité bordée par le vide d'une jarre, avait provoqué la rencontre obstinée de ce « bord » dans le défilé des autres écritures. Magie qui noue au livre le corps de sa lecture et le déporte parmi les signifiants écrits, non comme un corps étranger mais comme une *intensité* qui les ferait aussitôt clignoter hors du texte. Dans cette expérience étrange et inquiétante, on aurait dit qu'« une jarre représentait le sujet pour une autre jarre ». Sur le point de passer à l'écriture, quelque chose du sujet, en effet, venait de

---

1. *Aggadoth du Talmud de Babylone*, traduction d'Arlette Elkaïm-Sartre, Paris, Verdier, 1982, traité « Guittin », p. 705-706. Celui qu'on appelle Rab [ou Rav] dans le Talmud est Abba Arikha « Abba le grand » (*abba* en hébreu signifie « père »). Il vécut entre 175 env. et 247 è.c. Il fonda son académie à Babylone. De nombreux débats avec son proche collègue Samuel occupent une grande place dans le *Talmud de Babylone*. Expert en matière de rituel, on le connaît aussi pour ses enseignements éthiques. Quant à Rabbi Juda qui le cite ici, il s'agit de Yehouda Ha-Nassi « Juda le Patriarche » (138 env à 217) qui vécut en Palestine mais entretint des relations étroites avec les Juifs de Babylonie. L'histoire respective de ces deux grands rabbins est résumée dans Guy Schoeller (dir.), *Dictionnaire encyclopédique du judaïsme*, Paris, Cerf/Laffont, coll. « Bouquins », 1996.
2. Jacques Lacan, « Lituraterre », *Littérature*, n° 3, octobre 1971, p. 9.

subir une incroyable translation, une traduction simultanée selon laquelle la jarre et ses métamorphoses devenaient le tenant-lieu d'autres signifiants plus secrets. La jarre, trait esquissé d'un projet — désir — d'écriture, était devenue fiction de signifiant, morceau attrapé au vol de la lecture, pris pour ainsi dire dans une autre destination, celle de passer à l'écrit. Car ce n'est que dans le projet du texte à venir que la jarre a pu surgir pour représenter non pas « moi », bien sûr, mais un passage vers ce qui, toujours, reste à écrire. Y aurait-il déjà, dans cet effet, quelque rapport avec la vérité de la lettre ?

À la fin de *Molloy*, Moran, qui doit écrire le rapport de son voyage vers Molloy, dit ceci :

> J'ai parlé d'une voix qui me disait ceci et cela. Je commençais à m'accorder avec elle à cette époque, à comprendre ce qu'elle voulait. Elle ne se servait pas des mots qu'on avait appris au petit Moran, que lui, à son tour avait appris à son petit. [...] Mais j'ai fini par comprendre ce langage. Je l'ai compris, je le comprends de travers peut-être mais la question n'est pas là. C'est elle qui m'a dit de faire le rapport. [...] Alors je rentrai dans la maison, et j'écrivis, Il est minuit. La pluie fouette les vitres. Il n'était pas minuit. Il ne pleuvait pas[3].

Ces derniers mots du roman posent le registre de la fiction au principe de l'écriture : la vérité du « rapport » que doit produire Moran, on le comprend à la fin, ne sera pas — n'a pas été — dans le compte rendu des faits qu'il se propose d'écrire, et que nous venons, semble-t-il, de lire, mais dans la réponse à cette voix qui, comme la chaîne des jarres, n'est autre que l'impératif de passer à l'écriture. Comme si, pour qui écrit, un texte ne venait chaque fois que le représenter pour un autre texte ; comme si le tissu de paroles que constitue un texte n'avait pas tant à dire *qui* parle mais *d'où* il parle, à partir de quelles substitutions imprononçables. De là, on peut bien dire autre chose que le vrai sur l'origine, le lieu de la vérité n'en sera pas atteint pour autant. L'origine ne se trouve pas à la source mais dans l'insistance de sa formule impossible et déplacée. Le sujet de l'écriture, s'il existe, n'est pas contenu par le texte mais au contraire déporté d'un texte à l'autre, entre-deux-textes, dans la reformulation insistante — et toujours différée — du fantasme. Principe d'un retour et d'un report, d'un « ressassement », dirait Blanchot, qui est surtout un retour du nom en tant qu'il fait nombre, divisé, dérivé dans la lettre.

S'il a bien fallu interrompre la chaîne des jarres qui semblait à l'avance disposer de mon attente, de l'appel d'écriture, ce fut justement pour commencer à écrire, non sans interroger, toutefois, cet étonnant « partage » de signifiants qui se joue parfois entre la lecture et l'écriture ; partage qui n'est pas complicité mais ancrage particulier

---

3. Samuel Beckett, *Molloy*, Paris, Minuit, 1951, p. 238-239.

donnant tout de même l'étrange impression d'être attendu par les textes que l'on lit.

Cette courte « histoire » trouve peut-être sa conclusion. La jarre talmudique, attestant une vérité dont c'est le lieu qui fait question, en devenant le nom propre d'un chapitre encore à venir, n'a fait qu'accomplir ce que le midrach raconte fort bien, à savoir qu'il n'y a de vérité que partagée.

D'un étrange partage de la vérité

L'histoire de la veuve et du dinar est franchement singulière puisqu'on y lit le récit d'une vérité scindée, non seulement entre la bonne foi de la veuve et le réel d'un curieux profit en volume de farine, mais encore entre l'irrévocable du châtiment invoqué et le jugement des sages, entre la sanction de Dieu, donc, et celle des hommes. *La vérité*, si l'on peut dire, celle qui appelle ce châtiment, fait trou dans le serment, ce qui ne l'annule pas mais en partage évidemment le sens. Il s'agit de ne pas voir là un simple jeu entre une vérité, qui serait factuelle et donc indiscutable, vérifiable, et une erreur de bonne foi. L'éthique du judaïsme est plus subtile que cette apparente causalité le laisse croire. « Si un serment véridique entraîne une telle punition, combien plus sera puni celui qui fait un faux serment ? » Le partage de la vérité infère ici une relativité du châtiment, qui vient seulement là pour dire la relativité non pas des vérités les unes par rapport aux autres, comme on aime à le penser, mais de la reconnaissance de ce partage. Autrement dit, être dans la bonne foi, soutenir une vérité en toute conscience, ne vous dispense pas de payer par la voie (voix) d'une autre vérité qui, elle, prend acte du réel de la division.

On pourra mieux le voir en reprenant l'histoire qui présente une circulation continue entre le dedans et le dehors, exposant ainsi le lieu au moins double de la vérité : le profit se mesure au trou de farine occupé par le dinar cuit dans le pain donné au pauvre et formant cette part en reste au fond de la jarre. En reste du savoir, certes, mais aussi en reste du sujet qui prête le serment. Car si le serment de la veuve est vrai c'est qu'elle ignore tout de ce reste de jouissance dont elle n'a pas joui. De l'or sur lequel le pauvre s'est sans doute cassé la dent, il n'est point question dans l'histoire, ni de ce qu'il advint de l'homme au dinar perdu pendant la famine, sinon qu'il y a eu échange, voire inversion du riche au pauvre en passant par la jarre : inversion qui, là encore, manque la mesure, celle de la charité, cette fois. Donner un pain au pauvre en temps de famine est certainement un acte charitable, mais il n'est pas ici sans s'accompagner d'un supplément insu qui déposssède l'homme qui avait mis son or et sa confiance entre les mains de la veuve.

Cette histoire est racontée dans le traité consacré au divorce et à la rédaction et remise du *get* (mot hébreu signifiant « acte », « document ») ; elle a donc bien à voir avec le partage. Quant au lieu de la vérité, on soutient ici qu'il est divisé, scindé, fractionné ; mais la vérité est encore plus partagée, divisée, fracturée, si l'on considère que l'enfant ne meurt pas n'importe comment mais empoisonné, sans que l'on dise par quel poison. On peut cependant avancer sans grand risque qu'il l'est par l'or enfoui dans le pain, par ce petit gain de jouissance insue de la mère. La démesure entre l'infime profit de farine et le châtiment reçu laisse encore supposer que la causalité est loin d'être directe. Si l'enfant meurt d'une vérité méconnue, c'est que ce non-savoir vient étayer la formulation d'une autre vérité : s'il meurt, ce n'est pas parce que le serment véridique en cacherait un faux, mais à cause de l'incroyable fantasme énoncé dans ce serment. La certitude, pour la veuve, de dire la vérité dévoile l'imprononçable du désir qui trouve là sa formule véritable : « [Q]u'un de mes enfants soit foudroyé par le poison. »

Le propre du serment étant précisément de se faire par l'invocation d'un être cher, d'un objet sacré ou d'une valeur morale reconnue — ici l'amour maternel qui, comme chacun sait, ne saurait faire place au désir de mort d'un enfant —, la formule fait donc directement appel à l'impensable, à l'informulable maternel... Cette vérité, qui reste dans la jarre en l'espèce d'un plus de farine, concerne bien une jouissance sans prix (le volume du dinar ne dit rien de sa valeur), jouissance qui vient dans la bouche de la mère-veuve à travers la radicalité d'un *si... alors* qui trace bien le partage entre *dire ne pas jouir le moins du monde d'une jouissance qui ne me revient pas* (celle que procurerait le dinar de l'homme), et *dire une jouissance comme ne me revenant pas* ; la dire, la faire entendre, mais *comme si* elle n'était pas la mienne.

Une décisive partition se dispose ici entre, disons, la certitude de dire la vérité et la vérité parlante du désir ; partition dont le midrach laisse les versants non réconciliés. Si la vérité est dans la jarre, ce n'est donc pas du seul fait qu'on l'y suppose, mais que l'y supposer permet de dire une autre vérité, celle-là autrement imprononçable. La femme est punie, non pas parce qu'elle pensait dire la vérité alors qu'elle mentait, mais parce que, pensant dire la vérité, c'est sa vérité qui lui sort de la bouche. Vérité de mort que son nom de « veuve » annonçait déjà, avant que l'homme au dinar n'entre dans l'histoire. Cette mère-veuve n'est d'ailleurs pas tant punie au nom d'une morale implicite que véritablement prise au mot, littéralement exaucée dans son vœu inconscient.

Il y a à la fin de ce midrach un « on dit » qui n'est pas sans indiquer le registre du fantasme dont la rumeur n'est encore que le support apparent. On peut certainement reconnaître là l'autre sens à donner au *partage* de la vérité, partage anonyme qui n'en propose pas moins un dire qui se fait entendre à la place de l'Autre, de Dieu en l'occurrence. Ce qui est partagé en ce sens, c'est le fantasme, le vœu de mort reformulé dans cet « on dit » qui atteste bien son accomplissement. Et c'est par ce récit d'un jugement partagé et non contradictoire que les rabbins s'entendent à transmettre la Loi. Il n'y a pas une vérité plus vraie que l'autre. La vérité inconsciente n'est pas ici plus forte ni ne l'emporte sur le serment. Il n'y a, dit le midrach, de vérité que partagée. Les deux vérités étant tenues dans leur irréductible contrariété.

La jarre de l'énonciation

Considérons maintenant une autre histoire de jarre, romanesque celle-là, qui permettra de faire résonner ce qu'on pourrait appeler, puisque nous y sommes, la vérité de la lettre : écriture, fiction, roman ; vérité singulière, je crois, d'être éclatée, pulvérisée, tout en morceaux. Ce n'est plus de vœu, mais de fantasme que l'on doit parler pour proposer une présentation du dire littéraire comme partition — au sens musical aussi sans doute —, partition du fantasme qui y serait distribué, ressuscité aussi sous forme d'histoires et de personnages à partir de cette voix que l'on dit *narrative* mais que l'on pourrait surtout reconnaître comme *impérative*. Car la littérature, bien entendu, ne *raconte* pas le fantasme, ni ne le narre, ni ne le donne à lire. Seulement court-il vers sa formule selon cette motion *hâtive* qui cherche sa lettre, son nom, sa figure pour n'en faire résonner que la voix toujours irrepérable, s'enregistrant dans des dispositifs de paroles qu'on appelle « personnages ». C'est ainsi que « piqué à la manière d'une gerbe, dans une jarre profonde, dont les bords [lui] arrivent jusqu'à la bouche, au bord d'une rue peu passante aux abords des abattoirs », Mahoud-Worm, l'innommable personnage de Beckett, peut dire qu'il est au repos [4]. Car tout n'est plus qu'une question de bords, de voix, de paroles, de questions, de vitesse avec laquelle les ouvertures pratiquées dans le tissu du verbe se referment pour se rouvrir plus loin. L'homme-jarre de *L'innommable* semble mettre en lumière ce qui tente de s'énoncer depuis quelques pages : si la vérité est dans la jarre c'est que cette jarre est toujours prise à l'avance dans la texture du signifiant.

À quoi avons-nous affaire dans le roman de Beckett ? À une partition donnée à lire dans sa constitution même. De là, l'indécidable qui insiste et qui relance l'énonciation, ce personnage *partagé* entre Mahoud et Worm — au moins —, ce « je » innommable du roman n'apparaît pas comme un perpétuel substitut de lui-même mais au

---

4. Samuel Beckett, *L'innommable*, Paris, Minuit, 1953, p. 67. Dorénavant, les renvois à cet ouvrage seront identifiés dans le texte par le sigle *I*, suivi du folio.

contraire comme occupant « pleinement », si je puis dire, le vide de la jarre auquel il est confiné ; l'occupant au point de le devenir, ce vide, pour le remplir aussitôt d'un autre « sujet » qui n'est en fait qu'une autre « distribution », un autre rôle du « je » proprement intarissable.

> Me voilà situé, je l'espère. [...] Tout se ramène à une affaire de paroles, il ne faut pas l'oublier, je ne l'ai pas oublié. [...] J'ai à parler d'une certaine façon, avec chaleur peut-être, tout est possible, d'abord de celui que je ne suis pas comme si j'étais lui, ensuite, comme si j'étais lui, de celui que je suis. Avant de pouvoir etc. C'est une question de voix, de voix à prolonger, de la bonne manière [...] La bonne manière, la chaleur, l'aisance, la foi, comme si c'était ma voix à moi [...] Je. Qui ça ? [...] Car tantôt je me confonds avec mon ombre, tantôt pas. Et tantôt je ne me confonds pas avec ma jarre, tantôt si. Ça dépend, de comment nous sommes lunés. Et souvent je parvenais à ne pas broncher, jusqu'au moment où, n'étant plus, je ne me voyais plus. Instant vraiment exquis, coïncidant de temps à autre, je l'ai déjà signalé, avec celui de l'apéritif. (*I*, p. 68, 81, 89)

La fiction littéraire ne serait-elle pas aussi la tentative-tentation de signer le fantasme qui s'y prend et qui reflue en multiples cassures ? Le fantasme, construction désirante et fictionnalisation du sujet, s'invente et se scénarise en remaniant le rapport, la distance à l'Autre. L'écriture en serait la recharge à bloc au point de le faire éclater dans cette distance bordée par l'écrit. C'est ainsi que, réduit à une tête qui ne peut marcher, l'homme-jarre continue par exemple d'*aller* c'est-à-dire de *parler*, c'est-à-dire de *mentir*, « je » n'étant « pas là où je suis » (I, p. 114).

> [...] tout ce temps j'ai voyagé, sans le savoir, c'est moi devant la porte, quelle porte, ce n'est plus un autre, que vient faire une porte ici, ce sont les derniers mots, les vrais derniers [...] ce sont des mensonges, ce sera le silence [...] ce sont des mots, il n'y a que ça, il faut continuer, c'est tout ce que je sais, ils vont s'arrêter, je connais ça, je les sens qui me lâchent, ce sera le silence [...] ils m'ont peut-être porté jusqu'au seuil de mon histoire, devant la porte qui s'ouvre sur mon histoire, ça m'étonnerait, si elle s'ouvre, ça va être moi, ça va être le silence, là où je suis, je ne sais pas, je ne le saurai jamais, dans le silence on ne sait pas, il faut continuer, je ne peux pas continuer, je vais continuer. (*I*, p. 212-213)

La vérité se trouve partagée entre les personnages, entre les multiples histoires amorcées, inachevées, modifiées en cours de page, charriées par d'autres débris dont on repère les effets de dissémination qu'organise l'écriture. Le « sujet » de ce roman n'est donc pas, on le voit, un personnage ni même un sujet d'énonciation mais quelque vide creusé par la lettre et renfloué par la voix qui parle en tournant autour. Partagé entre Mahoud et Worm, l'innommable « je » du roman, s'il fantasme bien ses origines, comme Freud l'avait avancé à propos du roman familial, il se les donne sur un mode unique. « Mahoud, je n'ai pas su mourir. Worm, vais-je être foutu de naître ? C'est le même problème. Mais peut-être pas le même personnage, après tout. [...] Avant, c'est la nuit des temps. Alors que depuis, quelle clarté. Me voilà fixé, en tout cas, sur mes origines, en tant que sujet de conversation, s'entend, il n'y a que ça qui compte. » (*I*, p. 109)

La voix est impérative ; elle est celle d'un sujet devenu « sujet de conversation » ; et cette vérité informulable fait texte. Ce partage de la conversation par le sujet qui s'y adonne suivant de multiples digressions, le lecteur n'a pas le choix d'y prendre part ou non. L'impératif est encore là, dans cette scission de la vérité romanesque comme texture partagée. Il n'y a pas de lecture ni d'analyse du roman qui soutienne une « restauration », une cohésion refaite puisque nous n'avons affaire ici qu'à des éclats auto-interprétants, sorte de fulgurance à l'œuvre qui ne cesse de reprendre ses fragments comme des opérateurs de correspondance. Le statut de la vérité romanesque relève de cette « suspension » de la formule comme autant de particules, suspension qui découle d'une explosion... de la jarre. Explosion qui, chez Beckett, n'en finit pas de s'effectuer par la bouche, la voix : fracture et création du fantasme.

L'homme-jarre de Beckett conduit ainsi directement aux vases brisés de la Création, ceux que la cabale appelle *Chevirat kelim* qui racontent l'*ex nihilo* du monde, mais surtout l'exil irréparable de la vérité. « Je suis en mots, je suis fait de mots, des mots des autres, quels autres, l'endroit aussi, l'air aussi, les murs, le sol, le plafond, des mots, tout l'univers est ici, avec moi, je suis l'air, les murs, l'emmuré, tout cède, s'ouvre, dérive, reflue, des flocons, je suis tous ces flocons, se croisant, s'unissant, se séparant, où que j'aille, je me retrouve [...]. » (*I*, p. 166)

Les vases brisés de la vérité

La Création *ex nihilo* et sa figure du vase, du pot, propre aux prophètes bibliques, sera donc invoquée pour rendre compte de la nature du signifiant en psychanalyse.

> Ce rien de particulier qui le caractérise dans sa fonction signifiante est bien dans sa forme incarnée ce qui caractérise le vase comme tel. C'est bien le vide qu'il crée, introduisant par là la perspective même de le remplir. Le vide et le plein sont, par le vase, introduits dans un monde qui, de lui-même, ne connaît rien de tel. [...] L'introduction de ce signifiant façonné qu'est le vase, c'est déjà la notion tout entière de la création *ex nihilo*. Et la notion de la création *ex nihilo* se trouve coextensive de l'exacte situation de la Chose comme telle [5].

---

5. Jacques Lacan, *Le séminaire, Livre VII*, « L'éthique de la psychanalyse », Paris, Seuil, 1986, p. 145-147.

Dans la cabale de Louria, la même figure insiste pour raconter la rédemption d'Israël, qui ne se pense pas sans l'exil et s'effectue en trois moments principaux [6]. Le premier, appelé *tsimtsoum*, est la contraction et le retrait de Dieu. Avant le commencement, la lumière de l'*En Sof* (infini) irradie le Tout. Pour créer la matière du monde, il faut donc d'abord contracter cette lumière qui impose à sa substance une sorte de rétrécissement, une délimitation, un bord. On ne peut penser ce moment sans y inscrire une composante cruelle, ce que la cabale appelle une autojustice de l'infini envers lui-même qui situe clairement le mal et la douleur avant l'origine du monde. Le *tsimtsoum* est donc l'invention de ce bord au néant d'avant la création. De quel bord s'agit-il ? De celui constitué par les vases dans lesquels l'éclat de la substance de l'*En Sof* est confiné. Sans ces vases, l'éclat de la lumière divine aurait envahi tout l'espace et tout serait demeuré *En Sof*, infini.

> Louria appelle *tsimtsoum* le processus de création de l'espace vide [...].
> Le *tsimtsoum* est une autocontraction provoquant un appel d'air et permettant l'instauration du vide. Dans une certaine mesure, le processus du *tsimtsoum* est une forme d'exil, comme si le premier événement dans l'histoire de la création n'était autre que l'exil de Dieu [7].

Mais voilà que la tension cruelle, la violence de la contraction de l'infini a produit l'explosion des vases (*chevirat kelim*), explosion non pas généralisée mais localisée dans la région du divin qui se révèle. C'est le deuxième moment de l'histoire qui produit la perturbation de l'ordre de la création et le bris des vases, les étincelles de la lumière divine étant livrées à la captivité des brisures. La création de l'homme trouve ainsi sa causalité, puisque l'homme est créé dit-on pour *aider* Dieu à recueillir les tessons épars. Le troisième temps de cette histoire n'est donc pas encore fini. C'est celui que les cabalistes appellent *tiqoun* (réparation, restauration). Cependant, l'homme, doté d'une âme divine, s'est lui aussi ébréché, refendu sur la faute d'impatience qui l'a fait manger de l'arbre-fruit, mais cette faute, contrairement à son interprétation chrétienne, inscrit non la déchéance de l'homme mais sa responsabilité dans l'Histoire. L'exil généralisé des âmes est désormais l'occasion d'un « faire » que la cabale illustre par la recollection impossible mais impérative des débris qui contiennent les

---

6. Isaac Louria Achkenazi (Pologne, 1534-Safed, 1572). Son enseignement fut essentiellement oral. Il rédige un unique traité, un commentaire sur le *Sifra di-tseniouta* (« Livre du secret »). Le système original qu'il élabore à la fin de sa vie (vers 1569-1570), et dont je résume ici très brièvement les grandes lignes, fut rédigé, dit-on, par un de ses élèves. Louria est un innovateur dans la tradition cabalistique, intégrant le messianisme à une vision globale du monde qui constitue une véritable cosmologie, laquelle regroupe le passé, le présent et le futur, les royaumes divins et terrestres. Voir *Dictionnaire encyclopédique du judaïsme, op. cit.*, à l'article « Louria ».
7. Isaïe Tishby, *La kabbale, anthologie du Zohar*, Paris, Berg international, 1977.

étincelles de vérité. La *chevirat ha-kelim* raconte à sa manière que la vérité se trouve dans la cassure.

> L'étape [du *tsimtsum*] passée, la création se poursuivit sur le mode de l'émanation : une ligne droite émanant de Dieu. L'*En Sof* entra dans l'espace primordial [...]. Mais à ce stade, il se produisit une catastrophe : la tentative échoua et les pouvoirs émanant de Dieu se désintégrèrent, au point que la création fut remplacée par la destruction. Cette catastrophe, Louria la désigne sous le terme *chevirah* (ou *chevirat ha-kelim*), « brisure » des vases divins ; incapables de contenir la lumière divine qui affluait en eux, les vases se cassèrent et volèrent en éclats[8].

Ce qui est bordé par le vase, la jarre, le pot ou l'urne est donc toujours à sa merci, toujours voué au tesson, trait du *symbolum* par définition objet de partage[9]. Le pot-signifiant est donc bien le même que l'on retrouve dans la Bible, dans Jérémie par exemple, où le *iotser* (potier, provenant de la racine *iatsar*) représente justement le Créateur. Le prophète, comme l'a montré l'acteur Jérémie, est en quelque sorte le « pot » par où la Voix de l'Autre se fait entendre, se vérifie. Voix, qui, il n'y a qu'à lire la Bible pour s'en apercevoir, ne cesse pas d'exploser[10]. Cet homme-pot qu'est l'inspiré, le prophète, un Beckett ou un Artaud ne cesse de le ramener sur la scène de l'écriture. Il est des moments où, en effet, la voix impérative est une cruauté, une catastrophe et une fin sans fin pour celui qui a mission de la faire résonner. Mahoud-Worm, comme Jérémie, ne peut se taire.

Or, on trouve dans Jérémie cette phrase dont Chouraqui nous donne une traduction étonnante. Le texte dit : « Tu m'as séduit IHVH et je suis séduit » puis : « tu m'as forcé et tu l'as pu ! Je suis une risée tout le jour ; tous se moquent de moi » (Jr 20, 7). Chouraqui rappelle alors la racine du verbe « séduire » — ici conjugué *pititni* :

> « Tu m'as séduit », le verbe *patah* est employé en Ex 22, 15 pour signifier la séduction de la vierge. Il dérive du mot [hébreu] *pot*, qui veut dire trou, ouverture et qui peut désigner le trou dans lequel s'articule le gong d'une porte comme aussi la vulve de la femme. Ce mot justifierait le néologisme « vulver » qui traduirait bien le caractère élémentaire de cette séduction du poète livré à celui qui l'inspire[11].

---

8. *Ibid.*
9. Cette fonction interhumaine du symbole le distingue du signe : « Quelque chose qui naît avec le langage et qui fait qu'après que le mot, et c'est à quoi sert le mot, ait été vraiment parole prononcée, les deux partenaires sont autre chose qu'avant. » (Jacques Lacan, *Le symbolique, l'imaginaire et le réel*, conférence inédite, 8 juillet 1953, fascicule inédit)
10. Voir ici même le chapitre « L'acteur, le clou, l'au-delà. Jérémie, Artaud avec Freud ».
11. André Chouraqui (traduction et commentaires), *L'univers de la Bible*, 10 tomes, Brépols-Lidis, 1982-1985.

Il ne sera pas trop déplacé, je l'espère, de proposer, à la suite de ce commentaire audacieux et par le détour d'une translittération, de faire de ce *pot* hébreu un équivalent du pot-jarre français pour désigner cette étrange et cruelle condition du sujet « vulvé », invaginé, évidé par la voix. Puisque la vérité de la fiction littéraire ne s'énonce que « distribuée » dans le dédale des histoires, des récits, des bavardages ou des mensonges propres à son écriture, le bord que constitue le livre et qui se retourne constamment sur sa doublure ne disposerait-il pas la vérité, comme le dit si bien *L'innommable*, dans un « ramassis de conneries » ? « Ce ramassis de conneries, c'est bien d'eux que je le tiens, et ce murmure qui m'étrangle, c'est eux qui m'en ont farci. Et ça sort tel quel, je n'ai qu'à bâiller, c'est eux que j'entends, de vieilles assurances suries, où je ne peux rien changer. » (*I*, p. 81-92) Ramassis qui sont ces conglomérats que la lettre ordonne et que la littérature ramène à la dignité d'une parole vivante.

Écrire, faute de Dieu

D'un livre brisé

Relire *L'homme Moïse*[1], c'est aussitôt entrer dans une enfilade d'autres lectures qui constituent, d'une certaine façon, les strates d'interprétation dont ce texte est devenu inséparable[2]. Je n'apporterai pas une interprétation nouvelle ou supplémentaire, et n'essaierai pas non plus de répondre directement à l'énigme troublante qui se trouve au cœur de ce petit livre et concerne le sujet Freud dans son rapport intime et complexe au judaïsme et à sa filiation.

Nous sommes en 1934. Devant la montée de l'hitlérisme et le ressac puissant de l'antisémitisme, Freud s'interroge une fois de plus sur le ressort de cette haine séculaire, mais aussi sur l'identité juive dont il ne rejette à aucun moment la réelle composante, lui qui n'a cessé de se dire « Juif sans Dieu ». La question qui traverse *L'homme Moïse* — et là, il faut prendre Freud, comme tout écrivain, à la lettre —, vise

---

1. La traduction française de Cornélius Heim — *L'homme Moïse et la religion mono-théiste*, Paris, Gallimard, coll. « Folio essais », 1986 (dorénavant, les renvois à cet ouvrage seront identifiés dans le texte par le sigle *HM*, suivi du folio) — rétablit le titre jusqu'alors abrégé, exhume le sous-titre — *Trois essais* — non sans importance comme on le verra ici, et suit d'assez près l'original, restaurant ainsi la version étrangement entamée que nous avait donnée Anne Berman en 1948 (Paris, Gallimard).
2. J'ai surtout retenu ici les analyses de Marthe Robert, *D'Œdipe à Moïse. Freud et la conscience juive*, Paris, Calmann-Lévy/Plon, 1974 ; de Michel de Certeau, *L'écriture de l'histoire*, chapitre IX « La fiction de l'histoire. L'Écriture de *Moïse et le monothéisme* », Paris, Gallimard, 1975, p. 312-358 ; *Histoire et psychanalyse entre science et fiction*, Paris, Gallimard, coll. « Folio-essais », 1987 ; de Jacques Lacan, *Le séminaire, Livres VII et XVII*, Paris, Seuil, 1986 et 1991 ; de Yosef Hayim Yerushalmi, *Le Moïse de Freud. Judaïsme terminable et interminable*, Paris, Gallimard, 1993 [1991 pour l'édition américaine]; et de Jacques Derrida, *Mal d'archive. Une impression freudienne*, Paris, Galilée, 1995 ; ainsi que les articles de Philippe Lacoue-Labarthe/Jean-Luc Nancy, « Le peuple juif ne rêve pas » et de Pierre Winter, « Sur Moïse et le monothéisme. Psychanalyse de l'antisémitisme », tous deux parus dans l'ouvrage collectif *La psychanalyse est-elle une histoire juive ?*, Paris, Seuil, 1981. Enfin : Éliane Amado Lévy-Valensi, *Le Moïse de Freud ou la référence occultée*, Paris, Éditions du Rocher, 1984.

directement cette judéité transmise, dit-il, hors le judaïsme. Peut-être, d'ailleurs, plus paradoxalement, s'agit-il pour Freud de cerner et de définir un judaïsme *qui échappe à toute définition* et doit en repasser par l'histoire juive, la religion juive, le peuple juif, le christianisme et l'antisémitisme, sans pour autant parvenir à une formulation autre que la dissémination dont ce texte est la proie. « Première réponse où s'accomplit une dépropriation [...]: le propre du peuple juif n'est pas proprement juif [...]; le propre du juif n'est pas le propre du juif. Mais, d'autre part, et en même temps, il existe bel et bien ce que Freud appelle le plus souvent un « caractère » juif, c'est-à-dire une propriété ou un ensemble de propriétés de l'être-juif[3]. »

Si l'on choisit de prendre cet assemblage de textes devenu livre — *L'homme Moïse* est constitué de trois articles successifs qui viennent former ultimement, à Londres en 1939, juste avant la mort de Freud, le dernier « livre » —, de prendre ce livre brisé dont les morceaux restent apparents comme dimension incontournable ou « corps » essentiel de sa venue au jour et à la publication, on saisira mieux ce que j'ai voulu appeler ici la « faute d'écrire » et qui ne va pas — c'est l'enjeu de mon propos — sans Dieu *qui vient à manquer*[4]. On pourra, à partir de cela, puiser abondamment au corpus très riche des nombreuses interprétations de ce texte démembré-remembré.

Lisant ce livre, donc, nous sommes constamment ramenés, en des détours souvent émouvants et inattendus, à cette « faute », soulignée par toutes les autocritiques qui interrompent l'exposé des hypothèses pour les mettre en doute, nous prévenir de leur fragilité ou de leur incertitude; faute qui se donne aussi à lire dans les deux préfaces contradictoires qui ouvrent la troisième et dernière partie, comme dans plusieurs paragraphes des deux autres, et se révèle dans l'aveu d'un risque assumé, voire d'une douleur et d'une extrême difficulté, pour Freud, de publier ses hypothèses. Le livre est perpétuellement rompu par les *mea culpa*, les répétitions, les hésitations de celui qui, dans une lettre à Arnold Zweig à ce propos, soutient que l'hostilité certaine des « non-initiés » — entendez ceux qui n'ont pu soutenir le mythe du meurtre primitif de *Totem et tabou* — lui « commande de garder cet essai secret », et qu'il n'y a pas là « de bonne occasion pour un martyr[5] ». On peut certes comprendre la difficulté, plus d'une fois rappelée, si l'on considère le contexte historique de cette publication — effectuée *malgré tout* à Vienne dans la revue *Imago* qui a présenté au

---

3. Ce que Lacoue-Labarthe et Nancy appellent la double réponse de Freud à l'idéologie raciste, dans *La psychanalyse est-elle une histoire juive?, op. cit.*, p. 77.
4. Je paraphrase en passant le titre d'Emmanuel Levinas, *De Dieu qui vient à l'idée*, Paris, Vrin, 1992.
5. Sigmund Freud et Arnold Zweig, *Correspondance, 1927-1939*, Paris, Gallimard, 1973, lettre du 30 septembre 1934, p. 130.

public successivement deux articles qui sont les deux premières parties du livre, en 1937. Il s'agit, dit Freud à Zweig, de ne pas froisser l'Église catholique qui protège encore pour un bref moment les Juifs de l'Allemagne hitlérienne — l'invention de Moïse par Freud mettant en question aussi bien la religion chrétienne que juive —, et de ne pas infliger davantage de souffrances aux Juifs déjà fortement éprouvés par la montée du fascisme et le retour de l'antisémitisme. Ces deux raisons s'avèrent à la fin non suffisantes pour empêcher la publication des textes.

> Nous vivons ici dans une atmosphère de rigorisme catholique. On dit que la politique de notre pays est faite par un certain Père Schmidt [...] qui est l'homme de confiance du pape et qui est malheureusement lui-même ethnologue et historien de la religion, qui dans ses livres ne fait pas mystère de son horreur de l'analyse et particulièrement de ma théorie du totem[6].

Le malaise avoué, l'angoisse réelle de publier n'opposent pourtant pas de résistance assez forte contre la tentation. Et l'urgence imparable de rendre publiques ces hypothèses si fragilement fondées se soutient pour Freud d'une nécessité qu'il explique par son souci de mettre au jour la vérité cachée, refoulée, déniée par son peuple et par l'Histoire universelle. « J'ai passé toute ma longue vie à défendre ce que je considérais comme la vérité scientifique, même quand la chose était gênante et désagréable pour mon prochain. Je ne puis la terminer par un acte de reniement[7]. » Ce que Freud ne dit pas, cependant, c'est l'urgence qui déporte toute écriture vers son accomplissement. La puissance sourde et « constante » — comme la pulsion — qui pousse la question, l'oubli ou, pourquoi pas, la vérité à passer à l'écriture, ne saurait s'interrompre aussi facilement au moment de publier. Il n'y a jamais de raison suffisante à la non-publication. Car cette puissance est intime et quiconque se met à écrire tombe sous son règne « d'autant plus durement qu'il s'y oppose et la conteste[8] ». Même la

---

6. *Ibid.*, p. 130. Au sujet du père Schmidt, voir Yosef Hayim Yerushalmi, *op. cit.*, p. 69 et suivantes.

7. Voir la lettre à Charles Singer du 31 octobre 1938 : « Naturellement, je ne tiens pas [...] à offenser les gens de ma race, mais qui puis-je ? J'ai passé toute ma longue vie à défendre ce que je considérais comme la vérité scientifique, même quand la chose était gênante et désagréable pour mon prochain. Je ne puis la terminer par un acte de reniement. Votre lettre contient une remarque qui témoigne de la supériorité de votre esprit : c'est l'assurance que tout ce que j'écrirai suscitera des malentendus et — puis-je l'ajouter — de l'indignation. Or, on nous reproche à nous autres Juifs, d'être devenus lâches au cours des siècles (nous étions jadis une vaillante nation). Je n'ai aucune part à ce changement. Il faut donc prendre des risques. » (*Correspondance 1873-1939*, Paris, Gallimard, 1979, lettre n° 309)

8. Maurice Blanchot, *Le livre à venir*, Paris, Gallimard, coll. « Folio », 1959, p. 313-314 : « Je sais la règle formulée par Apollinaire : *Il faut tout publier.* Elle a beaucoup de sens. Elle atteste la tendance profonde de ce qui est caché vers la lumière, du secret vers la révélation, de tout ce qui est tu vers l'affirmation publique. [...] C'est la puissance sous le règne de laquelle tombe quiconque se met à écrire et d'autant

qualité douteuse de l'œuvre, que Freud, ici, n'hésite pas à considérer *aussi* comme une raison de sa résistance [9]. Bref, il faut reconnaître que ce sont les mêmes circonstances qui ont poussé Freud à écrire qui le retiennent de publier. D'où ce caractère particulièrement embarrassé du livre qui conserve obstinément à sa surface toutes ces failles, ces fractures et ces défauts. D'où ce livre brisé que Michel de Certeau, pour en désigner la dimension fragmentée, appelle si justement « le bruit d'un corps [10] ».

C'est de cette faute à maintes reprises avouée que j'aimerais parler ici, de cette brisure que l'écriture ne cesse de commettre à chaque page, à chaque tournant de son élaboration et qui en fait aussi toute la difficulté. Dans *L'homme Moïse*, Freud soutient deux hypothèses qui, bien qu'à plusieurs reprises mises en doute, ne s'y donnent pas moins comme le socle irréfutable de cette histoire : Moïse ne serait pas Juif mais Égyptien, il ne serait pas mort, comme l'affirme le Pentateuque, au seuil de la Terre Promise, mort dont ne resterait — toujours au sens de la Torah — aucune sépulture, mais il aurait été assassiné par son peuple et substitué par un autre que l'on s'obstinerait à reconnaître comme étant Moïse alors qu'il s'agirait d'un Midianite sans nom. Il s'agit donc pour Freud de soutenir cette double avancée en s'appuyant sur des spécialistes — historiens de la religion, anthropologues, scientifiques.

La démarche est ici très particulière. Elle se fonde sur un principe qui consiste à trouver chez les spécialistes la confirmation d'une hypothèse que l'on peut, je crois, prendre ici comme un « matériel » de rêve, puisque cette hypothèse se donne pour un « point de départ » ou, si l'on veut, pour le support d'une chaîne d'associations que Freud assume déjà *sans preuve ni référence*. Acceptons donc de le prendre au mot lorsqu'il affirme, toujours à Arnold Zweig, que le fait que Moïse ait été Égyptien ne soit pas là l'essentiel. « Ce n'est pas non plus la

---

plus durement qu'il s'y oppose et la conteste. [...] Or, de son vivant, ce qui arrive est apparemment le contraire. L'écrivain veut publier et l'éditeur ne le veut pas. Mais ce n'est que l'apparence. Pensons à toutes les forces secrètes, amicales, opiniâtres, insolites, qui s'exercent sur notre volonté pour nous forcer à écrire et à publier ce que nous ne voulons pas. Visible-invisible, la puissance est toujours là, qui ne tient nullement compte de nous et qui à notre surprise nous dérobe nos papiers dans nos mains mêmes. Quelle est cette puissance ? [Mallarmé] l'a appelée le Livre. »

9. Lettre à Zweig du 6 septembre 1934 : « J'ai écrit à Eitingon que votre conception de l'impossibilité de faire paraître mon *Moïse* sans danger est juste. Mais le danger, bien que réellement minime, n'est pas le seul empêchement. Plus grave est le fait que le roman historique ne résiste pas à ma propre critique. » Et le 16 décembre 1934 : « Laissez-moi en paix avec Moïse. Que j'aie échoué dans cette tentative pour créer quelque chose — la dernière probablement — me déprime assez. » (Sigmund Freud et Arnold Zweig, *op. cit.*, p. 135, 136)

10. Michel de Certeau, *L'écriture de l'histoire, op. cit.*, p. 318.

difficulté intérieure, ajoute-t-il, car on peut tenir cela pour certain. Mais le fait que j'ai été obligé d'ériger une statue effrayante de grandeur sur un socle d'argile, de sorte que n'importe quel fou pourra la renverser[11]. »

Rien de moins certain que cette certitude, pourrait-on dire. La « statue effrayante de grandeur » dont parle Freud[12] est en fait la dernière partie du livre soustraite à la lecture jusqu'en 1939 et publiée avec les deux autres, simultanément à Londres et à Amsterdam. Les pieds d'argile soutiennent en effet la question travaillée et implicitement mise en scène dans cette troisième partie qui cherche à dire ce qui a conféré au judaïsme son incroyable emprise sur les Juifs, emprise que Freud explique longuement par le retour du meurtre refoulé. Il fallait, dit Freud, l'assassinat de Moïse et surtout l'oubli de son enseignement, pour que la religion mosaïque s'empare du peuple juif et ne le quitte plus. Mais ce retour du refoulé, soutient Freud, sera chez les Juifs partiel. Ils se souviendront de Moïse mais non de son meurtre. De là, le christianisme, fondé sur la mise à mort de Jésus, pourra prétendre rejouer et assumer ce premier meurtre, accusant ainsi le peuple juif d'ignorer sa responsabilité.

> Le malheureux peuple juif qui continua à nier avec sa ténacité habituelle le meurtre du père a payé cher pour cela au cours des temps. On ne cessa de lui faire ce reproche : « Vous avez tué notre dieu. » Et ce reproche est exact, si on le traduit correctement. Alors il veut dire, rapporté à l'histoire des religions : « Vous ne voulez pas avouer que vous avez assassiné Dieu. » (HM, p. 182-183)

Le socle d'argile que constitue le meurtre du Moïse égyptien, plusieurs ne se sont pas privés de le réduire en poudre. Il n'en reste pas moins, pour Freud, une certitude irréfutable. De la même façon que les fondations anthropologiques et ethnologiques de *Totem et tabou* ont été renversées du revers de la main, le meurtre de Moïse demeure, comme le disait Salo W. Baron, « un magnifique château suspendu dans les airs[13] ». Mais Freud, dont la logique précise n'a que faire de

---

11. Sigmund Freud et Arnold Zweig, *op. cit.*, lettre du 16 décembre 1934.
12. Et qui n'est pas sans rappeler un autre rêve, celui de Nabuchodonosor à l'époque de l'exil des Hébreux à Babylone. Rêve interprété par Daniel, double de Joseph (et de Freud) dans sa fonction d'interprète du matériel onirique. Daniel voit dans ce rêve ce que Dieu a fait savoir au roi et qui concerne sa descendance et la succession des royaumes. Où l'on peut lire, comme dans *L'homme Moïse*, une écriture de l'histoire aussi bien qu'une angoisse pour la postérité...
13. Cité par Yosef Hayim Yerushalmi, *op. cit.*, p. 156. L'expression originalement énoncée en anglais n'est pas sans me rappeler le « Luftschloss » (château d'air) de Paul Klee, reproduit sur la couverture du *Château* de Kafka dans la traduction de Bernard Lortholary parue chez Garnier-Flammarion en 1984, *Luftschloss* que l'on traduit en français par « château en Espagne ». Nous sommes bien ici dans la logique de l'imaginaire.

ces objections, reprend la question directement sur la scène de son histoire du judaïsme. À la fin de *L'homme Moïse*, dans un chapitre qui s'intitule « La vérité historique », il écrit :

> J'ai eu à entendre maintes fois de violents reproches pour n'avoir pas modifié mes opinions dans les éditions ultérieures du livre [*Totem et tabou*]. Des ethnologues plus récents n'avaient-ils pas unanimement rejeté les thèses de Robertson Smith [reprises par Freud] et proposé des théories en partie différentes, qui s'en écartaient diamétralement ? Je répondrai que je n'ignore pas ces prétendus progrès. Cependant, je n'ai été convaincu ni de la justesse de ces nouveautés ni des erreurs de Robertson Smith. Une objection n'est pas une réfutation, une nouveauté n'est pas forcément un progrès. Mais avant tout je ne suis pas ethnologue, je suis psychanalyste. J'avais le droit de tirer de la littérature ethnologique ce que je pouvais utiliser pour mon travail analytique. Les travaux du génial Robertson Smith m'ont fourni de précieux points de contact avec le matériel psychologique de l'analyse, des indications pour son utilisation. Je n'ai jamais trouvé de terrain de rencontre avec ses adversaires. (*HM*, p. 236-237)

Le travail de Freud, sous cet angle, ne diffère pas du travail du rêve qui — selon *L'interprétation des rêves* — « peut prendre son matériel dans n'importe quelle époque de notre vie, pourvu qu'une chaîne d'idées les relie aux [...] impressions récentes [14] ». Freud prend son matériel dans n'importe quelle théorie scientifique pourvu qu'une chaîne d'idées les relie aux « impressions récentes » qui sont, à l'occasion du *Moïse*, non seulement impressions, traces, mais aussi assurance et promesse d'une catastrophe imminente [15]. Le statut de la « vérité historique » est donc ici bien singulier. Et si Freud nous dit que l'on doit traiter le rêve « comme un texte sacré [16] », il complète semble-t-il cet impératif catégorique de la psychanalyse en traitant le texte sacré — l'histoire de Moïse — comme un rêve.

Les familiers du texte freudien doivent se rendre à l'évidence qu'il ne s'agit pas là tout à fait d'une exception. La différence entre les textes métapsychologiques et les deux récits fondateurs que sont *Totem et tabou* et *L'homme Moïse* réside peut-être seulement dans le fait que, ici, nous ayons affaire non à la construction d'un objet scientifique mais à une (re)construction *historique*, bref à quelque chose

---

14. Sigmund Freud, *L'interprétation des rêves*, Paris, Presses universitaires de France, 1971 [1900], p. 152.
15. On peut lire dans le récent livre de Derrida mentionné plus haut une réflexion lumineuse sur cette doublure de l'impression dans son rapport au passé et à l'avenir qui rejoint ici, comme dans l'analyse de Derrida relisant celle de Yerushalmi, la question maintes fois soulevée par Freud, directement et indirectement : « La psychanalyse est-elle une science juive ? » Question reprise par *L'homme Moïse* qui met en cause en sa construction même aussi bien la notion de « science » que celle de « judéité ».
16. *Ibid.*, p. 437.

qui relève directement de la démarche analytique elle-même. Mais il n'y a pas, à bien y songer, de différence fondamentale entre tous ces textes si l'on considère la logique de l'écriture freudienne. Freud, en effet, n'hésite jamais à construire l'objet dont il a l'appréhension — inconscient, pulsion, fantasme, mémoire, appareil psychique — comme des « fictions » scientifiques à partir d'éléments existants ou inexistants dont il use avec une liberté incontestable et sur lesquels il s'appuie pour maintenir la psychanalyse dans le champ de la rationalité scientifique ; rationalité à laquelle il ne veut, pour aucune considération, renoncer. Que l'on pense seulement à la vésicule indifférenciée de l'*Au-delà du principe de plaisir*.

On se rappellera aussi que Freud avait d'abord en tête, pour sa récriture de l'histoire de Moïse, un titre sans doute trop risqué, car plus explicite que celui qu'il a finalement arrêté. Dans ses lettres à Arnold Zweig, et sur le manuscrit retrouvé par Yosef Hayim Yerushalmi [17], Freud indique : *L'homme Moïse, un roman historique*. Il commentait d'ailleurs lui-même le sens de ce genre particulier dans une introduction devenue caduque après la transformation du titre. Je n'en retiens ici que quelques phrases qui peuvent servir à comprendre le principe qui se trouve au cœur de ce projet d'écriture. Après avoir souligné qu'il n'y avait rien de moins sûr que le matériel historique concernant l'homme Moïse, Freud écrit :

> On entreprend donc de traiter comme autant de points d'appui chacune des possibilités qu'offre le matériel, et de combler les lacunes qui apparaissent entre un élément et l'élément le plus proche selon, pour ainsi dire, la loi de la moindre résistance ; en d'autres termes, de favoriser l'hypothèse à laquelle on est en droit d'accorder la plus grande vraisemblance. Ce qu'on obtient à l'aide d'une telle technique peut être considéré comme formant un genre de « roman historique » [18].

Cette technique a l'avantage d'être claire et on verra qu'elle n'est pas sans engendrer une prolifération bien particulière. C'est de là, sans doute, que le « roman historique » de Freud a pu être plus d'une fois considéré à tort ou à raison comme un élément clé du roman familial [19]. Je ne retiendrai pas ici cet angle de lecture, me contentant d'interroger non pas le « cas Freud » mais la rencontre d'une question avec son passage à l'écriture. Cette question, Freud la dispose d'emblée implicitement dans les premiers mots de son livre, dans la première phrase — la plus importante, affirment les écrivains — qui présente Moïse comme *fils* du peuple d'Israël auquel appartient l'auteur. « Enlever à un peuple l'homme qu'il honore comme le plus grand de ses fils

---

17. Yosef Hayim Yerushalmi, *op. cit.* Le manuscrit du *Moïse* est conservé dans les Archives Freud de la *Library of Congress* à Washington.
18. Freud, cité dans *ibid.*, p. 53, je souligne.
19. En particulier par Marthe Robert.

n'est pas une chose qu'on entreprend volontiers ou d'un cœur léger, surtout quand on appartient soi-même à ce peuple. » (*HM*, p. 63)

Enlever à un peuple son fils honoré, voilà donc ce que Freud entreprend ici. Mais c'est pour rendre compte d'une transmission singulière dont il se sent l'héritier, sans devoir passer par la tradition qu'il feint de méconnaître et méconnaît peut-être en partie. Freud cherche l'Autre Scène de cette transmission, la posant d'emblée *au delà* de la tradition et de la religion. De son appartenance au peuple en question, il ne sera plus parlé explicitement. Mais ainsi placée au seuil du livre comme l'*incipit* de cette invention du fils que Freud ne cessera plus de considérer, paradoxalement, comme le père tué et le tenant-lieu de Dieu lui-même, cette appartenance n'est pas, on va le voir, sans travailler de fond en comble sa récriture de l'histoire d'un homme dont il se dit « obsédé » durant les six dernières années de sa vie[20]. Obsession, à vrai dire qui remonte à 1901, époque où il découvre le *Moïse* de Michel-Ange. Je parlerai plus loin de cette étrange ambiguïté maintenue ici entre fils et père.

Le titre finalement retenu par Freud déplace l'enjeu de l'écriture du « roman historique » vers le procès historique qui cherche le site originaire de la religion monothéiste. Ce qui n'est pas sans entraîner les nombreuses difficultés que je rappelais tout à l'heure et, plus directement, la dimension de la faute. Le romancier, au fond — celui que Freud n'est pas —, assume son infidélité à l'histoire. Non pas que la faute ni même la culpabilité s'en trouvent abolies ou amoindries, mais le fait de les assumer dans le procès même du genre romanesque permet sans doute à l'écrivain de les jouer, de s'en jouer en en faisant l'occasion d'une transmission, voire d'une jouissance dont le roman déporte, au delà du sujet qui écrit, les effets de corps. En optant pour la thèse historique malgré l'extrême fragilité de sa construction, Freud masque ou, disons, détourne l'enjeu de son invention comme pour mieux dévoiler ce qu'il appelle lui-même « les scrupules intérieurs[21] ».

Là se révèle un trait singulier, propre aux écrits de Freud, rendus de ce fait si difficiles à lire, parce que, entraînés dans les détours, les ellipses et les ligatures du texte, nous ne repérons plus soudain « où ça va ».

L'altérité et la chaîne des altérations

Au commencement, il y a une volonté affirmée de rétablir un texte brisé — la Bible — d'en « combler les lacunes », d'en prouver le dépeçage, bref de poser le meurtre au cœur même du Livre.

---

20. De 1934 à 1939, année de sa mort.
21. « L'homme, et ce que je voulais faire de lui, me poursuit continuellement. Mais c'est impossible, les dangers extérieurs et les scrupules intérieurs ne me laissent pas d'autre issue [que de renoncer à publier]. » (Lettre à Zweig, 16 décembre 1934, Sigmund Freud et Arnold Zweig, *op. cit.*, p. 136)

Il est naturellement impossible de savoir dans quelle mesure les récits relatifs à des temps anciens remontent à des écrits antiques ou à des traditions orales, et quel laps de temps s'est écoulé, dans chaque cas, entre l'événement et sa notation. Mais le texte dont nous disposons aujourd'hui [Torah ou Pentateuque] nous en dit assez sur ses propres destinées. [...] D'une part, des remaniements sont intervenus, qui l'ont falsifié, mutilé et amplifié dans le sens de leurs intentions secrètes, qui l'ont retourné jusqu'à lui faire signifier le contraire ; d'autre part, il a été l'objet d'une piété pleine d'égards, qui voulait tout conserver tel qu'elle le trouvait, sans se soucier si ces divers éléments s'accordaient ou se détruisaient. C'est ainsi que presque toutes les parties comportent des lacunes évidentes [...]. Il en va de la déformation d'un texte comme d'un meurtre. Le difficile n'est pas d'exécuter l'acte mais d'en éliminer les traces. (*HM*, p. 115)

Sans doute est-ce directement dans cette volonté de restituer l'oubli que se trouve la question chaque fois reformulée, disséminée dans tout ce processus d'écriture et affirmée par ailleurs dans la correspondance privée, la question, dirons-nous, qui vise à nommer *ce qui est propre aux juifs*, « ce je ne sais quoi de miraculeux, dit Freud, jusqu'ici resté inaccessible à toute analyse [22] ». Ce je-ne-sais-quoi, *L'homme Moïse* insiste à le dire, ne serait pas le judaïsme. Il n'y aurait, selon Freud, pas de transmission possible de la tradition hors le postulat d'un meurtre, justement refoulé par cette tradition. La démarche historique ici revendiquée ne tient donc apparemment aucun compte du mode de transcription mis en place par la tradition judaïque. On dirait même qu'elle va « contre » cette tradition jugée par Freud « illogique » (*HM*, p. 117) et sans raison scientifique. « En fin de compte, on n'a pas envie de se faire ranger parmi les scolastiques et les talmudistes à qui il suffit de faire jouer leur ingéniosité, sans se soucier de savoir dans quelle mesure leur affirmation est étrangère à la réalité. » (*HM*, p. 80)

L'affirmation ne recèle pas moins la trace d'un déni, Freud se souciant peu, lui aussi, de savoir dans quelle mesure son roman est étranger à la réalité. Plus que la réalité, c'est la vérité qui l'intéresse, celle « resté[e] inaccessible à toute analyse » et qu'il veut ici mettre au jour comme l'irrecevable oublié. Et cette vérité trouve sa théorie à travers un roman qui raconte l'histoire d'un refoulement dont le retour continuerait de hanter la conscience juive. Reprenant donc la thèse de

22. Lettre de condoléances à Barbara Low à l'occasion de la mort de David Eder, 19 avril 1936, Sigmund Freud, *Correspondance 1873-1939, op. cit.*, p. 466. « Le monde devient si triste qu'il est promis à une destruction prochaine — c'est ma seule consolation. Je puis facilement imaginer combien Eder a dû souffrir, lui aussi, de la dureté de cette époque. Nous étions juifs tous les deux et nous savions aussi, tous les deux, que nous avions en commun ce je ne sais quoi de miraculeux — jusqu'ici resté inaccessible à toute analyse — et qui est propre aux juifs. »

Totem et tabou, Freud pose le meurtre de Moïse au noyau de la judéité. Sans hésiter à faire une fois de plus l'analogie entre le particulier et le collectif, Freud recourt encore ici à la théorie phylogénétique décidément problématique dans toute son œuvre si on refuse de la considérer, après Lacan, comme un mythe, « le seul mythe, dit-il, dont l'époque moderne ait été capable[23] ». En effet, affirmant d'une part son peu d'envie d'être rangé parmi les talmudistes qui sont, dit-il, « sans grands égards à l'endroit de la cohérence logique », Freud n'hésite pas à s'appuyer sur la minuscule thèse d'un contemporain nommé Sellin (*HM*, p. 105 et suiv.) qui affirme trouver dans les Écritures saintes les preuves d'un meurtre perpétré sur la personne de Moïse, et l'indication du lieu — inconnu de la tradition juive — de sa sépulture.

Ce qui nous intéresse n'est pas, j'insiste, la fragilité des matériaux qui soutiennent ce rêve de l'Histoire, mais bien plutôt leur statut dans une logique d'écriture particulière. Freud ne donne aucun détail de la méthode de Sellin. Ce qui lui importe, c'est de retrouver sa propre affirmation chez un auteur autorisé. C'est Lacan qui a refait le travail pour nous avec l'aide d'André Caquot, professeur en sciences religieuses des Hautes Études, en 1970, et dont l'exposé sur l'opuscule de Sellin, avec lequel Freud a travaillé, est publié en annexe du *Séminaire*, livre XVII consacré à *L'envers de la psychanalyse*[24]. Ce qu'on y apprend est particulièrement intéressant puisque la méthode de Sellin consiste à jouer sur les lettres hébraïques pour leur faire dire autre chose que ce qu'elles disent. Coupant les mots et les rattachant aux suivants, dans certains passages[25], Sellin peut affirmer lire l'allusion directe à une mort violente de Moïse et à la présence de sa tombe dans la ville de Shittim. Le plus intéressant dans cette démarche — et personne, je crois, ne l'a souligné — c'est sa parenté étonnante avec la méthode rabbinique du midrach qui consiste, tout comme le roman historique de Freud, *à combler les lacunes* du texte de la Torah par des récits multiples qui n'hésitent jamais à casser les mots, à diviser les phrases, à inverser ou anagrammatiser les énoncés. C'est le principe même, par exemple, du *kéri-kétiv* (lu-écrit) cher aux transcripteurs, et qui consiste, grâce à l'absence de voyelles dans la langue hébraïque, à rendre la graphie par au moins deux vocables différents[26]. Fuyant apparemment la tradition, on dirait que Freud la retrouve de plein front.

Cette méthode de lecture utilisée par Sellin ne fait l'objet chez Freud d'aucune question ni d'aucune présentation. Freud va jusqu'à

23. Jacques Lacan, *Le séminaire*, Livre VII, *L'éthique de la psychanalyse*, Paris, Seuil, 1986, p. 208.
24. *Id.*, *Le séminaire*, Livre XVII, *L'envers de la psychanalyse*, Paris, Seuil, 1991.
25. Entre autres, le Livre du prophète Osée.
26. Lire ici le chapitre « La fabrique du Nom ».

écrire : « On ne peut qualifier de fantaisiste l'exposé de Sellin, il a tous les traits de la vraisemblance. » (*HM*, p. 120) Véritable lacune dans son propre texte, cette démarche proprement « talmudiste » — bien que Sellin soit un protestant — soutient, à l'envers de la science prônée par Freud, le nom propre d'un spécialiste qui, à lui seul, peut faire autorité.

On le voit, de la Torah à la tradition (Talmud, midrachim et histoire du judaïsme), à Sellin et à Freud lui-même, il en va chaque fois d'une altération du texte, d'une coupure, d'une lacune qui fonctionne dirait-on — c'est en tout cas ce qu'affirme Freud —, comme son principe de vérité et de révélation.

De là, il n'est pas interdit de poursuivre la chaîne et de voir que, dans cette histoire, il en va toujours d'une récriture fondée sur une destruction, « un meurtre », un « oubli ». En effet, si Freud veut mettre à l'origine du judaïsme *deux* Moïse, *deux* fondations, *deux* royaumes, *deux* noms divins, cela n'est pas sans rappeler — bien que Freud ne le redise pas ici — que Moïse, celui de la tradition, a reçu, lui, non seulement *deux* Tables de la Loi, mais *deux fois deux* Tables, puisqu'il les a brisées de colère au pied du Sinaï à l'occasion du Veau d'or et du massacre qui s'ensuivit, et qu'il a dû les récrire. Cette double doublure, Freud l'oublie le temps de son invention, mais c'est pour la faire passer, semble-t-il, sur un autre plan. On peut évoquer en passant son interprétation du Moïse de Michel-Ange qui résiste, contrairement à ce que la tradition raconte, à briser les Tables, réprimant sa colère et donnant à Freud l'occasion d'une identification dont l'ambivalence père-fils est tout à fait claire. Puisque ce Moïse est à la fois le père qui semble l'accuser d'appartenir à la *racaille idolâtre* et le fils auquel Freud après Michel-Ange s'identifie, lui qui rompt, du moins apparemment, avec la tradition de ses pères, ce même Moïse ne brisant pas — pas encore — les Tables. C'est d'ailleurs parce que Freud imagine la colère réprimée qu'il peut aussi l'imaginer imminente, dirigée cette fois contre lui seul : « Et en vérité, je suis à même de me souvenir de ma déception quand, lors de visites antérieures à Saint-Pierre-aux-Liens, je m'asseyais devant la statue, m'attendant à la voir s'élancer sur son pied dressé, jeter les Tables à terre et décharger sa colère. Rien de tel ne se produisait[27]. »

Le « bris des Tables », nous dit Freud dans *L'homme Moïse*, signifierait « il a rompu la Loi » et marquerait le moment où le peuple, « par un adroit subterfuge », déplace sur Moïse sa propre apostasie. Ce subterfuge viserait à masquer le meurtre et en indiquerait le refoulement. Car, dit encore Freud, « on peut se représenter sans peine qu'un des

27. Sigmund Freud, « Le Moïse de Michel-Ange », *L'inquiétante étrangeté et autres essais*, Paris, Gallimard, coll. « Folio-essais », 1985, p. 100-101.

soulèvements [du peuple] prit une autre fin que ce que le texte affirme » (*HM*, p. 121).

Cette mise en doute permanente du texte biblique en ce qui a trait au récit du meurtre de Moïse est assez surprenante. Non pas qu'il faille nécessairement « croire » en tout point ce grand récit anthropologique et historique qu'est la Bible, mais cette idée, qui obsède Freud, d'un refoulé inavouable parce que irrecevable, semble aller à l'encontre du trait le plus singulier de l'histoire juive depuis la Bible, qui est, comme le souligne Yerushalmi, « son refus quasi maniaque, de dissimuler les forfaits des Juifs [28] ». La Bible, en effet, ne raconte que cela, l'infidélité du peuple élu, sur fond de massacres, de fratricides et d'exterminations. On y raconte en détail les fautes de David et des « pères », les prostitutions, la lapidation des prophètes, bref toutes les fautes inavouables de ce peuple élu à la « nuque raide ».

C'est la position de Yerushalmi qui écrit : « Si Moïse avait véritablement (*actually*) été tué par nos ancêtres, son meurtre n'aurait pas été refoulé ; bien plus, il serait resté gravé dans les mémoires [29]. » Ce qui est curieux dans cette affirmation, ce n'est pas l'énoncé comme tel mais le fait qu'il arrive dans le texte de Yerushalmi après la citation d'un midrach dans lequel les rabbins relatent justement, comme le souligne Derrida, l'intention « effective, actuelle, et en vérité accomplie [30] » de tuer Moïse. Le passage du midrach cité par Yerushalmi est celui-ci : « Or, toute la communauté parlait de les lapider (Nb 14, 10). Qui donc ? Moïse et Aaron... [mais le verset poursuit] lorsque la gloire divine apparut [dans la tente d'assignation à tous les enfants d'Israël]. Cela nous enseigne qu'ils [les Israélites] se mirent à lancer des pierres mais que la Nuée [de la Gloire divine] les interceptait [31]. »

Le meurtre de Moïse serait donc à la fois refoulé (thèse de Freud) puisque le récit en détourne non l'accomplissement mais l'effet réel, et gravé dans les mémoires puisque récit de meurtre il y a. On ne trouve là qu'une contradiction apparente ; comme on le sait, le refoulement n'interdit pas la mémoire, au contraire, et pour reprendre l'image freudienne du *bloc magique,* on pourrait dire qu'il en « effeuille » ou en stratifie l'exposition. En fait, ce qui frappe ici, c'est à quel point l'*oubli* par Freud de la tradition judaïque n'est pas sans soutenir par ailleurs une « mémoire vive » ; mémoire vive qui absorbe contre toute attente les enjeux de la tradition qu'elle semble repousser. Que les rabbins aient imaginé le meurtre de Moïse, voilà qui donne à la théorie freudienne une certaine résonance.

---

28. Yosef Hayim Yerushalmi, *op. cit.*, p. 160.
29. *Ibid.*, p. 161.
30. Jacques Derrida, *op. cit.*, p. 105.
31. *Bamidbar Rabbah* 16, 13 (recueil de *midrachim*).

Il importe de dire que, au delà d'une « herméneutique du soupçon [32] » dirigée vers le texte biblique, ce qui est à l'œuvre dans le *Moïse* de Freud, comme dans plusieurs autres de ses écrits, ressemble davantage à une appropriation selon laquelle le « bris de la Loi » est rejoué pour sa récriture. Cherchant à expliquer l'inanalysable par le retour du refoulé, Freud fait certes une analyse pour le moins saisissante de la naissance du christianisme et de ses avatars antisémites. Mais ce qu'il fait, par là même, ressemble encore à ce que firent les Hébreux après que Moïse eût récrit les Tables. Une *aggadah* (récits qui accompagnent le code juridique — *halakha* — du Talmud) nous apprend en effet que dans l'Arche, construite pour promener les Tables de la Loi au désert, les enfants d'Israël enfermèrent aussi les débris des premières Tables.

> J'écrirai sur les Tables les paroles qui étaient sur les premières Tables que tu as brisées et tu les placeras dans l'arche. (Dt 10, 2) Rabbi Joseph a dit : cela nous enseigne que les [nouvelles] Tables et les débris des [premières] Tables furent déposés dans l'arche. D'où [nous apprenons aussi] qu'un sage qui aurait oublié son savoir en raison de circonstances malheureuses [dont il n'est pas responsable] ne doit pas être traité avec mépris [33].

Même les Tables brisées sont sacrées... et même l'oubli par Freud de la tradition appartient à la tradition. Il existe d'ailleurs un rite accompli par les Juifs chaque jour de la fête de Soukkot (fête des cabanes). Pendant la prière du matin, on prend un bouquet végétal composé de quatre éléments : un cédrat (ressemblant à un citron) qui rassemble fruit et parfum, une branche de palmier dont l'arbre donne des fruits mais pas de parfum, trois branches de myrte qui ne donnent pas de fruits mais possèdent un parfum et deux branches de saule n'ayant ni fruits ni parfum. Ce bouquet porte le nom d'un de ses éléments : le *Loulav* (palmier).

> Les commentateurs ont proposé une analyse symbolique de cette classification. L'homme juif peut être défini par sa connaissance de la Thora (parfum) et par sa pratique (fruit), par l'esprit (parfum) et par l'action (fruit). Les personnes qui pratiquent et qui étudient sont représentées par le cédrat ; ceux qui pratiquent [...] sans recherche sont le palmier ; ceux qui étudient et possèdent l'esprit de la Thora sont le myrte ; enfin, ceux qui ne pratiquent pas et n'étudient pas ont pour symbole le saule [34].

Ce je-ne-sais-quoi qui fait le Juif est sans doute lié à cette capacité de reconnaître à l'oubli du judaïsme son appartenance à la tradition du

---

32. Paul Ricœur, *De l'interprétation : essai sur Freud*, Paris, Seuil, 1965.
33. *Aggadoth du Talmud de Babylone*, traduction d'Arlette Elkaïm-Sartre, Paris, Verdier, 1982, traité « Menahot », p. 1289.
34. Marc-Alain Ouaknin, *Symboles du judaïsme*, Paris, Assouline, 1995, p. 74.

judaïsme, comme si ce *hors-le-judaïsme* recherché par Freud pour penser la persistance du peuple était déjà une extériorité intime. On peut donc dire que lorsque Freud s'évertue à montrer que Moïse était Égyptien pour rappeler que les Juifs sont soumis à l'hétérogénéité de toute fondation, lorsqu'il *imagine* cette histoire pour révéler que la croyance en leur intégrité absolue relève toujours du fantasme — antisémite — de ceux qui aspirent à ne faire qu'UN pour échapper à la dette symbolique ; bref lorsque Freud invente, si l'on peut dire l'« impureté de Dieu [35] », il se trouve au cœur même de la tradition judaïque.

Freud, récrivant l'histoire, ne laisse pas de briser son propre texte, affirmant ainsi que la restauration de l'oubli ne saurait s'assimiler à un colmatage des morceaux. L'inanalysable reste et restera irréductible, brisé *dans et avec* le texte. Le je-ne-sais-quoi de la judéité est, dirait-on, éminemment rejoué dans cette démarche qui cherche à le nommer, à le théoriser. Peut-être est-ce là l'enjeu de toute théorie qui prend en compte l'impensable, la psychanalyse étant sans doute la première « science » à ne pas céder sur la primauté de cet impensable renommé *pulsion de mort, ombilic du rêve, refoulement originaire, juif*, etc.

On ne doit au fond jamais négligé de prendre en compte cette dimension de l'écriture qui fait des écrivains, des romanciers eux-mêmes, des théoriciens du livre, imposant dès lors ce lien étroit et nécessaire entre l'ininterprétable et l'interprétation, l'infigurable et la figure, l'inimaginable et l'imaginaire. On voit ici comment Freud actualise l'insistance de cet inanalysable dans sa propre écriture pour en reporter jusqu'à lui la « faute ». Mais ce report ou déplacement est déjà une traduction : il imagine et rêve le meurtre que constitue en l'occurrence sa théorie de l'impensable judéité ; imaginaire qui laisse entendre que ce qui préoccupe Freud dans toute cette histoire, ce n'est pas tant la transgression de la Loi par les Hébreux, ni la rupture de Moïse avec la tradition, rupture à laquelle on peut dire avec d'autres qu'il s'identifie, ni même le meurtre réel de Moïse. Ce qui vient au jour serait davantage cette « faute » qu'est l'écriture, ce « meurtre » entériné par l'acte même d'écrire. Et dans la chaîne des dérivés que constitue le principe des altérations, on retrouve non seulement *L'interprétation des rêves*, qui altère abondamment, comme on le sait, les matériaux de l'autobiographie — récriture assumée, celle-là, du roman familial —, mais aussi la présence particulière et toujours réitérée, dans l'œuvre de Freud, de Shakespeare, de son Nom comme de son identité énigmatique. Ce qui retient Freud dans le *Moïse* comme

---

35. Pour reprendre le titre du livre de Stéphane Zagdanski, *L'impureté de Dieu. La lettre et le péché dans la pensée juive*, Paris, Félin, 1991.

ailleurs dans les textes consacrés aux grands hommes (Goethe, Shakespeare, Vinci, etc.), c'est la soustraction — *dissimulation* — de *l'homme* dans le texte. Dissimulation que l'on a appelée, pour la faire passer du plan ontologique à la dignité de l'écriture et de sa logique imparable, « la mort de l'auteur ». La mort de Moïse comme la mort de l'auteur fonctionne comme cet imaginaire, cette image qui recouvre l'irreprésentable du Nom au noyau de la théorie psychanalytique et au principe de l'écriture. Ce que Freud n'hésite pas à soutenir lorsqu'il affirme que l'interdit de représenter Dieu, propre au judaïsme, est non seulement l'effet du retour du meurtre refoulé mais la condition d'une « vie de l'esprit » tout à fait singulière : sublimation et renoncement aux pulsions.

> [Cette interdiction] signifiait, en effet, une mise en retrait de la perception sensorielle au profit d'une représentation qu'il convient de nommer abstraite, un triomphe de la vie de l'esprit sur la vie sensorielle, à strictement parler, un renoncement aux pulsions avec ses conséquences nécessaires sur le plan psychique. (*HM*, p. 212)

« Je suis qui Je suis » ou le Dieu impossible

Il y a toujours, chez Freud, un moment — mais il est inassignable — où le texte semble « saisi » par l'altérité. Tous les textes de Freud sont incontestablement polémiques, et le site dialogique de leur engendrement nous égare souvent, surpris que nous sommes par le surgissement d'une Autre voix qui semble n'avoir pas de lieu. Ce qui se dissimule et se dissémine ainsi dans « l'Arche » du texte, c'est aussi Freud. Non pas le Freud d'un roman familial, dont nous aurions à reconstituer les chapitres, mais le Freud qui ne serait que cette dissimulation toute singulière, car elle a la forme de sa fuite et fait sa signature.

Dans son discours de réception du prix Goethe, plus haute distinction littéraire allemande de l'époque — nous sommes en 1930 — Freud cherche les lieux de rencontre entre psychanalyse et littérature. Et s'il s'attarde surtout à rappeler les enjeux de la biographie qui, dit-il, « n'élucidera jamais l'énigme du don merveilleux qui fait l'artiste », il s'attarde une fois de plus à rappeler la dimension essentiellement cachée de l'*homme* étudié. Après avoir repris les éléments du mystère Shakespeare, Freud soutient que, au désir de se rapprocher des grands hommes, s'ajoute toujours, pour le biographe, l'aveu voilé d'une révolte et d'une hostilité. Le crime est encore ici à l'horizon du livre. Crime qui, on s'en souvient, était tout à l'heure associé à la dissimulation des traces de la violence perpétrée sur l'objet d'étude. La fin de ce petit discours ne saurait mieux dire comment ce crime est à l'œuvre dans toute écriture, même lorsqu'il s'agit du genre autobiographique qui se donne illusoirement pour un dévoilement, sinon pour une révélation.

> Si la psychanalyse se met au service de la biographie [...], [dans le cas de Goethe] nous ne sommes pas encore parvenus à grand-chose, et ceci parce que Goethe, poète, n'était pas seulement un homme qui se confessait beaucoup, mais aussi, malgré l'abondance de notes autobiographiques, un homme qui se dissimulait soigneusement[36].

Lacan avance dans *L'éthique de la psychanalyse* que Freud aurait éludé dans toutes ses rencontres avec la religion monothéiste la dimension essentiellement cachée de IHWH dont rendrait compte la formule transmise à Moïse lors de l'événement du Buisson ardent : « Tu diras que *JE SUIS* t'envoie. » (Ex 3, 14) Je dirais pour ma part que cette rencontre avec le « caché » — mais n'est-ce pas plutôt le retrait radical qui est signalé dans ce Nom ? —, Freud ne cesse de l'actualiser dans son écriture. Si, à Freud, il fallait cette absence de poids du « château d'air » qu'est le retour d'un meurtre refoulé pour nommer l'indicible de la judéité qui insiste même dans le « juif sans Dieu », pour nous, il appert que cette négativité du Nom au cœur du judaïsme est peut-être ce qui en perpétue entre autres l'insistance sur fond de parricide (Dieu est bel et bien tué par la Loi) constamment rejoué, déplacé en fratricides, comme la Bible ne cesse de le raconter, et constamment pris en compte par le style de Freud.

La négativité, ou disons la « dissimulation » dont Freud fait le paradigme du meurtre et qui est, dans le judaïsme dissimulation de Dieu, j'aimerais pour terminer la représenter par deux petites histoires juives qui, par leur humour, illustrent bien ce site obsédant de l'absence, dans l'esprit — entendez aussi, le trait d'esprit — juif[37]. La première est brève. C'est l'histoire de ce Robinson juif qui, isolé sur son île déserte, se construit deux synagogues. L'une où il ira et l'autre où il n'ira pas.

La seconde histoire est plus longue. On la dit typique d'un certain quartier de Manhattan, le Upper West Side.

---

36. Sigmund Freud, « Prix Gœthe 1930 », *Résultats, idées, problèmes II*, Paris, Presses universitaires de France, 1985, p. 185.

37. Autre dimension de l'appartenance de Freud au judaïsme comme le rappelle Jacques Hassoun : « Sans parler de la fameuse Bible de Philipson offerte par Jacob Freud et dédicacée en hébreu à son fils, nous pouvons dire que Freud ne fit jamais mystère de son judaïsme et de sa connaissance de la culture hébraïque. Trois textes en témoignent et tout d'abord *Le mot d'esprit et ses rapports avec l'inconscient* [Paris, Gallimard, 1988], véritable thesaurus de l'humour juif centre-(et)est-européen qui permettra à Sigmund Freud de compléter sa *Traumdeutung* en précisant, en affinant l'analyse des mécanismes qui régissent le fonctionnement de l'inconscient. [Les deux autres textes sont « Résistance à la psychanalyse » texte publié dans la *Revue juive* le 15 mars 1925, et, bien sûr, *L'homme Moïse*]. » (« À propos du possible lien existant entre la psychanalyse et le judaïsme », *Yod*, n° 26, 1987, p. 65)

West End Avenue. Une famille juive de la bourgeoisie aisée. Progressiste de gauche, le père ne rate jamais une occasion de proclamer bien haut ses convictions athées. Souhaitant le faire bénéficier de la meilleure scolarité possible, lui et son épouse ont inscrit leur fils à Trinity School, une école autrefois religieuse, mais aujourd'hui laïque et ouverte à tous. Quelque temps plus tard, le garçon revient à la maison et dit négligemment : « À propos, papa, tu sais ce que signifie trinité ? Ça veut dire le Père, le Fils et le Saint Esprit. »

À ces mots, le père, fou de rage, saisit son fils par les épaules et déclare ; « Danny, rentre-toi bien cela dans la tête : *il n'existe qu'un seul Dieu* — et nous n'y croyons pas [38] ! »

Ce que raconte cette seconde histoire, c'est non seulement la négativité affirmée et revendiquée en tant que telle, mais réaffirmée contre un christianisme qui insiste, lui aussi, à vouloir traduire et convertir les données de l'équation. Ce Dieu qui existe et auquel nous ne croyons pas, je dirai, pour reprendre mon premier titre, qu'il est cette « faute d'écrire ». Faute que constitue l'acte d'écrire dans la mesure où il ne cesse de rouvrir la faille où Dieu, justement, se dérobe. De sorte qu'écrire consiste peut-être aussi à revenir à la rencontre de Dieu qui *ek-siste* parce qu'il manque à sa place. *Écrire, faute de Dieu*, c'est Freud, l'athée radical, qui ne cesse pourtant de soutenir la vérité irréductible à l'analyse qui est, d'une part, « ce miracle qui fait le Juif », mais aussi, il ne faut pas l'oublier, l'ombilic du rêve, le noyau du traumatisme, la femme, ou encore le « génie » auquel Freud renvoie tous les écrivains qu'il admire. Ce qui résiste à l'analyse est donc aussi à l'œuvre dans les textes qui ne parlent ni de judaïsme ni de la question juive.

On relèvera pour finir l'étrange coïncidence entre judéité — ou judaïsme — et psychanalyse qui subissent toutes deux le même sort d'avoir constamment à résister pour se maintenir contre les tentatives d'annihilation, tentatives qui surgissent, on le sait, aussi souvent de l'intérieur que de l'extérieur. Mais plutôt que de parler d'une « science juive », ne serait-il pas plus juste de dire que toute démarche de la théorie qui vise non seulement à reconnaître la négativité à l'œuvre dans le symbolique, mais encore à en soutenir toutes les conséquences jusqu'à en faire la condition d'une éthique et d'une esthétique, d'une écriture et d'une pensée, que toute théorie portée par l'inassignable est vouée à rencontrer ce Dieu-Nom du premier monothéisme ?

Il n'est pas non plus indifférent que la Loi du judaïsme rejoigne, comme on l'a plus d'une fois montré ici, un athéisme radical. Henri Atlan rappelle à son tour à quel point l'interprétation rabbinique *construit* le sens en jouant perpétuellement sur l'incomplétude toujours

---

38. Recueillie entre autres dans *La Bible de l'humour juif*, anthologie présentée par Marc-Alain Ouaknin et Dory Rotnemer, Paris, Ramsay, 1995.

supposée — même si elle reste inapparente — du texte à interpréter. « C'est un langage athée parce qu'il renvoie toujours à autre chose qu'à lui-même, de façon infinie et, négativement, de telle sorte que si l'on veut y localiser un centre, une origine des significations, un dieu, donc, qui lui donne sens, on ne peut l'y trouver que dans le vide du langage, *les blancs de l'écriture* [39]. » Dimension intersticielle de la lettre qui rappelle le site de ce rendez-vous entre Genet, Artaud, Beckett, Kafka et Freud.

Le parricide (fratricide) que cherche, qu'invente, qu'*imagine* Freud, ne dit-il pas enfin qu'un meurtre logique, incontournable, a depuis toujours eu lieu ? Non pas lors d'un rite primitif après tout inénarrable et donc déposé dans toutes les impressions qui en indiquent l'avènement par la négative mais dans l'invention même de ce Dieu en retrait du monde. Le Dieu des Juifs est en somme cette voix devenue lettre, visible, cette parole sans image — imaginez ! — qui crie, éclate, explose, chaque fois que l'on veut raturer son manquement par une idole. C'est dire avec quelle insistance le meurtre opère à la racine du verbe.

Ce que Freud nomme « retour du refoulé », au prix parfois du principe de causalité pourtant inhérent à la rationalité dont il refuse du même geste de s'exclure, est donc à retrouver au principe même de l'écriture, non comme surgissement d'une figure inconsciente en soi oubliée, mais dans cette façon qu'a l'écriture de rater la dissimulation de ce qui lui fait défaut. Dans cette façon qu'elle a de mettre à disposition — d'*inter-prêter* — ces blancs sans lesquels elle n'a pas lieu.

À ce titre, et pour conclure, j'ajouterai que, selon la tradition judaïque, on ne sait pas où Moïse a été enterré. Ce n'est pas rien. Le récit des patriarches ne nous laisse jamais tout à fait dans l'incertitude sur les lieux de leur sépulture. Ne pas savoir où Moïse est enterré est peut-être aussi la condition de sa « hantise » dans le corpus juif et chrétien, si l'on en croit Freud, mais peut-être aussi dans le corpus freudien, comme le laisse entendre Michel de Certeau qui lit *L'homme Moïse*, entre autres, comme un travail de deuil. Il existe une *aggadah* du Talmud à ce sujet, commentant le verset 34, 6 du Deutéronome : « Il enterra [Moïse] dans la vallée, au pays de Moab, vis à vis de Beth-Péor. Personne ne connaît sa sépulture jusqu'à ce jour. »

Rabbi Berakhia a dit : C'est un indice à l'intérieur d'un indice, et pourtant personne ne sait où est la sépulture de Moïse. Un jour, le gouvernement [romain] envoya un agent auprès des autorités de Beth-Péor, pour demander qu'on lui montre la sépulture de Moïse. Ils

---

39. Henri Atlan, « Niveaux de signification et athéisme de l'écriture », *La Bible au présent*, Paris, Gallimard, coll. « Idées », p. 78, 85-86.

montèrent sur la colline, et elle leur apparut en bas ; ils descendirent et elle leur apparut en haut. Ils se partagèrent en deux groupes ; ceux qui montèrent continuèrent à l'apercevoir en bas ; ceux qui restèrent en bas continuèrent à l'apercevoir en haut. Cela confirme bien ce qui est dit, *Aucun homme n'a su jusqu'à ce jour où est sa sépulture.*

Est-il permis, de là, d'avancer que ce que Freud cherche, faute de Dieu et faute de chercher Dieu, c'est accomplir une sépulture qui soit, comme tout travail de deuil, la symbolisation d'un reste, inanalysable. La sépulture non scellée de Moïse dit bien à elle seule ce qu'il faut entendre par « meurtre de Dieu » : avènement d'un trou, d'un blanc [40].

Il se pourrait que, parvenus ici, nous puissions dégager un lien direct, incontestable entre le Juif et l'écrivain, reconnaissant, avec Jabès cette fois, que l'acte d'écrire consiste à venir dans l'urgence au devant de ce blanc qui fait Livre. « Il y a un moment où la question se heurte à la question qui la brise. Elle n'est plus que brisure d'une question informulable. Remords de la question. Tourment [faute ?] inapaisable de la réponse [41]. »

C'est là aussi que la haine nous rejoint toujours, sur le site du Livre, pour nouer intimement, semble-t-il, extermination et autodafé. *Dire le livre*, c'est trahir obstinément ce refoulement propre à nos cultures. « Parce que Dieu, rappelle Artaud, a besoin d'être aidé au maximum par la bonne volonté des justes qui ne veulent pas de ce régime d'enfer. » (Rodez, 25 mars 1943)

Montréal, 25 janvier 1998.

---

40. Que les chrétiens n'ont pas manqué de rejouer dans la parabole du Tombeau vide.
41. Edmond Jabès, *Du désert au Livre. Entretiens avec Marcel Cohen*, Paris, Belfond, 1980, p. 123.

Bibliographie des ouvrages cités

Judaïsme

ABÉCASSIS, Armand, *La pensée juive 2. De l'état politique à l'éclat prophétique*, Paris, Le livre de poche, 1987.

ABÉCASSIS, Armand, *La pensée juive 4. Messianités : éclipse politique et éclosions apocalyptiques*, Paris, Livre de poche, 1996.

Aggadoth du Talmud de Babylone, traduction d'Arlette Elkaïm-Sartre, Paris, Verdier, 1982.

ATLAN, Henri, « Niveaux de signification et athéisme de l'écriture », *La Bible au présent*, Paris, Gallimard, coll. « Idées », 1982.

BANON, David, *La lecture infinie. Les voies de l'interprétation midrachique*, Paris, Seuil, 1987.

BUBER, Martin, *Judaïsme*, Paris, Gallimard, coll. « Tel », 1982.

COHEN, Laurent, *Le maître aux frontières incertaines. Rabbi Nahman de Bratslav*, Paris, Seuil, coll. « Points », 1994.

DRAÏ, Raphaël, *La communication prophétique*, Paris, Fayard, vol. 1 : *Le Dieu caché et sa révélation*, 1990 ; vol. 2 : *La conscience des prophètes*, 1993.

DUBOURG, Bernard, *L'invention de Jésus I et II*, Paris, Gallimard, coll. « L'infini », 1987, 1989.

HADDAD, Gérard, *L'enfant illégitime. Sources talmudiques de la psychanalyse*, nouvelle édition revue et augmentée, Paris, Point Hors Ligne, 1990.

HESCHEL, A. Y., *The Prophets*, New York, Harper and Row, 1973.

JONAS, Hans, *Le concept de Dieu après Auschwitz*, Paris, Payot/Rivages poche, 1994.

LEVINAS, Emmanuel, *L'au-delà du verset*, Paris, Minuit, coll. « Critique », 1982.

―――, *De Dieu qui vient à l'idée*, Paris, Vrin, 1992.

―――, *Du sacré au saint. Cinq nouvelles lectures talmudiques*, Paris, Minuit, 1977.

MAÏMONIDE, Moïse, *Le guide des égarés*, Paris, Verdier, 1979.

NAHMANIDE, *La dispute de Barcelone*, Paris, Verdier, 1984.

NÉHER, André, *Prophètes et prophéties* (réédition de *L'essence du prophétisme*), Paris, Payot, 1995 [1955].

OUAKNIN, Marc-Alain, *Le livre brûlé. Philosophie du Talmud*, Paris, Seuil, coll. « Points », 1993.

————, *Symboles du judaïsme*, Paris, Assouline, 1995.

OUAKNIN, Marc-Alain et Dory ROTNEMER, *La bible de l'humour juif*, Paris, Ramsay, 1995.

ROSENZWEIG, Frank, *L'étoile de la rédemption*, Paris, Seuil, 1982.

SABBAH, David, *La révolte des prophètes et des romantiques*, Montréal, Phidal, 1996.

SAFRAN, Alexandre, *La cabale*, Paris, Payot, 1972.

SCHILLI, Henri (Grand Rabbin de France), *Regards sur le Midrach*, Paris, C.L.K.H., 1977.

SCHOELLER, Guy (dir.), *Dictionnaire encyclopédique du judaïsme*, Paris, Cerf/Laffont, coll. « Bouquins », 1996.

STEINSALTZ, Adin, *Introduction au Talmud*, Paris, Albin Michel, 1987.

TISHBY, Isaïe, *La kabbale, anthologie du Zohar*, Paris, Berg international, 1977.

VIDAL, Marie, *Un Juif nommé Jésus. Une lecture de l'Évangile à la lumière de la Torah*, Paris, Albin Michel, 1996.

Bibles, théologie, mystique

La Bible de Jérusalem, Paris, Cerf, 1988.

La Bible. Ancien Testament, Tome I et II, Paris, Gallimard, coll. « Bibliothèque de la Pléiade », 1959.

BEAUCHAMP, Paul, *L'un et l'autre Testament*, tome 1. *Essai de lecture* ; tome 2. *Accomplir les Écritures*, Paris, Seuil, 1976 et 1990.

CERTEAU, Michel de, *La fable mystique*, Paris, Gallimard, coll. « Tel », 1982.

CHOURAQUI, André, *La Bible*, Paris, Desclée de Brouwer, 1989.

————, *L'univers de la Bible*, 10 tomes, Brépols-Lidis, 1982-1985.

FRESSARD, Gaston, s.j., *La dialectique des Exercices de saint Ignace de Loyola*, Paris, Aubier-Montaigne, 1956.

SCHÉFER, Jean-Louis, *L'invention du corps chrétien. Saint Augustin, le dictionnaire, la mémoire*, Paris, Galilée, 1975.

SAINT AUGUSTIN, *Confessions*, Paris, Garnier-Flammarion, p. 278.

VASSAL, Jean, *Les Églises, diaspora d'Israël ?*, Paris, Albin Michel, 1993.

Psychanalyse

AMADO LÉVY-VALENSI, Éliane, *Le Moïse de Freud ou la référence occultée*, Paris, Éditions du Rocher, 1984.

ANDRÉ, Serge, *L'imposture perverse*, Paris, Seuil, 1993.

BEIRNAERT, Louis, *Aux frontières de l'acte analytique. La Bible, saint Ignace, Freud, Lacan*, Paris, Seuil, 1987.

CERTEAU, Michel de, *L'écriture de l'histoire*, Paris, Gallimard, 1975.

——, *Histoire et psychanalyse entre science et fiction*, Paris, Gallimard, coll. « Folio », 1987.

CHEMAMA, Roland, (dir.), *Dictionnaire de la psychanalyse*, Paris, Larousse, 1993.

COLLECTIF, *La psychanalyse est-elle une histoire juive ?*, Paris, Seuil, 1981.

DERRIDA, Jacques, *Mal d'archive. Une impression freudienne*, Paris, Galilée, 1995.

FREUD, Sigmund, *Métapsychologie*, traduction revue et corrigée par Jean Laplanche et Jean-Bertrand Pontalis, Paris, Gallimard, coll. « Folio », 1991 [1968].

——, *Correspondance 1873-1939*, Paris, Gallimard, 1979.

——, *L'inquiétante étrangeté et autres essais*, Paris, Gallimard, coll. « Folio-essais », 1985.

——, *L'interprétation des rêves*, Paris, Presses universitaires de France, 1971 [1900].

——, *Résultats, idées, problèmes II*, Paris, Presses universitaires de France, 1985.

——, « Au-delà du principe de plaisir », traduction revue et corrigée par Jean Laplanche et Jean-Bertrand Pontalis, *Essais de psychanalyse*, Paris, Payot, 1981.

——, *L'homme Moïse et la religion monothéiste*, traduction de Cornélius Heim, Paris, Gallimard, coll. « Folio », 1986.

——, *Remarques psychanalytiques sur un cas de paranoïa (dementia paranoides) décrit sous forme autobiographique [Le président Schreber]*, traduction de Pierre Cotet et René Lainé, Paris, Presses universitaires de France, 1995.

FREUD, Sigmund et Arnold ZWEIG, *Correspondance, 1927-1939*, Paris, Gallimard, 1973.

KOFMAN, Sarah, *L'enfance de l'art. Une interprétation de l'esthétique freudienne*, Paris, Payot, 1970.

LACAN, Jacques, *Le séminaire*, Livre I, *Les écrits techniques de Freud*, Paris, Seuil, 1975.

————, *Le séminaire*, Livre VII, *L'éthique de la psychanalyse*, Paris, Seuil, 1986.

————, *Le séminaire*, Livre XVII, *L'envers de la psychanalyse*, Paris, Seuil, 1991.

————, « *Lituraterre* », *Littérature*, n° 3, octobre 1971.

————, *Le séminaire 1971-72*, « Ou pire », édition ronéotypée.

LECLAIRE, Serge, *Démasquer le réel. Un essai sur l'objet en psychanalyse*, Paris, Seuil, coll. « Points », 1971.

LE GAUFEY, Guy, *L'incomplétude du symbolique. De René Descartes à Jacques Lacan*, Paris, EPEL, 1991.

RÉGNAULT, François, *Dieu est inconscient*, Paris, Navarin, 1985.

RICŒUR, Paul, *De l'interprétation : essai sur Freud*, Paris, Seuil, 1965.

ROBERT, Marthe, *D'Œdipe à Moïse. Freud et la conscience juive*, Paris, Clamann-Lévy/Plon, 1974.

SCHUR, Max, *La mort dans la vie de Freud*, Paris, Gallimard, coll. « Tel », 1975.

SIBONY, Daniel, *Jouissances du dire*, Paris, Grasset, 1981.

————, *L'autre incastrable*, Paris, Seuil, 1978.

YERUSHALMI, Yosef Hayim, *Le Moïse de Freud. Judaïsme terminable et interminable*, Paris, Gallimard, 1993.

Littérature

ANDRÉ, Serge, *L'imposture perverse*, Paris, Seuil, 1993.

BADIOU, Alain, *Beckett. L'increvable désir*, Paris, Hachette, 1995.

BATAILLE, Georges, « La littérature et le mal », *Œuvres complètes* t. IX, Paris, Gallimard, 1979.

BLANCHOT, Maurice, *L'entretien infini*, Paris, Gallimard, 1969.

————, *Le livre à venir*, Paris, Gallimard, « Folio », 1959.

BERNARD, Michel, *Samuel Beckett et son sujet*, Paris, L'Harmattan, 1996.

CACCIARI, Massimo, *Icônes de la loi*, Paris, Christian Bourgois, 1990.

CITATI, Pietro, *Kafka*, Paris, L'arpenteur, 1993.

CLÉMENT, Bruno, *L'œuvre sans qualité. Rhétorique de Samuel Beckett*, Paris, Seuil, 1994.

COHEN, Laurent, *Variations autour de K. Pour une lecture juive de Franz Kafka*, Paris, Intertextes, 1990.

DAVID, Claude, *Franz Kafka*, Paris, Fayard, 1989.

DERRIDA, Jacques, *La carte postale*, Paris, Flammarion, 1980.

————, *Glas*, Paris, Denoël/Gonthier, 1981.

LAROCHE, Hadrien, *Le dernier Genet*, Paris, Seuil, 1987.

HANKINS, Jérôme (dir.), *Genet à Chatila*, Paris, Babel, 1994.

HAREL, Simon, *Vies et morts d'Antonin Artaud. Le séjour à Rodez*, Montréal, Le Préambule, 1990.

HAREL, Simon (dir.), *Antonin Artaud. Figures et portraits vertigineux*, Montréal, XYZ éditeur, 1995.

HENRY, Anne, « Beckett et les bonnets carrés », *Critique*, nos 519-520, août-septembre 1990.

JABÈS, Edmond, *Du désert au Livre. Entretiens avec Marcel Cohen*, Paris, Belfond, 1980.

LAMONT, Rosette C., « Krapp, un anti-Proust », *Cahier de l'Herne. Samuel Beckett*, Paris, Livre de poche, 1976.

MARIN, Louis, *La critique du discours. Sur la « Logique de Port-Royal » et les « Pensées » de Pascal*, Paris, Minuit, 1975.

MESCHONNIC, Henri, *Le signe et le poème*, Paris, Gallimard, coll. « Le chemin », 1975.

MILLOT, Catherine, *Gide Genet Mishima. L'intelligence de la perversion*, Paris, Gallimard, coll. « L'Infini », 1996.

O'BRIEN, Eoin, « Samuel Beckett et le poids de la compassion », *Critique*, nos 519-520, août-septembre 1990.

PEIRCE, Charles S., *Écrits sur le signe*, Paris, Seuil, 1978.

RÉGNAULT, François, *Le spectateur*, Paris, Beba, 1981.

REY, Jean-Michel, *La naissance de la poésie. Antonin Artaud*, Paris, Métailié, 1991.

ROBERT, Marthe, *Seul comme Franz Kafka*, Paris, Calmann-Lévy, 1985.

ROBIN, Régine, *Kafka*, Paris, Belfond, 1989.

SCARPETTA, Guy, « Artaud écrit ou la canne de saint Patrick », *Tel Quel*, n° 81, automne 1979.

SOLLERS, Philippe, *L'écriture et l'expérience des limites*, Paris, Seuil, coll. « Points », 1968.

————, « Folie : mère-écran », *Tel Quel*, n° 69, printemps 1977.

STAROBINSKI, Jean, *Les mots sous les mots. Les anagrammes de Ferdinand de Saussure*, Paris, Gallimard, 1971.

VERGEZ, Alexandre, *Descartes, Méditations métaphysiques*, Paris, Nathan, 1983.

WHITE, Edmund, *Biographie de Jean Genet*, Paris, Gallimard, 1993.

DANGER

LE
PHOTOCOPILLAGE
TUE LE LIVRE

Cet ouvrage
composé en Trump Mediaeval corps 10 sur 11,5
a été achevé d'imprimer
en septembre mil neuf cent quatre-vingt-dix-huit
sur les presses de
Veilleux impression à demande
Boucherville (Québec).